SA MAJESTÉ DES CHATS

Bernard Werber

SA MAJESTÉ DES CHATS

ROMAN

Albin Michel

À Vanessa Bitton, ma voisine de palier qui a gardé ma chatte Domino toutes les fois où je partais en voyage.

En remerciement pour avoir supporté les coups de griffes, la goinfrerie, les crises nerveuses et, de manière générale, l'égocentrisme maladif de cette adorable princesse.

« Chez les humains, c'est comme partout :
on ne doit pas généraliser ; vu leur nombre ils
ne peuvent pas tous être décevants, il y en a
forcément quelques-uns de formidables. »

La mère de la chatte Bastet

« Tout être qui cache son anus peut raison-
nablement être considéré comme suspect de
vouloir dissimuler ses vrais sentiments. »

Le chat Pythagore

« La vérité n'est qu'un point de vue. »

La chatte Bastet

ACTE I

Une belle utopie

1. LIRE.

J'aimerais tant savoir lire.

Lire est peut-être la capacité qui actuellement me manque le plus dans la vie. Comme j'aimerais déchiffrer tous ces petits caractères qui s'alignent sur les pages et qui forment des mots. Comme j'aimerais comprendre un de ces longs textes qui racontent des histoires.

Il paraît que certains individus, en tournant simplement des pages, voient apparaître dans leur tête, comme par magie, des personnages, des décors, des lieux précis et qu'ils ont même l'impression d'entendre des sons, des voix, de la musique. Cela a l'air tellement prodigieux.

Et puis, une fois que je saurai parfaitement lire – soyons fous –, pourquoi ne pas aussi… écrire !

Non, ne vous moquez pas, je suis sûre qu'un jour j'en serai capable. Mais, pour l'instant, je suis encore loin d'avoir atteint ces deux objectifs, donc je préfère rester raisonnable et m'en tenir à mes aptitudes actuelles, même si elles sont, je vous l'accorde, encore limitées. C'est pourquoi, puisque je ne suis pas en mesure de rédiger le récit de mon extraordinaire aventure, je vais me contenter de vous la miauler comme ça, maintenant, à vous qui êtes en face de moi. De ce fait, vous ne serez pas mes lecteurs, mais mes auditeurs.

Alors, dressez bien haut vos oreilles, tendez vos vibrisses afin de rendre vos moustaches plus réceptives et, vous aussi, vous entrerez dans le petit cercle de « ceux qui savent ». Et, ensuite, vous devrez, vous-mêmes, raconter cette histoire aux autres ainsi qu'à vos cha-tons pour qu'elle ne soit jamais oubliée. Vous deviendrez alors à votre tour des « chats-conteurs ». Et, un jour futur, l'un d'entre vous, celui qui en aura le souvenir le plus fidèle et qui saura enfin écrire, en fera, qui sait, pourquoi pas, un vrai livre.

Avant toute chose, retenez cette phrase :

TOUT CE QUI N'EST PAS RACONTÉ EST OUBLIÉ.

Et tout ce qui est oublié, c'est comme si cela n'avait jamais existé. Raconter une histoire revient à la rendre immortelle.

J'en ai pris conscience lorsque j'ai enfin eu accès à la compré-hension du monde des hommes et surtout à la fabuleuse ESRA, l'« Encyclopédie du Savoir Relatif et Absolu » de Wells.

2. HISTOIRE DE L'ÉCRITURE CHEZ LES HOMMES.

Actuellement, la plus ancienne histoire racontée sur un sup-port fixe en notre possession est datée de 18 000 ans avant J.-C. Dans les grottes de Lascaux ont été découvertes des gravures, des sortes de bandes dessinées qui représentaient des scènes de chasse ou de guerre. Pour encre, du sang ou du charbon mélangé à des pollens de fleurs voire à des excréments. Leur support était la paroi rocheuse des cavernes. Il est probable que le récit de ces aventures ait eu pour vertu de souder la tribu autour du souvenir des actes héroïques des ancêtres.

On retrouve également des traces d'écriture datant de 6 000 ans avant J.-C. en Chine. Cette fois, ce ne sont plus des scènes entières qui sont figurées, mais des pictogrammes – c'est-à-dire des signes symboliques représentant chacun un mot entier : par exemple, pour évoquer un cheval, on dessinait l'animal en quelques traits.

En 3100 avant J.-C., les Sumériens se sont mis à mélanger deux pictogrammes, ce qui leur a permis d'obtenir des idéogrammes et d'exprimer ainsi des notions plus abstraites, autrement dit non plus simplement des animaux ou des lieux, mais des idées.

En 3000 avant J.-C., parallèlement à ce qu'il se passe à Sumer, naissent les hiéroglyphes en Égypte, qui, là encore, associent des dessins à des syllabes. Plusieurs syllabes servent à former un mot.

En 2500 avant J.-C., l'écriture cunéiforme fait son apparition, toujours à Sumer. Non plus de petits dessins représentant le réel, mais des combinaisons de traits gravés grâce à une pointe de roseau dans des tablettes d'argile molle.

Le premier alphabet moderne est inventé, lui, en Israël vers l'an 2000 avant J.-C. Il est composé de vingt-deux lettres et commence par la lettre hébraïque aleph qui représente une tête de bœuf à l'envers (principale source d'énergie de l'époque), laquelle inspirera l'alpha des Grecs puis le A latin. Viennent ensuite la lettre beth, qui symbolise une maison avec un toit et donnera le B latin, puis le gimel qui évoque le cou d'un chameau.

Encyclopédie du Savoir Relatif et Absolu.
Volume XII, dit « ESRAC » (pour ESRA des Chats).
Transmis par Pythagore d'après l'ancienne ESRA
du professeur Wells.

3. QUI JE SUIS.

Avant de vous narrer en détail les surprenants événements qui se sont déroulés jusqu'à aujourd'hui, je dois vous expliquer qui je suis vraiment.

Tout d'abord mon apparence : de l'extérieur, je ressemble à une chatte de trois ans à longs poils, à la fourrure blanche harmonieusement constellée de taches noires – j'en ai par exemple une en forme de cœur inversé sur le museau. J'ai les yeux vert émeraude.

Passons à ma personnalité. Pour me définir, je parlerai d'abord de mes défauts. Oui, oui, je sais, cela va surprendre, mais figurez-vous que j'en ai quelques-uns. Par lequel commencer ? Je suis trop perfectionniste, probablement parce que je ne supporte pas ce qui est médiocre. Je suis aussi une maniaque de la propreté : je peux rester des heures à me lécher pour nettoyer le moindre poil de ma fourrure et je méprise tous ceux qui sont sales ou même simplement négligés.

Quoi d'autre ? Certains me considèrent comme un peu hautaine. Il faut avouer que j'exècre tout ce qui est laid et vulgaire. Parfois, ma grâce naturelle attire la convoitise et cela peut me rendre, disons, sèche avec mes prétendants indélicats et mes concurrentes jalouses. Je peux également me montrer violente. Il m'est arrivé de balafrer de la première griffe de ma patte droite (celle qui est la plus tranchante) des individus qui me manquaient de respect.

Quel autre défaut pourrait me définir ? Ah oui, je suis gourmande. Cela me plaît d'avaler un moineau entier d'un coup, par simple gloutonnerie, alors même qu'il est encore vivant, pattes, bec, plumes compris... Il m'est arrivé d'ailleurs de le sentir se tortiller dans ma gorge pour essayer de remonter et de sortir de ma gueule.

Je suis parfois cruelle. Je joue souvent avec des mulots, je les éventre, j'extirpe leurs tripes, je les entortille sur ma patte, sans pour autant les manger. Bon, ne jouez pas les outrés, je suis sûre que vous aussi vous avez dû faire la même chose, à un moment de votre vie, ne serait-ce que quand vous étiez plus jeunes.

Bien sûr, à côté de ces « légers défauts », j'ai des qualités qui les compensent largement.

Ces mêmes mulots que j'ai un peu abîmés, je vais les offrir alors qu'ils sont encore délicieusement tièdes et palpitants ; et je n'attends rien en retour.

Je suis rapide aussi. Je parviens à attraper des mouches en plein vol (essayez, vous verrez que cela demande un certain entraînement).

Je suis souple : je sais placer une patte au-dessus de mon oreille pour me lécher le fondement.

Que puis-je dire encore sur moi d'intéressant ?

J'ai une sexualité épanouie. Je peux faire l'amour des nuits entières avec un grand nombre de partenaires successifs sans me lasser. Alors je hurle de toutes mes cordes vocales, au point que les mâles et femelles vivant alentour sont mis au courant que je suis contente, ce qui les rend encore plus jaloux.

Je n'aime pas les partenaires sexuels qui, durant l'acte, me mordillent ou me lèchent l'extrémité supérieure voire à l'intérieur des oreilles (quelle horreur, une langue dans mon pavillon auditif! En plus cela fait des bruits caverneux, c'est insupportable).

Je n'aime pas la pluie. Je déteste avoir le poil mouillé. Je n'aime d'ailleurs pas l'eau en général (j'ai le souvenir terrible d'un bain dans un lavabo imposé quand j'étais encore toute jeune, dont je suis ressortie toute poisseuse).

Je n'aime pas qu'on me dise ce que j'ai à faire. Je suis très indépendante. Je suis d'ailleurs « inapprivoisable ». Ni maître ni conjoint, cette devise me va bien, elle est inspirée de l'une de celles de ma mère : « Ni collier ni laisse » (sauf, à l'occasion, un collier antipuces en cas de nécessité ; je déteste ces bestioles qui se glissent dans ma fourrure pour grouiller sur mon épiderme. Elles sont si petites que je n'arrive pas à les labourer dans mes poils avec mes griffes. Bon, j'imagine que vous avez le même souci : qui n'a pas ses petits problèmes de parasites, vers ou puces ?).

Quand je n'aime pas quelqu'un, j'urine sur l'endroit où il dort. Et mes phéromones sont si tenaces que l'odeur s'avère difficile à enlever. Au cas où cela ne suffit pas, j'urine directement dans sa nourriture. Là, normalement, il doit être parvenu à une idée précise de ce que je pense de lui.

Voilà, je suis ainsi, mais la chose dont je suis certaine, c'est que je m'aime moi-même. Par les temps qui courent, tant d'êtres font preuve de comportements stupides parce qu'ils se détestent que quelqu'un qui s'aime, cela mérite d'être signalé, vous ne trouvez pas ? À mon avis, s'aimer, ce n'est pas de l'égoisme, c'est la plus élémentaire sagesse.

Pour conclure, je serai franche avec vous : je me trouve formidable.

Si je n'étais pas moi, j'aimerais me rencontrer. Si j'étais un mâle, je tomberais amoureux de ma personne au premier regard. Et ce que j'adore par-dessus tout, ce sont les récentes aventures qui m'ont transformée de simple chatte d'appartement en conquérante visionnaire. Grâce à elles, je me sens capable à moi seule d'inventer un monde nouveau.

Même si je suis un chat. Même si je suis une femelle.

Ah oui, j'ai peut-être oublié de vous le préciser : j'ai un projet très personnel, un projet grandiose. Il peut se résumer en une phrase : « FAIRE COMMUNIQUER ENTRE ELLES TOUTES LES ESPÈCES. »

J'y reviendrai. Avant cela, il est indispensable que je déroule la succession d'événements par lesquels nous en sommes arrivés là.

Au départ, j'étais, comme beaucoup d'entre vous, une chatte tranquille qui vivait dans son appartement tranquille, dans un monde tranquille. Les jours se succédaient sans surprise. Je trouvais des croquettes (mes préférées sont celles au poulet fumé et aux herbes de Provence) le matin dans ma gamelle, du lait (bio, avec 20 % de matière grasse) dans mon bol, les radiateurs restaient à une température stable, vingt et un degrés, j'avais un grattoir pour mes griffes, un coussin de velours rouge et même de l'herbe à chat pour mes quarts d'heure de folie.

À un moment, pour me distraire, on m'a offert un mâle angora blanc aux yeux jaunes, Félix. Mais, comme on lui avait coupé ses testicules pour les mettre dans un bocal, il était devenu mélancolique et il ne cessait de prendre du poids en regardant alternativement ses attributs perdus et l'écran de télévision – avec une prédilection pour les matchs de football.

Ma servante s'appelait (et s'appelle toujours) Nathalie. Je ne vous l'ai peut-être pas encore précisé, ma servante est une humaine. Vous connaissez les humains ? Forcément, vous avez dû en voir ou en apercevoir. Les humains… Allons, vous savez bien : ces bipèdes sans fourrure avec une simple touffe au sommet du crâne.

Ma servante a les yeux verts (comme moi, mais légèrement plus foncés), une longue crinière noire luisante, le plus souvent retenue par un ruban rouge. Elle est plutôt de taille réduite pour une humaine, et arbore souvent un chemisier blanc et un pantalon en jean bleu. Ses griffes sont peintes en rouge, ses lèvres sont recouvertes de graisse luisante de la même teinte. Je pense que le choix de cette couleur est lié au sang. Selon les critères humains, ça doit être esthétique.

Je vais peut-être vous surprendre, mais je ne suis pas méprisante envers nos serviteurs humains. Les pauvres, ils sont si peu gâtés par leur physionomie. Pour tout vous dire, plus je les connais, plus j'apprends à les apprécier.

Ils ne sont pas beaux. Et, avouons-le franchement, ils dégagent une odeur spéciale. Ils n'ont pas de longue queue pour équilibrer leur marche, ils ne voient pas dans la nuit, ils n'ont même pas d'oreilles orientables, ni de vibrisses pour détecter les volumes des espaces, ni de griffes rétractables. Dans l'obscurité, presque tous ont peur. Et quand ils marchent sur leurs pattes arrière, on sent qu'ils manquent de souplesse et de stabilité (il faut dire qu'ils sont pourvus d'une colonne vertébrale rigide qui est trop fine pour supporter leur poids, ce qui provoque chez la plupart d'entre eux des douleurs au niveau des lombaires – et avec l'âge cela ne s'arrange pas). Parfois, je les plains.

Quant à leur sexualité… Ah, la sexualité des humains… Moi

qui suis passionnée par ce sujet, je peux vous garantir que la sexualité humaine est vraiment ridicule. Nathalie a peu de rapports. Et quand cela arrive, c'est en général d'une manière un peu retenue, avec un seul mâle à la fois. C'est très rapide, quasiment furtif. Ma servante Nathalie ne crie même pas quand elle a un orgasme : elle pousse des petits couinements similaires à ceux d'une souris qui se serait coincé une patte.

À vrai dire, j'ai toujours pensé que si Nathalie voulait une sexualité plus épanouie, elle devrait arrêter de cacher ses orifices. Il n'y a pas de secret : moi, j'exhibe mon arrière, ce qui diffuse mon parfum naturel. C'est ce qui fait une grande partie de mon succès auprès des plus beaux spécimens de mâles. Comme disait ma mère : « On n'attire pas les abeilles sans montrer son pistil. »

Mais les humains ont forcément des qualités qui nous échappent. Il ne faut pas oublier que ce sont eux qui ont construit ces grandes maisons hautes et solides à la température tiède, alimentées en eau potable à plusieurs endroits. Et puis ils nous approvisionnent en nourriture. Rien que pour ça, ils méritent toute notre estime. Parmi les choses qui m'impressionnent positivement chez les humains, je pourrais aussi citer leurs pattes terminées par cinq (j'ai bien dit cinq et non pas quatre) longs doigts articulés. Cinq doigts, dont un pouce opposable qui agit comme une pince. Comme j'aimerais avoir ça ! Grâce à ces mains, ils arrivent à attraper ou même à serrer beaucoup d'objets qui, pour nous, sont inutilisables. Les poignées de porte par exemple (je déteste les poignées de porte : à cause d'elles je me retrouve parfois enfermée dans une pièce !).

À l'époque où je vivais à Montmartre – c'est un charmant quartier dans la ville de Paris –, j'avais bien apprivoisé mon humaine pour qu'elle me nourrisse, me caresse lorsque j'en avais envie, et surtout se comporte en tout point comme une servante obéissante. J'étais heureuse dans cet appartement, dont je m'échappais le soir en grimpant sur les toits pour être honorée par tous les chats du quartier.

À la suite d'une expédition nocturne, j'ai accouché de six chatons. Ma servante a alors demandé à son fiancé de s'en occuper : il en a noyé cinq. Elle n'a épargné qu'un seul d'entre eux, Angelo, probablement parce qu'il avait un poil roux quasiment orange et que chez les humains c'est très recherché (ils nomment cela « *marmelade cat* », ce qui signifie « chat couleur confiture d'oranges »). Je dois avouer que, à la suite de cette action atroce, j'ai eu envie de venger mes enfants et tous les tuer. Cependant je n'avais pas besoin de leur vouloir du mal car les pires prédateurs des humains sont… les humains eux-mêmes.

Un jour, il s'est produit un premier événement qui m'a fait prendre conscience de cette étrange réalité : depuis le balcon de chez moi, j'ai vu un humain entrer dans une bâtisse remplie de jeunes humains, en hurlant une phrase très fort. L'homme était pourvu d'une barbe noire et répétait tout le temps une même phrase, comme pour se galvaniser. Les humaniots, effrayés, piaillaient, essayaient de s'enfuir, mais l'intrus les abattait un par un avec son arme qui crachait du feu. Et les humaniots tombaient, couverts de sang. Cela a duré longtemps ; jusqu'à ce que l'homme à la barbe noire soit lui-même emporté par d'autres humains. Cela m'a vraiment intriguée.

Ma servante Nathalie a découvert la scène plus tard, alors que celle-ci était retransmise sur son écran. Aussitôt, son état émotionnel s'est modifié. Des gouttes liquides transparentes qui sortaient de ses yeux. J'ai consenti à les lécher (j'adore lécher l'eau des yeux des humains, elle a un délicieux goût salé). Je suis venue me blottir sur son cœur et j'ai ronronné pour l'apaiser. Cet événement nous a de nouveau rapprochées. Je lui ai pardonné d'avoir tué mes enfants et j'ai eu envie d'alléger sa détresse. Pour calmer les humains, je ne sais pas comment vous vous y prenez, vous, mais moi je module mon ronronnement en commençant à 30 hertz, puis je descends lentement jusqu'à 25 hertz.

Le barbu que j'avais surpris en train d'assassiner des jeunes humains était en fait l'un des premiers à accomplir ce genre d'action à cette période-là. Ensuite, j'ai vu depuis mon balcon de plus en plus d'humains qui se battaient et se tuaient dans les rues. Ils se massacraient par groupes, en général des barbus (qui scandaient cette même phrase) contre des imberbes (le plus souvent moins nombreux et moins déterminés). Ils étaient tellement occupés à s'entretuer qu'ils n'avaient plus le temps d'accomplir leurs tâches quotidiennes habituelles. Alors, ils ont délaissé le ramassage des ordures, qui se sont accumulées en amas puis bientôt en montagnes. Partout, des amoncellements d'immondices grouillaient de vers, de cafards et de mouches. Une puanteur infâme s'est répandue sur la ville, tandis que les groupes armés barbus ont continué à s'acharner contre les imberbes en uniforme bleu marine, mais aussi contre les imberbes sans uniforme et contre les femelles.

Quand ils capturaient ces dernières, les barbus leur jetaient des cailloux. Cette pratique se nomme, comme j'allais l'apprendre plus tard, « lapidation ». Comment une espèce peut-elle détester ses propres femelles, c'est là un mystère que je devrai élucider.

Puis une épidémie s'est déclenchée et elle a tué encore plus d'humains que les bagarres entre barbus et imberbes. J'ai senti partout les effluves de la mort, invisibles pour les humains. C'est alors que j'ai commencé à comprendre que cette crise était le

crépuscule de la civilisation humaine : au lieu d'être plus comba-
tifs, ils sont devenus suicidaires. Ils préféraient tuer leurs congénères au nom de leurs différences plutôt que de tenter de se
réconcilier pour survivre ensemble. Ils étaient devenus « bêtes ».

Et, en parallèle, j'ai vu croître, en puissance et en nombre,
l'autre espèce rivale qui attendait que les humains s'affaiblissent :
les rats. Je ne sais pas vous, mais moi je n'aime pas les rats. Leur
agressivité, leur rapidité d'adaptation et leur fécondité leur donnent
un avantage sur la plupart des autres espèces. Sans parler de leurs
longues incisives capables de trancher du bois.

De fait, plus les humains étaient séparés par des conflits, plus
les montagnes d'ordures s'amassaient, plus les rats proliféraient,
plus la maladie se répandait.

Au début, ces rongeurs se cachaient, mais je percevais qu'ils
grouillaient dans les sous-sols de la ville. Grâce aux égouts et aux
tunnels du métro, ils pouvaient s'infiltrer dans n'importe quelle
zone de la cité. Progressivement, comme les hommes étaient affai-
blis, les rats n'ont plus eu peur de circuler en surface et parfois
même d'affronter des humains. Je les ai vus, de mes yeux vus,
attaquer en groupe des humains isolés et réussir à les mettre à terre.

Quelque temps à peine après le premier incident, j'ai repéré,
depuis le balcon de mon appartement, un voisin chat. Un siamois ;
poil argenté, yeux bleus. Normalement, je n'aime pas les siamois.
Non par racisme mais par instinct. Vous avez probablement déjà
vu des siamois ; reconnaissez qu'ils sont quand même différents de
nous autres ! Ils sont si arrogants et prétentieux.

Celui-ci était tellement imbu de sa propre personne qu'il osa le
pire : il ne s'intéressa pas à moi. Il restait sur son balcon à scruter
la rue au lieu de me regarder, alors que j'étais pile dans son champ
de vision, parfaitement repérable. Au début, j'ai été vexée. Je l'ai

détesté sans le connaître. Puis j'ai accepté d'oublier ma fierté et tenté de créer le contact.

Selon moi, la meilleure manière de traiter un mâle prétentieux est de le rendre fou amoureux, puis de le délaisser. C'est une stratégie féminine qui marche à tous les coups, même sur les plus flegmatiques.

Il me fallait tout d'abord l'amadouer. J'ai puisé dans ma réserve de trucs habituels, sans succès. Même lorsque j'exhibais mon postérieur, il semblait insensible à mes délicats effluves. Comme si mes hormones glissaient sur sa truffe sans la pénétrer.

J'ai compris que je me trompais de tactique. Il fallait attendre l'occasion où il serait totalement à ma merci. Et celle-ci s'est présentée : alors qu'il était coincé sur une branche haute d'un arbre dans la rue, menacé par un chien qui aboyait pour le faire tomber, je l'ai sauvé en créant une diversion. Ensuite, forcément, il m'était redevable.

Nous nous sommes approchés l'un de l'autre. Nous avons parlé. Vous connaissez ma conviction : tout n'est qu'un problème de communication. Il m'a révélé son nom, Pythagore, et il m'a montré son extraordinaire particularité : un trou dans son front juste au-dessus des yeux. Il appelait cela son « Troisième Œil ». Il m'a expliqué que c'était en fait une prise électronique USB que les humains lui avaient implantée dans le crâne, qui lui permettait de connecter son cerveau sur un ordinateur et ainsi d'aller sur Internet, l'endroit où tous les humains stockaient leurs informations.

Il m'a raconté en détail son histoire. Pythagore avait grandi dans un laboratoire ; les humains se servaient de lui pour faire des expériences scientifiques afin de comprendre les phénomènes d'addiction. Les autres chats soumis à la même expérience que lui étaient devenus fous. Pythagore seul avait survécu. Selon son propre adage : « Tout ce qui ne tue pas rend plus fort » (c'était, selon lui, une phrase issue d'un vieux livre humain). Alors, sa servante humaine, une vieille scientifique prénommée Sophie, avait fini par s'attacher à lui et l'avait installé chez elle.

Pythagore était très intelligent, mais en plus, grâce à son Troisième Œil, il avait accès à toutes les connaissances des humains dans tous les domaines. Ainsi par le truchement de cet appendice, il m'a enseigné énormément de choses que j'ignorais sur le monde qui m'entoure.

C'est lui qui m'a appris que les humains à barbe noire qui tuaient les humaniots étaient des fanatiques religieux, que leur arme était un fusil mitrailleur ; c'est lui qui m'a expliqué ce qu'était la télévision. Il m'a révélé que l'eau qui coulait des yeux de ma servante était des larmes.

Quant à la maladie contagieuse qui décimait les humains, c'était selon lui une résurgence d'une très vieille épidémie du Moyen Âge, qu'il nommait « la peste », transmise par les rats. Pythagore m'a fait prendre conscience de l'énorme menace que constituaient ces rats rongeurs : ils profitaient de la désagrégation de la civilisation humaine pour se poser en successeurs sociaux, omnivores, adaptatifs et très rapidement évolutifs. Si on ne faisait rien, les rats régneraient sur le monde des humains mais aussi sur celui des chats.

Mais Pythagore avait un gros défaut : c'était un pacifiste. Mauvais protecteur, mauvais guerrier, mauvais tueur.

Personne n'est parfait.

Or autour de nous le monde devenait chaque jour de plus en plus violent. Ce n'était vraiment pas le moment de faire de la philosophie.

L'appartement de Nathalie a été attaqué par une bande

d'humains brutaux dirigée par son ex-fiancé. Mon ancien compagnon l'angora Félix a terminé cuit à la broche par ces monstres. La vieille servante du siamois, Sophie, a été tuée. Durant l'attaque, Angelo, mon fils, a pu fuir par miracle. Alors, Pythagore et moi avons décidé de filer pour le chercher vers l'ouest, où un chat nous avait indiqué qu'il s'était dirigé.

Ensemble, nous avons fini par arriver au bois de Boulogne, une zone forestière à l'ouest de Paris. C'est là que j'ai retrouvé mon chaton Angelo ainsi qu'une centaine de chats qui, eux aussi, fuyaient les rats. Angelo avait été recueilli par Esméralda, une femelle noire aux yeux jaunes. Elle était la chatte d'une cantatrice et chantait, elle-même, très bien. Quand sa servante avait été tuée et qu'elle avait perdu son chaton, elle avait fui et, ayant par hasard trouvé Angelo, elle l'avait nourri et adopté. Au début, j'étais, je dois l'avouer, un peu jalouse. Avec le temps, toutefois, j'ai fini par l'apprécier car elle était très distinguée et très respectueuse envers ma personne.

Parmi la communauté des chats de la forêt, il y avait un chat géant échappé du cirque du bois de Boulogne. Pythagore m'a signalé que ce spécimen était un représentant d'une espèce de chats très rare : les « lions ». Il s'appelait Hannibal. Et puis nous avons rencontré Wolfgang, un chartreux à la fourrure gris-bleu qui était jadis le chat du président de la République, c'est-à-dire le chef des humains.

Sur mon initiative, nous avons formé avec ces survivants une meute désireuse de résister à la prolifération des rats. Le lion était évidemment notre arme la plus redoutable.

Nous avons rencontré une humaine étonnante, Patricia, qui avait la particularité de pouvoir communiquer avec moi par l'esprit. Elle se disait chamane (ce qui, chez les humains, signifie qu'on est capable d'établir une communication d'esprit à esprit avec des animaux). Le problème était que même si elle était douée pour dialoguer avec moi par télépathie, elle était par ailleurs muette. Ce qui limitait ses interactions avec ses propres congénères.

Avec quelques jeunes humains amis de Nathalie, nous avons ensuite cherché un endroit qui puisse nous servir de sanctuaire pour nous protéger efficacement des rats. Le seul lieu dépourvu de couloirs souterrains, d'égouts ou de métro (car, comme je vous l'ai déjà signalé, c'est par là que les rats s'infiltrent partout) était... l'île aux Cygnes. C'était une minuscule île tout en longueur, une bande de terre placée au centre du fleuve central de Paris que les humains appellent la Seine. Là, les jeunes humains ont construit un campement que nous avons rapidement investi avec d'autres chats et notre lion.

Cependant, l'île aux Cygnes a été attaquée simultanément sur toutes ses berges (les rats, contrairement à nous, savent parfaitement nager). La bataille fut épique.

Nous les chats et nos serviteurs humains avons subi de nombreuses pertes, mais, au dernier moment, sur mes conseils, nous avons eu recours à un stratagème : nous avons répandu une nappe d'essence à la surface du fleuve à laquelle nous avons mis le feu pendant que les rats nageaient dans notre direction pour attaquer notre île.

Ils ont flambé avant d'atteindre nos rivages. Ainsi, moi, mon fils Angelo, mon mâle Pythagore, ma servante Nathalie, la chamane Patricia, le lion Hannibal, Esméralda et Wolfgang avons pu enfin être tranquilles sur l'île aux Cygnes.

Voilà, six mois ont passé et tout me semble maintenant aller pour le mieux.

Cependant, malgré la victoire, Pythagore est le seul à ne pas partager mon enthousiasme.

— J'ai une bonne et une mauvaise nouvelle, me déclare-t-il.

— Commence par la mauvaise.

— Les rats risquent de revenir en plus grand nombre et, cette fois-ci, de nous envahir.

Je lèche la fourrure de mes épaules, ce qui est chez moi le signe d'une intense concentration.

— Renforçons les défenses, dis-je.

— Je crains que cela ne soit insuffisant.

— Alors tu proposes quoi ?

— Je ne sais pas encore. Pour l'instant, il faut d'abord que je songe à un moyen de préserver ce que nous avons déjà : la connaissance. Je suis le seul chat qui ait eu accès à Internet et qui ait compris notre histoire. Si je venais à mourir dans une nouvelle attaque, j'ai bien peur que ces informations soient oubliées. Il faut laisser une trace.

Je secoue les oreilles.

— Vas-y, développe. Je t'écoute.

— J'ai trouvé sur Internet une idée venue d'un humain (un certain professeur Edmond Wells), qui consiste à mémoriser un maximum de connaissances. Il nomme cela l'ESRA, « Encyclopédie du Savoir Relatif et Absolu ». Je pense qu'on pourrait à notre tour élaborer l'ESRAC, une « Encyclopédie du Savoir Relatif et Absolu des... Chats ». Ce document pourrait être le trésor intellectuel de notre espèce. C'est ça, la bonne nouvelle.

— Et tu voudrais mettre quoi dans ton « encyclopédie » ?

— Tout ce qui nous concerne : tout ce que je t'ai déjà raconté sur notre passé. Il suffira de la mettre en lieu sûr. Ainsi, même si nous mourons, d'autres, plus tard, la retrouveront et pourront la lire. Notre mémoire ne sera pas complètement perdue.

— Mais comment vas-tu faire pour conserver la trace de tout cela si tu ne sais ni lire ni écrire ?

— Grâce à mon branchement à Internet, je peux accéder au web et déplacer une flèche qui me sert de souris (non, pas celles auxquelles tu penses, Bastet) sur un clavier virtuel. J'arrive de cette façon à taper des lettres qui forment des mots qui eux-mêmes composent des lignes, puis des pages. D'ailleurs, pour avoir les idées plus claires, je vais te miauler mon texte en même temps que je le note sur un fichier informatique.

Je fixe ses yeux bleus.

— Tu veux faire ça quand, Pythagore ?

— Tout de suite, j'ai trop peur que cela disparaisse, me répond-il d'un air grave.

Pythagore demande alors à ma servante Nathalie de lui fournir un ordinateur et un câble USB. Il branche le câble USB sur son Troisième Œil et s'attelle à l'opération, s'apprêtant à noter et à miauler à la fois tout ce qu'il se souvient d'avoir lu sur Internet.

Je le questionne :

— Tu commences par quoi ?

— Peut-être devrais-je débuter par un rapide récapitulatif de la grande histoire des chats. Cela ferait une bonne ouverture, ne crois-tu pas, Bastet ?

Et il se met alors à évoquer notre extraordinaire passé.

4. HISTOIRE DES CHATS ET DES HOMMES (PREMIÈRE PARTIE).

Les premiers contacts entre l'homme et les chats remontent à 10 000 ans, au néolithique. À cette époque, les humains cultivaient leurs premières récoltes, ce qui attira naturellement des souris et des rats désireux de les consommer. Humains et chats s'allièrent donc instinctivement par intérêt commun.

Pour autant, l'installation du chat sauvage africain (dont les traces les plus anciennes proviennent d'Éthiopie) dans les maisons humaines date d'il y a 5 000 ans, en Égypte.

Pour les Égyptiens, les chats (qu'ils appelaient « Miou » en référence à leur miaulement) étaient considérés comme les incarnations de Bastet, la déesse au corps de femme et à tête de chat. À leurs yeux, les félins étaient sacrés : tuer un chat relevait du crime puni de la peine capitale. Et quand un chat mourait, son corps était momifié puis enterré dans des cimetières spéciaux.

Lorsque en - 525 avant J.-C., le roi perse Cambyse II voulut envahir l'Égypte, il découvrit la vénération de cette civilisation pour les chats et eut alors l'idée d'attacher des chats vivants sur les boucliers de ses guerriers. De ce fait, les soldats égyptiens n'osèrent pas décocher leurs flèches contre les félins et se laissèrent vaincre à la bataille de Péluse (actuelle Sidi Bou Saïd). À la suite de cette catastrophe, les Perses tuèrent les membres de l'aristocratie égyptienne, détruisirent les temples et massacrèrent les chats.

Les chats rescapés furent ensuite disséminés dans le monde par les navires des commerçants phéniciens et hébreux qui recouraient à leurs qualités de chasseurs de rats pour protéger les provisions qu'ils avaient à leur bord ainsi que les cordages.

Les chatons nés de ces voyages étaient vendus par les marins aux populations des ports. Ils servaient de cadeaux pour séduire les femmes grecques, au même titre que des friandises ou des fleurs. Ils étaient estimés par les paysans car ils les protégeaient contre les rongeurs qui sévissaient dans les silos à grains, et ils furent aussi utilisés pour se prémunir contre les scorpions et les serpents (ils remplacèrent dans cette tâche les putois, que leur mauvaise odeur mit de fait au chômage).

Passagers des caravanes de commerce, les chats furent introduits en Inde, où ils furent vénérés à travers la déesse Sati, femme à tête de chat, puis en Chine, avec la déesse Li-Shou. L'empereur de Corée en offrit aussi un à son homologue japonais l'empereur Ichijo pour ses treize ans, ouvrant ce pays aux félidés où ils devinrent rapidement à la mode.

Bien avant, les chats étaient arrivés en Gaule, en Germanie et en Angleterre avec les troupes des envahisseurs romains, car ils étaient très appréciés des légionnaires de César (qui, pour sa part, en avait la phobie).

Comme le nombre de chats domestiques dans chaque contrée était réduit, leur consanguinité inévitable entraîna des mutations génétiques. Les hommes sélectionnèrent les particularités qui les intéressaient – la forme ou la couleur du poil ou des yeux, par exemple – et inventèrent des espèces locales : le persan en Perse, l'angora en Turquie, le siamois en Thaïlande.

Ainsi commença la première vague de dissémination féline sur la planète.

Encyclopédie du Savoir Relatif et Absolu.
Volume XII.

5. D'UNE ÎLE À L'AUTRE.

« Les problèmes arrivent toujours de la pire des manières au pire moment », disait ma mère.

Elle avait beau être une personne très intelligente, parfois elle disait des choses stupides : il y a strictement autant de chances que les problèmes apparaissent au pire moment qu'au meilleur. C'est juste qu'on y fait plus attention quand ils se produisent lors d'une période déjà difficile.

En l'occurrence, à l'instant où l'incident déclencheur survient, je suis parfaitement en forme. C'est la nuit, une pleine lune flamboyante illumine le paysage ; il se trouve que j'ai eu une petite insomnie (j'ai dégusté une souris pas fraîche), et que je suis sortie pour me dégourdir les pattes et prendre l'air.

Quant au problème lui-même, il s'agit d'une banale attaque nocturne d'une multitude de rats. Je dis « multitude de rats », mais, pour tout avouer, je ne suis pas exacte, deux chats blessés nagent dans l'eau du fleuve en miaulant de détresse poursuivis par quatre rats, de taille réduite qui plus est.

Donc un problème somme toute gérable.

L'élément qui pourrait cependant faire tiquer est que les poursuivants paraissent particulièrement déterminés. Lorsque les chats épuisés rejoignent enfin la berge sud, les rats (qui doivent bien sentir qu'ils sont sur un territoire où ils ne sont pas les bienvenus), ne renoncent pas pour autant. Les deux premiers arrivés montent sur mon île.

Moi, vous me connaissez, je ne suis pas du genre à me laisser impressionner par des animaux qui font la moitié de ma taille et qui n'ont même pas de grosses canines. Si je ne suis pas spécialement courageuse, je suis joueuse, cette situation est donc pour moi une belle occasion de tester ma pugnacité.

Mes petits rats, vous n'avez pas l'air de savoir à qui vous avez affaire.

Je m'approche à pas feutrés, les griffes déjà dégainées, le poil dressé pour paraître plus grosse et intimider l'ennemi. Je profite du fait que le premier rat qui rejoint la berge est encore mouillé et de ce que, par conséquent, sa fourrure est alourdie pour le provoquer en combat singulier. C'est-à-dire qu'avant qu'il ait pu faire quoi que ce soit, je le tue d'un coup de ma patte droite, toutes griffes déployées. Je lui fends le cou et mets ainsi un terme définitif à son agressivité.

Le second rat qui touche la terre ferme ne renonce pas pour autant. Il ne semble pas spécialement impressionné par ma prestation : il me saute dessus, poussé par cette mentalité mesquine et lâche qui caractérise si bien son espèce. Il me mord l'épaule de ses longues incisives ; cela pique, mais ne fait que décupler ma détermination.

Je me débarrasse de lui d'une simple ruade, recule, prends mon élan et l'attaque gueule ouverte. Il fait de même et nous entrechoquons nos dents. Corps à corps. Chacun cherche à mordre le plus profondément possible dans la chair de l'autre. Le goût de son sang de rat imbibe mes gencives. Il projette sa queue rose comme un fouet dans mes yeux, je lance ma patte blanche et noire contre son torse et en extrais un organe qui lui sera désormais inutile : le cœur.

Il paraît que les humains pratiquent ce genre de geste sous anesthésie pour soigner. Personnellement, je le fais sans anesthésie et plutôt dans le but de tuer.

Les deux autres rats arrivent peu après ; voyant le tableau, puis saisissant à qui ils ont affaire, ils préfèrent renoncer et font demi-tour.

Je déguste le cœur de mon ennemi en le mâchant bien avec mes molaires, car je sais que le cœur de rat, c'est un peu filandreux. Lorsque j'ai avalé le dernier morceau, je lâche un petit rot victorieux.

C'est aussi une de mes grandes qualités, j'ai le triomphe modeste.

Les deux chats rescapés me regardent, admiratifs. Ils sont bien abîmés : leurs oreilles sont déchirées, leurs truffes saignent, l'un a un œil crevé, l'autre une patte coupée, leurs fourrures sont balafrées de coups d'incisives. Ils tremblent encore de peur, de fièvre, de faim.

Je miaule pour que nos serviteurs humains accourent. Deux jeunes femelles humaines apparaissent, comprennent la situation, nourrissent et soignent les deux chats. Je profite de ce qu'ils reprennent des forces pour les interroger :

– Qu'est-ce qui vous est arrivé ?

– LES RATS ! répond le premier, ses yeux gris écarquillés de terreur.

Comme si je ne m'en doutais pas.

– Où ? Quand ? Pourquoi ?

Le deuxième chat, plus pragmatique, répond :

– Nous venons du sud de Paris. Quand la crise s'est produite, nos serviteurs humains ont été tués et, à court de nourriture, nous sommes partis. Nous avons découvert le monde extérieur dévasté. Nous avons survécu après l'Effondrement en nous regroupant en bande. Et puis un jour nous avons vu arriver…

Il a un tressaillement d'épouvante. Je l'encourage :

– Quoi ?

– … Une armée de rats. Ils tuaient sans relâche, ils ne laissaient aucun animal en vie.

L'autre chat blessé prend le relais :

– C'est une horde compacte d'une agressivité inhabituelle.

– Ils ont su vaincre et fédérer toutes les autres hordes de rats de la région pour composer une seule grande troupe. Cette horde brune unique est formée non pas de centaines ou de milliers de rats, mais de dizaines de milliers de rats qui coulent comme une rivière d'yeux noirs brillants, de fourrures marron et d'incisives blanches tranchantes, détruisant tout sur son passage.

Alors que le soleil matinal commence enfin à poindre à l'horizon, les deux chats s'expriment à tour de rôle pour reconstituer leur histoire.

– Ils sont particulièrement bien organisés et attaquent par vagues successives, de telle sorte que personne ne peut leur échapper. Ils effraient tous les animaux ; même les hommes s'enfuient à leur approche.

– Ils remontent depuis le sud vers la région parisienne, précise l'autre.

Pythagore, qui est venu écouter ce témoignage, de la patte arrière se gratte nerveusement l'oreille droite, ce qui chez lui est un signe de préoccupation extrême.

– Voilà, c'est bien ce que je craignais. Nous n'avons plus le choix, il faut déguerpir, miaule-t-il.

Pour ne pas céder à la panique, je lui réponds :

— Les rats ont déjà essayé de nous avoir, ils étaient nombreux et ça n'a pas marché.

— Ils ont échoué une fois, mais cela ne signifie pas qu'ils ne réussiront jamais. L'île aux Cygnes est trop étroite et difficile à défendre. Ils ont forcément dû tirer les leçons de leur précédente défaite, ils seront plus efficaces le prochain coup. Il faut partir tout de suite, me rétorque Pythagore.

Moi, vous commencez à me connaître, le matin il ne faut pas me brusquer. Je ne me laisse pas gagner par l'émotion, et je me livre aux étirements que j'avais prévu d'accomplir. Après seulement, je demande :

— Partir, mais pour aller où ?

— Pas forcément loin. Sur une autre île de la Seine par exemple. J'en ai déjà repéré une sur Internet, que les humains appellent l'île de la Cité. Elle est plus grande, pourvue de plus de bâtiments et donc plus facile à fortifier.

Je sais qu'il a une fois de plus raison, mais je ne veux pas avoir l'air d'être trop facilement d'accord avec lui. Question de principe. Je prends donc tout mon temps.

— Et comment on y accède ? Il n'y a plus de ponts sur l'île aux Cygnes, donc plus de contacts terrestres avec la berge.

— En barque, me répond-il.

— Il est exclu que je circule sur l'eau. Imagine un peu que la barque se renverse.

— Nous n'avons pas d'autre solution pour l'instant et le temps presse.

Je renâcle un peu, je trouve quelques arguments de pure mauvaise foi pour le contredire (entre autres : « On a déjà eu assez de mal à trouver cette île », « Toute autre île sera dotée d'égouts et de bouches de métro, donc accessible à nos ennemis », « Nous sommes fatigués », « Comment allons-nous tout déménager ? »), avant de, enfin, consentir à accepter sa proposition.

Je me tourne vers les autres chats. J'indique que nous devons partir à tous ceux qui me considèrent comme une figure d'autorité (statut acquis grâce à mon talent de stratège durant la bataille de l'île aux Cygnes).

Pythagore a connecté son Troisième Œil à un smartphone dont la batterie est rendue autonome par une plaque photovoltaïque – il peut ainsi taper des messages et les envoyer à ma servante Nathalie. Celle-ci passe aussitôt à l'action avec détermination.

Avant la crise, Nathalie était architecte de chantier, c'est-à-dire qu'elle construisait des maisons. Je l'observe de loin mettre notre plan d'évacuation en place. Je ne peux qu'admirer son efficacité. Depuis les événements, elle a bien changé. Elle est devenue beaucoup plus active et, pour tout dire, plus sympathique à mes yeux. Elle n'a plus ce côté humaine femelle passive qui m'agaçait tant. Elle anticipe ce qui va se passer, propose de nouvelles solutions, mobilise son imagination.

D'ailleurs, grâce à son énergie, l'organisation du déménagement se fait avec célérité : les jeunes humains regroupent leurs affaires, récupèrent des barques, les remplissent de nourriture et de tout ce qui pourra nous servir d'outils. En quelques heures à peine, tout est prêt. Hannibal monte sur une barque. C'est le signal du départ.

Je m'aventure sur l'un de ces frêles esquifs posés sur le fleuve et nous quittons l'île aux Cygnes. Les autres chats et humains font de même.

Nous voguons sur l'eau, distante de quelques centimètres seulement de mes pattes ! Je ne peux m'empêcher de m'imaginer que l'embarcation se retourne et que je me noie. Cela me donne des frissons.

Ne pas y penser.

La barque tangue à chaque brassée de rame ; la sensation est pénible, mais je ferme les yeux et serre les mâchoires.

Je ne vais pas me noyer.

Je suis dans les bras de ma servante. Je blottis mon museau contre ses aisselles pour ne plus songer à cette eau effrayante qui nous entoure où je pourrais tomber et me débattre en vain, et je dois avouer que sentir son odeur de sueur me rassure. Je tape mon front contre sa poitrine. Elle me caresse très fort, ce qui finit par me faire oublier la menace. Nathalie réussit presque à avoir sur moi un effet aussi rassurant que celui que j'ai sur elle. C'est peut-être à cause de cela que je tiens tant à lui parler directement de chatte à humaine, pour qu'enfin nous puissions nous entraider de manière plus efficace.

Je vois disparaître l'île aux Cygnes, notre ancien sanctuaire.

Des souvenirs agréables me reviennent de la vie dans ce lieu si spécial. Notre installation, nos combats, nos victoires, quelques moments tendres avec ceux que j'apprécie. Je distingue encore le bras de la statue de la Liberté dont le flambeau s'éloigne.

Tout cela est fini désormais. Pythagore a raison : l'avenir pour nous est ailleurs.

Notre barque glisse sur la Seine et mes souvenirs s'en vont.

Autour de nous, le spectacle de Paris dévasté ne me laisse pas indifférente. Nous franchissons des ponts effondrés. Les berges sont jonchées de voitures abandonnées plus ou moins rouillées. Seule l'eau du fleuve semble regorger de vie. Poissons, salamandres, grenouilles profitent du répit pour proliférer. Enfin apparaît au loin l'île de la Cité.

Nous apercevons en premier un superbe bâtiment, aussi haut que majestueux, dont Pythagore m'apprend que c'est la cathédrale Notre-Dame de Paris. À l'instant où je distingue cet édifice, je sens que nous avons bien fait de quitter notre étroite île aux Cygnes pour rejoindre celle-ci, beaucoup plus grande.

Ici se trouve, je l'espère, l'endroit à partir duquel nous pourrons construire la civilisation féline à venir, qui prendra le relais de la civilisation humaine déclinante.

6. HISTOIRE DES CHATS ET DES HOMMES (DEUXIÈME PARTIE).

C'est à partir de l'Antiquité que la vie des chats, jusque-là plutôt confortable, devint difficile.

En 392 après J.-C., l'empereur chrétien Théodose, à la demande du pape, interdit aux citoyens de posséder des chats. Parce qu'ils vivaient la nuit et avaient une sexualité bruyante, ces félins étaient associés à la dépravation et à la sorcellerie, donc systématiquement massacrés lors de fêtes dédiées à leur mise à mort : ainsi, à la Saint-Jean, les bons chrétiens devaient capturer des chats et les jeter vivants dans un grand bûcher installé sur la place centrale.

Lors de l'épidémie de peste noire qui ravagea la moitié de l'Europe en 1347-1352, les communautés juives (qui, logiquement, étaient les seules à posséder encore des chats puisque cela ne leur était pas interdit) furent proportionnellement beaucoup plus épargnées. Et pour cause, les félins faisaient fuir les rats qui diffusaient l'épidémie. Comme personne n'avait encore fait le lien entre ces derniers et la peste,

cela parut suspect et des groupes de fanatiques à la recherche de boucs émissaires massacrèrent les juifs.

En 1484, le pape Innocent VIII promulga un édit enjoignant de tuer un maximum de chats, car ils étaient censés être la forme que prenait le diable pour se camoufler sur terre.

En Angleterre, sous le règne de Marie Tudor, les chats, considérés comme le symbole de l'hérésie protestante, étaient sacrifiés sur de grands bûchers, tandis que, à l'époque de la reine Élisabeth, ils subirent le même sort en tant que symboles de l'hérésie catholique.

Au Moyen Âge, le chat était un bien de consommation : en Espagne, le rôti de chat était un plat très raffiné et, en Europe du Nord, on confectionnait des couvertures, des coussins et des manteaux en peau de chat.

En 1665, se répandit la deuxième grande épidémie de peste qui allait ravager l'Europe. Elle survint après une grande campagne d'élimination des chats lancée à Londres.

La dédiabolisation officielle des chats par le Vatican se produisit cent ans plus tard. Les chrétiens furent enfin autorisés à posséder des félins sans risquer d'être excommuniés. Et ce ne fut qu'en 1894 que le bactériologiste Alexandre Yersin découvrit que la peste avait pour origine un bacille transmis par les puces des rats, qu'on nomma plus tard *Yersinia pestis*.

En 2019, le chat se trouve être l'animal de compagnie préféré des Français (on en compte plus de 10 millions, soit un tiers de plus que de chiens). Les maires de certaines grandes villes comme Rome ou Jérusalem ont laissé les chats non domestiqués errer et se reproduire sans le moindre contrôle

41

dans les rues et les jardins, afin qu'ils empêchent la prolifération des rats. Ces deux cités ont ainsi atteint 2 000 chats en liberté au kilomètre carré, contre une très faible présence de rats.

Encyclopédie du Savoir Relatif et Absolu.
Volume XII.

7. L'ÎLE DE TOUS LES ESPOIRS.

Nous abordons la berge ouest de l'île de la Cité et nous distinguons quelques centaines de rats qui se promènent.

Lorsqu'ils aperçoivent Hannibal, c'est déjà trop tard pour eux. Le lion échappé du cirque est une formidable machine de destruction ratière. Il les repère vite, bondit vers eux et, avant qu'ils aient pu comprendre ce qui leur arrive, il les fend de ses griffes, les empale sur ses canines, les écrase de ses pattes arrière comme s'il s'agissait de fruits juteux. Les quelques téméraires qui tentent de résister terminent happés. Finalement, seuls deux parviennent à se sauver en nageant vers la berge sud.

— On les poursuit ? demande Esméralda qui, n'ayant pas peur de l'eau, est déjà prête à nager.

— Surtout pas, dis-je. Laissons-les rejoindre la horde brune, comme ça, leurs congénères seront informés de ce qu'ils risquent s'ils s'aventurent ici. Désormais la peur va changer de camp.

— Je ne suis pas sûr que ce soit une bonne chose qu'ils sachent que nous sommes là, intervient Pythagore.

L'île est évidemment un mélange de gravats et d'immeubles anciens plus ou moins délabrés. Tous les vestiges de la civilisation humaine sont envahis par le lierre, les ronces, les herbes. Quelques squelettes la jonchent, ainsi que des amoncellements de déchets. Sur les murs on distingue des impacts de balles ou des trous d'obus, témoignages de la guerre civile qui s'est produite ici avant l'Effondrement.

Dans les heures qui suivent notre arrivée, nos humains se mettent au travail. Ils nettoient l'île et entreprennent de faire de ce lieu en ruine un camp fortifié. Ma servante Nathalie, en tant qu'architecte, est dans son élément. Avec méthode et organisation, elle indique comment procéder. Les jeunes humains récupèrent des explosifs sur un chantier abandonné et dynamitent les ponts qui relient l'île aux berges de la Seine. Puis, en utilisant leurs mains, leurs doigts articulés et leur pouce opposable, ils bouchent les égouts et les tunnels du métro avec des murs de briques cimentées pour prévenir toute attaque des rats par le sous-sol. Ensuite, ils érigent une muraille d'enceinte protectrice d'un mètre de haut faite des mêmes matériaux tout autour de l'île. Comme ils manquent de briques, ils se retrouvent à devoir casser des murs de maisons pour en récupérer.

Pour ce qui est de l'approvisionnement en nourriture fraîche, là encore, nous ne tardons pas à nous organiser. Chacun se voit confier une mission : les jeunes humains sont chargés de pêcher. Ils trouvent de tout : anguilles, carpes, brochets et aussi un poisson qu'ils ont eu la drôle d'idée d'appeler « poisson-chat ». Il y a même des esturgeons, ces fameux poissons qui fournissent mon aliment préféré : le caviar.

Pour ma part, je me repose en surveillant l'avancée des travaux. De loin, j'observe ma servante Nathalie.

Pourquoi nos vies sont-elles liées ?

À la regarder empiler les briques du mur de protection avec les autres jeunes humains, je finis par lui trouver une certaine beauté typiquement humaine. J'aime sa crinière noire cerclée d'un ruban rouge, sa peau blanche, sa silhouette qui, quoique verticale, est finalement gracieuse.

Elle me voit, relève une mèche qui tombait devant ses yeux et m'adresse un signe de connivence. Je lui réponds par un bâillement désabusé. Je connais les humains, il ne faut pas non plus être trop familiers avec eux, et risquer qu'ils inversent les rôles et se prennent pour nos maîtres ! Je connais d'ailleurs des chats qui, lorsqu'ils parlent des humains hébergés chez eux, les appellent « maître » ou « maîtresse ». Pour ma part, je considère qu'ils nous doivent tout et nous strictement rien.

Je décide d'écourter ma sieste pour inspecter l'avancée des travaux de mes serviteurs. Quand j'ai constaté que l'efficacité des humains permet bien d'améliorer la sécurité de notre nouveau sanctuaire, Pythagore, instruit par Internet, me présente la géographie de cette île au milieu de Paris.

– Donc, d'ouest en est, nous trouvons tout d'abord le square du Vert-Galant, la place Dauphine, le Palais de Justice, le tribunal de commerce, la préfecture de police, quelques bâtiments privés, la cathédrale, puis l'hôpital de l'Hôtel-Dieu non loin du square Jean-XXIII et du square de l'Île-de-France.

Je ne peux m'empêcher de noter l'ironie qu'il y a à ce qu'un lieu censé sauver les humains soit précisément jonché de leurs cadavres.

Plus loin, je remarque que des jeunes humains inventorient des boîtes de conserve de légumes qu'ils viennent de trouver. Comme ils sont omnivores, ils ont besoin de manger aussi des végétaux.

Pythagore tient à me faire visiter le joyau de l'île : Notre-Dame de Paris. Je connaissais déjà la basilique du Sacré-Cœur à

Montmartre et je suis heureuse de découvrir celle-ci. Je crois que j'aime les cathédrales. C'est à mon avis ce que les humains font de plus remarquable. Pythagore m'explique :

— Elle a failli entièrement brûler en avril 2019, mais, comme tu vois, elle a été restaurée. Et maintenant, alors que le grand Effondrement a entraîné la destruction de tant de monuments, elle est l'un des rares bâtiments épargnés par la catastrophe. Comme si l'incendie de 2019 l'avait rendue indestructible.

Nous entrons par la grande porte et j'apprécie le spectacle des vitraux qui laissent filtrer les rayons de soleil. Je demande :

— Cela sert à quoi déjà, une cathédrale ?

— Les humains y viennent pour prier.

— Prier ? Je ne me rappelle plus ce que ça veut dire.

— C'est lié à la religion. Ils viennent demander à leur Dieu des choses.

— Comme quoi, par exemple ?

— Tout et n'importe quoi : l'amour d'une femelle, la réussite à un examen ou au permis de conduire, la santé ; ça peut être aussi pour avoir des enfants, gagner au loto, devenir riche ; ou encore pour réclamer la mort de leurs ennemis, la victoire sur leurs concurrents.

— Et ça marche ?

— Parfois oui, parfois non. Mais eux pensent souvent que c'est de leur prière et de leur rapport à Dieu que tout dépend.

Il me fait grimper par un escalier jusqu'à un orgue. Il appuie sur une touche. Un son puissant envahit la cathédrale. Pythagore m'explique :

— Par chance, il est alimenté par le courant électrique qui, lui, est toujours resté en état de marche.

— Comment expliques-tu qu'il y ait toujours de l'électricité ?

– Le fonctionnement des centrales nucléaires est devenu tellement lié à l'informatique que, même sans humains, elles continuent de tourner automatiquement. Cela explique qu'il y ait toujours du courant dans la ville.

J'appuie une patte sur une touche et il en sort un son qui fait onduler tout mon poil. Mon compagnon siamois se joint à moi. Alors, nous marchons chacun sur un clavier de l'orgue, créant ainsi ce que Pythagore baptise aussitôt la « Première symphonie pour chats ».

Le bâtiment vibre de chaque note déclenchée par nos pattes sur les touches. Je saute d'un bout du clavier à l'autre, et les sons changent à chaque contact. Nous jouons longtemps sur cet orgue, jusqu'à ce que Pythagore m'emmène dans une pièce où trône un bouton rouge. Il m'avertit :

– S'il arrive un malheur, il faut appuyer là-dessus pour faire sonner les cloches de la cathédrale.

Plutôt que de m'expliquer de quoi il s'agit, Pythagore me fait signe de le suivre. Nous grimpons dans une tour et il me montre les grandes structures grises en forme de poires.

– Cela permettra de lancer une alerte que l'on pourra entendre même de très loin. C'est vraiment très bruyant.

– Plus bruyant que lorsque je hurle ?

Nous montons dans la tour nord de la cathédrale en utilisant un escalier exigu. J'adore les points de vue élevés. Nous choisissons un lieu d'observation précis : l'extrémité d'une proéminence que Pythagore appelle une « gargouille », c'est-à-dire une sculpture d'animal en pierre, un chien à tête de grenouille qui grimace en tirant la langue.

Depuis ce point de vue privilégié, nous contemplons la situation par-delà notre nouvelle île. Le spectacle est terrible. Paris a changé de visage. Les bâtiments les plus hauts se sont effondrés, les autres sont déjà envahis par la végétation.

Par endroits, des colonnes de fumée noire s'élèvent dans le ciel, ce qui indique qu'il doit rester quelques humains survivants qui se préparent à manger. Des silhouettes apparaissent furtivement, on les voit courir, se cacher, fouiller les tas d'ordures.

Parfois, on entend des cris au loin, impossibles à identifier.

Seule notre île, depuis qu'elle a été nettoyée par les jeunes humains, semble un lieu propre et sûr.

– J'ai l'impression d'être enfin arrivée là où je devais arriver, dis-je à mon congénère siamois.

– Les humains ont un terme pour définir cela : « Paradis ». C'est un mot d'origine perse qui qualifie originellement un jardin entouré de murs de protection.

Depuis que je connais l'histoire de Cambyse qui a envahi l'Égypte et tué ses chats, je me méfie des Perses. Mais j'aime bien ce concept de paradis.

Un nouveau hurlement, cette fois clairement identifiable comme provenant d'un humain, retentit. Plus que jamais je suis contente d'être une chatte.

– D'ici nous pourrons rebâtir un monde meilleur. L'avenir est à nous, dis-je.

– C'est aussi ce que doivent penser les rats.

– Les rats ne proposent aucun projet constructif pour que le monde évolue. Ils se concentrent juste sur leur survie et la conquête de nouveaux territoires.

– Qui sait ? Ils ne peuvent pas être aussi nombreux à se tromper. Peut-être ont-ils un projet secret qui leur est propre, après tout...

– Qu'est-ce qui te fait dire cela ?

– Il ne faut jamais sous-estimer l'adversaire, Bastet.

– Ne me dis pas que tu envisages la possibilité d'un avenir rat ?

– Pourquoi pas ?

– Ce serait… trop…

– Trop quoi ?

Je cherche le mot mais ne le trouve pas.

– Trop dur.

– C'est peut-être le sens de l'évolution : un monde de plus en plus dur.

– Nous devons réussir, dis-je, déterminée.

– Cela va nous demander beaucoup d'énergie et d'adaptation.

– Ensemble, toi et moi, nous pouvons guider et sauver ceux de notre communauté, j'en suis convaincue.

Ce dialogue m'inquiète et m'excite en même temps. Pour m'apaiser, je m'installe sur le dos, pédalant un peu des pattes arrière, les oreilles rabattues en signe de soumission (temporaire, il ne faut pas exagérer).

Nous faisons l'amour en équilibre instable sur la gargouille la plus élevée de la cathédrale, au risque de chuter et de mourir.

Au summum du plaisir, je pousse un cri qui résonne au-dessus de cette nouvelle île dont je prends possession.

8. L'ÎLE DE LA CITÉ.

À l'origine, l'île de la Cité était habitée par une tribu gauloise, les Parisii. On en trouve des traces depuis 250 avant J.-C. Ce sont évidemment eux qui ont donné leur nom à la ville. Cette tribu vivait dans des huttes aux toits de paille situées sur l'île, elle-même protégée par des palissades de bois. Les Parisii se nourrissaient des poissons qu'ils pêchaient dans la Seine et du gibier qu'ils chassaient dans les marécages alentour.

Lorsque les Romains ont envahi la Gaule en 52 avant J.-C., ils ont rebaptisé l'île de la Cité « Lutèce » et y ont élevé un temple à la gloire de Jupiter. La population de Lutèce était alors d'environ 1 500 habitants, essentiellement des Gaulois devenus gallo-romains. Des murs de pierre furent construits pour protéger l'île ainsi qu'un port situé sur la berge sud-est.

Lors de l'invasion des Huns menés par Attila en 451 après J.-C., la population des environs put survivre en se regroupant sur l'île derrière les palissades. À la suite de cet épisode, un mur plus épais, de deux mètres de large et trente mètres de haut, fut érigé autour de l'île de la Cité.

En 508, le roi Clovis installa son palais au centre de l'île. Quand il se convertit au christianisme, le temple de Jupiter fut transformé en basilique chrétienne à l'emplacement de l'actuelle cathédrale Notre-Dame de Paris.

En 845, 861 et 877, l'île fut pillée et incendiée par les Vikings. En 885, 700 drakkars contenant 40 000 guerriers emmenés par le roi Siegfried attaquèrent Paris. Cette fois, le comte Eudes parvint à les contenir et négocia leur départ contre une somme d'argent. Fort de cette victoire relative, Eudes fut élu roi de France.

En 1163, le roi Philippe Auguste fit édifier sur les deux rives de l'île un mur d'enceinte visant à en protéger l'accès, et l'évêque Maurice de Sully initia la construction de la cathédrale Notre-Dame de Paris.

Par la suite, l'île de la Cité devint le cœur de la capitale : des ponts en pierre furent bâtis pour accroître les échanges commerciaux, et ce qui allait être la place Dauphine se transforma en grand marché parisien.

Encyclopédie du Savoir Relatif et Absolu.
Volume XII.

9. LA VIE SUR L'ÎLE DE LA CITÉ.

– Tu fais trop de bruit quand tu as des orgasmes, me signale Pythagore. Nathalie m'a envoyé un message depuis son smartphone pour m'informer que tu as réveillé toute la communauté lorsque tu as miaulé de plaisir.

Alors ça ! Il n'y a rien de tel pour me mettre en furie que les gens qui veulent me faire la morale sur ma sexualité. Je vis la vie que je souhaite comme je la souhaite, et si cela ne plaît pas aux autres, *a fortiori* à nos serviteurs humains, je n'en ai rien à faire.

– On dirait que Nathalie n'aime pas quand je fais l'amour, dis-je. J'ai beau apprécier ma servante, il faut quand même reconnaître qu'elle est un peu étroite d'esprit et qu'elle nous perçoit encore, nous les chats, comme des peluches asexuées. Souviens-toi : elle avait fait couper les testicules de Félix. Les humains auront toujours du mal à nous considérer comme des êtres libres, autonomes, et potentiellement égaux. En plus je les soupçonne d'être jaloux.

Je scrute ma servante de loin et lui adresse ces mots par la pensée :

Ma pauvre Nathalie, tu n'y es pour rien. Tu n'es pas née dans la bonne espèce. Je crois que tu fais partie d'un vieux monde qui est en

50

train de disparaître. Le mieux est que tu prennes conscience que ceux que tu considérais comme de simples animaux de compagnie à vertu principalement décorative sont en train de vous remplacer, vous les humains.

Mais cela ne sert à rien. Elle ne me comprend pas. Il y a encore beaucoup de chemin à parcourir avant que j'arrive à lui parler comme je dialogue avec Pythagore.

Je respire amplement pour faire passer mon énervement. Comme je ne peux pas dialoguer avec ma servante, je vais rejoindre Patricia, la médium muette avec laquelle je suis parvenue à communiquer quelquefois d'esprit à esprit. Je lui fais signe que je souhaite lui parler et elle se met en position de réception.

Patricia, tu es la seule humaine qui soit arrivée par le passé à communiquer avec moi. Je voudrais que tu mettes les choses au clair avec ma servante et que tu lui dises que je fais ce que je veux, quand je veux et que, si cela ne lui plaît pas, ça m'est bien égal. Ne t'inquiète pas, elle sait à quoi je fais allusion.

J'espère que notre unique chamane a compris mon message. Elle secoue la tête et me caresse le front dans le sens du poil.

C'est malheureux à dire, mais je crois que Patricia a perdu son pouvoir télépathique. Ou alors c'est moi qui ne suis plus capable de la joindre.

Je marche dans l'île de la Cité en intégrant cette nouvelle information.

Le temps n'a pas arrangé les choses. J'ai perdu tout moyen de m'exprimer auprès de nos serviteurs.

Tant pis, j'utiliserai Pythagore pour qu'il parle à Nathalie par le truchement de son Troisième Œil, puisqu'il est désormais l'unique passerelle entre nos deux civilisations.

Une journée supplémentaire s'est écoulée et j'ai l'impression que, malgré mes réticences de départ, tout se passe au mieux dans cette île providentielle. Sept nouveaux chats blessés se présentent sur la berge nord et nous demandent l'asile. Puis c'est au tour de trois jeunes humains qui ont survécu à l'épidémie de peste et qui, eux aussi, souhaitent nous rejoindre. Cela tombe bien, nous avons besoin d'un maximum de mains à cinq doigts articulés avec pouce opposable.

Nos humains vont les chercher en barque pour les acheminer jusqu'à nous. Comme l'île de la Cité jouit d'une grande superficie, les loger ne pose aucun problème. Ainsi, les effectifs de notre communauté, et donc de notre armée de défense, augmentent.

Les jours suivants ne font qu'accentuer le phénomène. Plus nous améliorons les aménagements de l'île, plus nous attirons des survivants de l'Effondrement. En une semaine à peine, nous passons de quelques centaines de chats et d'une dizaine d'humains à une population de un millier de chats pour une centaine d'humains.

Angelo, mon chaton devenu grand, s'est installé avec un groupe de vingt « ados » chez Esméralda, qui semble prendre du plaisir à s'occuper de la nouvelle génération.

Pour ma part, comme je vous l'ai déjà dit, je n'ai que peu d'instinct maternel, considérant les enfants comme un frein à ma propre évolution. Angelo, je l'aime d'autant plus que… je ne le vois pas trop souvent. Et le fait qu'Esméralda veuille l'éduquer m'apparaît comme un signe. Je pense même qu'il faut confier les enfants à ceux qui aiment ça et pas à ceux pour qui c'est une corvée.

La dernière fois que je suis allée rendre visite au coin « jeunesse », j'ai aperçu de loin mon Angelo qui s'amusait avec les autres ados à dépecer une grenouille sous les encouragements d'Esméralda. Je me suis dit que c'était ce qu'il pouvait lui arriver de mieux. D'autant que, en pratiquant la vivisection, il va apprendre où sont placés les organes (comme les batraciens ont le sang transparent, ils salissent moins les fourrures de ceux qui les dépècent que les rongeurs, toutes les mères savent ça).

À regarder de loin mon chaton, devenu, il faut bien le reconnaître, un jeune chat, je me rends compte qu'il se prend déjà pour un chef de horde. Il s'adresse aux autres jeunes chats avec dédain. Il adopte des positions de dominant devant les plus faibles et les plus influençables.

Il va s'agir de le surveiller, il ne manquerait plus qu'il se prenne pour... moi !

Pour sceller notre collaboration naissante avec nos amis bipèdes, je propose de faire une fête qui célébrera notre Paradis.

Pythagore discute à ce sujet avec Nathalie qui, non seulement, accepte de donner quelques directives en ce sens aux autres humains pour qu'ils organisent cet événement, mais monte dans la cathédrale et se met à jouer de l'orgue. Les premières notes retentissent.

– La « Toccata » de Jean-Sébastien Bach, annonce le siamois en connaisseur.

La « Toccata » de Bach résonne, de plus en plus majestueuse. J'apprécie cette musique, et cela me donne l'idée de monter rejoindre ma servante devant l'orgue. Parvenue face à elle, j'observe ses dix doigts courir sur le clavier comme deux grosses araignées roses.

Après la voix de la Callas dans la « Casta Diva » de Bellini et « Le Printemps » de Vivaldi, que j'avais entendus autrefois à Montmartre chez ma servante, je découvre la « Toccata » de Bach. Le morceau ample, puissant fait vibrer ma cage thoracique et remonter des petits frissons jusque dans ma queue. Ainsi, je ressens l'effet incroyable que la musique peut avoir sur le corps.

Je me sens de mieux en mieux au fur et à mesure que le morceau monte et résonne. J'admire ma servante Nathalie. Prise d'une soudaine inspiration, je me mets à marcher sur les touches et à miauler. Je compte inventer le premier morceau pour humain et chat.

Mais mon intervention a pour effet de la faire s'arrêter. Elle me prend dans ses bras et me caresse. Cela me vexe un peu : moi qui voulais jouer, j'ai l'impression qu'une fois de plus elle me sous-estime, me considère encore comme une peluche, sans comprendre que je suis une petite lionne.

Nous préférons partir, moi et ma dignité, pour retrouver le quartier des chats. Nous miaulons en chœur une chanson populaire de Montmartre qu'aucun humain ne saurait interpréter.

Les jeunes humains allument un grand feu et tout le monde commence à danser sur des musiques plus entraînantes. D'abord les jeunes humains, mâles et femelles, rapidement rejoints par des chats qui essaient de mimer leur danse en marchant le plus longtemps possible sur les pattes arrière.

Wolfgang s'approcha de moi et me dit :

– Personnellement, je trouve l'art gastronomique plus intéressant que l'art musical ou l'art de la danse.

Le chartreux gris-bleu me propose alors une expérience qui a trait non pas à la nourriture, mais à ce qu'il considère comme son complément nécessaire : la boisson. Il me suggère de goûter au plus raffiné des breuvages humains : le « champagne ».

– Tu as aimé le caviar ? Le champagne en est l'équivalent liquide : c'est le deuxième aliment précieux des humains.

Pythagore demande à Nathalie d'en trouver. Relevant le défi, elle parvient à dénicher une bouteille dans un appartement abandonné et me sert dans un bol. Comme j'ai apprécié le caviar, je me sens en confiance. Sans même renifler, je prends une grosse lapée que j'avale d'un coup. Je tousse. Le champagne, ce n'est pas compliqué : il ressemble à de l'urine, mais il en a aussi le goût ! La seule différence, ce sont les bulles qui pétillent dans le palais et la gorge. Et ça fait tourner la tête ! Je crache plusieurs fois. Wolfgang a l'air amusé, mais il m'encourage à continuer.

– Continue de boire ; tu vas voir, si tu en prends beaucoup tu finiras par apprécier. C'est parce que tu n'en as pas pris assez que cela te semble mauvais.

Décidant de suivre son conseil, malgré la bizarrerie du raisonnement, j'en lape encore plusieurs gorgées et je n'apprécie toujours pas. Cela me fait de plus en plus tourner la tête. J'ai des vertiges, je titube, j'ai l'impression que mon esprit n'est plus étanche.

– Ça va ? me demande Wolfgang.

– Non, ça ne va pas, on dirait que mon cerveau est fendillé.

– C'est agréable ?

– Non, c'est comme si je ne maîtrisais plus ma pensée. Un peu comme l'herbe à chat, mais en plus aigre. Je déteste ne pas contrôler mes pensées. Il est hors de question que je reprenne de ton poison !

Le chartreux semble attendri par ma réaction.

– Tu n'en as pas encore bu suffisamment. Il faut que tu recommences, mais en y allant plus franchement. Ne te contente pas d'une lapée, avale le bol entier. C'est ce que prenait le président de la République pour attaquer sa journée. C'est une boisson de chef, qui donne des idées de chef.

Je ne l'écoute plus et, prise d'une soudaine envie de vomir, me précipite pour boire de l'eau afin de diluer cette substance maléfique qui me trouble le corps et l'esprit.

10. LES DIFFÉRENCES ENTRE CHATS ET HUMAINS.

Les chats et les humains ne ressentent pas les choses de la même manière.

Par exemple pour ce qui est de la nourriture : le chat mange quand il a faim tandis que l'humain mange quand c'est l'heure du petit déjeuner, du déjeuner ou du dîner. De ce fait, le chat peut faire dix repas par jour ou aucun, là où l'humain en fait toujours trois, même s'il n'a pas faim. De même, quand son estomac est plein, le chat cesse de se nourrir, alors que l'humain continue de manger par habitude. Lorsque l'être humain ingurgite des aliments salés, sucrés ou gras, son cerveau ressent un plaisir qui n'a rien à voir avec la satiété. L'apparence, la couleur, ou même la valeur de l'aliment peuvent lui donner envie de le manger, alors que le corps n'en voit pas la nécessité.

L'humain et le chat diffèrent aussi pour ce qui est de leurs horaires d'activité : l'humain est actif le jour et se repose la nuit, tandis que le chat est actif quand il en a envie et se repose quand il se sent fatigué.

Tout cela conduit l'humain à être souvent malade, car il est mal nourri et fatigué, là où le chat, qui a pris l'habitude d'écouter ses vrais besoins, reste en phase avec son corps.

Venons-en aux sens, utilisés bien différemment chez les félins et chez les humains.

Pour ce qui concerne l'ouïe, les humains ont un spectre

sonore beaucoup plus réduit. Si le chat perçoit les ultra-sons jusqu'à 50 000 hertz, l'oreille humaine est limitée à 20 000 hertz.

Quant à l'odorat, le chat a une olfaction quarante fois plus développée que celle de l'homme, avec pas moins de 200 millions de terminaux olfactifs, contre seulement 5 millions chez l'homme.

Pour ce qui est de la vision, les humains ont un champ réduit à 180°, contre 280° pour le chat, sans compter qu'ils ne perçoivent pas les objets dans la pénombre. Les humains n'ont pas, contrairement aux chats, de troisième paupière, ce que l'on appelle une « membrane nictitante », c'est-à-dire une fine peau transparente partant du coin interne de l'œil (qui permet de filtrer certains rayons du soleil et de ne pas être ébloui).

Les chats sont dotés de l'organe de Jacobson. C'est un sens qui permet de goûter les odeurs en retroussant les babines pour permettre aux senteurs de remonter par deux conduits situés derrière les incisives.

Les chats perçoivent aussi les infimes vibrations dans l'air, tandis que les humains, n'ayant pas de vibrisses, ne sont sensibles qu'aux sons et aux images. Tout événement silencieux qui se produit derrière eux est donc imperceptible pour eux, contrairement aux félins.

Encyclopédie du Savoir Relatif et Absolu.
Volume XII.

11. GUEULE DE BOIS.

Je ne sais pas vous, mais moi je crois que je ne suis vraiment pas faite pour le champagne. La boisson des chefs humains que j'ai ingurgitée hier soir m'a donné des maux de tête et des crampes à l'estomac dans les heures qui ont suivi. Je me suis même réveillée en sursaut au milieu de la nuit. Il semblerait que l'art musical mélangé à l'art gastronomique ait un effet barbouillant sur mon système digestif et cérébral.

Une fois que je suis réveillée, je ne suis pas capable de me rendormir, et je décide de quitter la chambre de l'organiste de Notre-Dame de Paris (où je dors contre ma servante comme une bouillote tiède). Je descends l'escalier de la cathédrale et rejoins le parvis.

Là, j'urine pour me débarrasser de ce liquide suspect.

Je m'aventure toute seule dans l'île de la Cité, déserte à cette heure tardive. Je pense à la chance incroyable que nous avons d'avoir un sanctuaire bien protégé où les chats peuvent tranquillement préparer l'« après-humanité ».

Je me demande si je ne dois pas revoir mon opinion sur la position bipède et sur le fait de porter des vêtements. Cela m'a toujours semblé des erreurs, mais peut être qu'après tout cette façon de se tenir a participé à la réussite des humains.

J'ai soif. Il faut que je boive de l'eau fraîche pour diluer les effets néfastes du champagne et me nettoyer les boyaux. Il me semble justement avoir vu une fontaine dans le métro.

Je repère l'entrée, descends les escaliers et trouve un distributeur d'eau qu'on peut déclencher en appuyant sur une manette, ce dont je suis tout à fait capable. Je bois enfin.

Mais je perçois assez vite un son anormal. Je fais pivoter mon oreille gauche (la plus sensible) sur son axe pour trouver l'origine de ce bruit nocturne. On dirait un raclement contre de la pierre. Le bruit résonne de nouveau, avant de s'arrêter. Puis de recommencer. Pas de doute, cela provient du bas de l'escalator.

Je descends les marches à pas lents et silencieux et arrive devant le mur de briques que nos serviteurs humains ont construit pour obstruer l'entrée de la station. Le son intermittent est similaire à un grattement appuyé. Quelque chose de pointu et de dur frotte contre les briques derrière la paroi. Cela produit un son grave, régulier, lancinant.

Je miaule sur une tonalité interrogative :

– Il y a quelqu'un ?

Aussitôt, le bruit s'arrête. J'attends. Cela reprend. Je miaule encore une fois.

– Vous m'entendez ?

Le bruit cesse.

Pas de doute, quelque chose ou quelqu'un gratte derrière le mur. Je pense spontanément à une fuite d'eau d'un tuyau rouillé mais le fait que cela se soit arrêté quand j'ai miaulé infirme cette hypothèse.

J'utilise tous mes sens afin d'essayer d'analyser le phénomène. Je penche pour un moineau aspiré par le système d'aération.

– Qui est là ?

Je colle mon oreille contre la paroi, élargis mon esprit pour tenter de percevoir la forme de vie qui se manifeste derrière le mur.

À ce moment précis, d'un coup, le mur s'effondre.

Jaillissent alors des gravats non pas un, ni deux, mais plusieurs centaines de gros rats noirs.

Par réflexe, je saute au plafond. Je plante mes griffes pour ne pas lâcher.

La horde de poils et de dents tranchantes passe en dessous de moi, sans même me prêter attention, et galope déjà dans le tunnel du métro pour remonter à la surface.

Je comprends alors tout : *ces rats ont creusé, avec leurs incisives, directement dans les briques.*

Une fois qu'ils sont passés, je cours pour rejoindre la cathédrale. Je gravis à toute allure l'escalier de la tour nord et j'appuie sur le bouton rouge que m'a montré Pythagore, destiné à donner l'alerte générale.

Les cloches se mettent à se balancer et produisent un vacarme assourdissant.

Le Paradis se réveille en sursaut. Une fois de plus, j'ai eu le bon réflexe. Je hurle depuis les hauteurs :

– DES RATS ! DES RATS !

D'ici je vois la meute de rats qui court et se répand dans notre Paradis.

Ils sont chez nous ! Il faut arrêter ça.

Je miaule :

– Allez vite chercher Hannibal !

Enfin, des chats qui ont perçu mon appel réagissent. Ils vont réveiller le lion échappé du cirque du bois de Boulogne. Je ne sais pas si vous le savez, mais les lions sont encore plus chatouilleux que nous quant à leur sommeil. Peut-être leur taille leur impose-t-elle une digestion plus lourde, qui fait qu'ils détestent être dérangés. Personnellement, je n'aimerais pas être un rat face à un lion dont le repos a été inopinément interrompu. Furieux, Hannibal se place devant la troupe ennemie et pousse un rugissement qui fige net les premiers attaquants. Puis, il plonge ses pattes dans la horde de rats. Ses longues griffes acérées labourent la masse de poils gris. Hannibal abaisse sa gueule et semble brouter les rongeurs. Les corps des nouveaux arrivants sont tranchés, percés, écrasés, ils volent en l'air.

Derrière lui, des chats apparus en renfort ne se donnent même pas la peine d'intervenir. Ils se contentent d'admirer une telle force de la nature.

En quelques minutes de confrontation (si l'on peut nommer cela ainsi), les envahisseurs se transforment en cadavres, certains entiers, d'autres en morceaux.

– Vas-y, Hannibal, montre-leur qu'ici les rats ne sont pas les bienvenus, miaulé-je.

Les humains arrivent en dernier et n'osent même pas s'approcher, de peur de recevoir des coups de griffes accidentels ou d'être contaminés par la peste. Quant aux rares rats survivants, ils finissent par tenter une retraite vers le fleuve.

Mes congénères, qui ont anticipé leur manœuvre, leur coupent le chemin.

Je miaule :

– Ne les tuez pas tous ! Essayez de faire des prisonniers !

Il ne reste qu'un seul rat encerclé par des chats.

Alors, je me retrouve dans l'obligation de faire le pire : je m'interpose et me bats contre mes congénères pour protéger cet unique rat rescapé.

– Mais réfléchissez ! Il faut le garder en vie pour qu'il nous révèle ce qu'il sait sur les autres rats. Si vous le tuez, ce sont de précieuses informations que nous perdrons.

Je fixe l'animal que j'ai sauvé. C'est un gros rat gris foncé, aux yeux noirs et aux longues incisives blanches et tranchantes, qui tremble encore de peur. J'entends même ses mâchoires claquer. Il faut le comprendre : il ignorait probablement jusqu'à ce jour l'existence des lions. Je m'imagine devoir affronter un rat dix fois plus gros que les autres et songe que, même moi, je serais dans un état de sidération totale.

Je me demande comment parler avec ce prisonnier. Personnellement, je ne parle pas le rat. Patricia étant la plus à même de dialoguer, elle se prépare en ingurgitant des herbes spéciales, et se plonge dans un état de transe. Le rat est lui aussi gavé de force des mêmes herbes hallucinogènes. Les deux restent longtemps comme endormis, et seuls leurs paupières frémissantes et d'infimes mouvements de leur bouche indiquent qu'un échange silencieux se produit.

Lorsque Patricia ouvre enfin les yeux, elle fait signe qu'elle a pu obtenir les informations que nous souhaitions. Elle écrit ce qu'elle a compris à Nathalie, qui le transmet à Pythagore, qui le traduit pour tous les chats.

Après la défaite de l'île aux Cygnes, les rats survivants ont fui et se sont regroupés au sud-ouest de Paris. Ils se sont livrés à une sorte de mise au point : le roi des rats, Cambyse, a été sommé d'expliquer aux autres mâles l'échec de la bataille. Ils lui ont rappelé le piètre résultat auquel étaient parvenues ses troupes, alors même qu'ils étaient en supériorité numérique et que leur capacité à nager aurait dû faciliter leur victoire.

Cambyse a tenté de se justifier, en vain. Son statut de chef a donc été remis en question. Les mâles ont conclu à son entière responsabilité dans l'issue déplorable de la bataille de l'île aux Cygnes. Il devait payer pour cet échec.

Ils lui ont ouvert le crâne et ont dévoré son cerveau à pleines incisives alors qu'il était encore vivant. Chez nous, on mange nos ennemis pour acquérir leur force ; les rats, eux, ont dégusté leur propre chef pour récupérer son intelligence. À la suite de cette exécution rituelle, les rats ont procédé à des duels entre mâles dominants pour trouver un successeur à Cambyse. Seul le plus fort pourrait les diriger.

Les guerriers ont lutté à mort les uns contre les autres jusqu'à ce qu'il n'en reste plus qu'un. Pour être sûrs d'avoir le meilleur guide, ils étaient prêts à sacrifier leurs combattants les plus valeureux.

Et, en effet, l'un d'entre eux a vaincu tous les autres.

Étonnamment, ce n'était ni le rat le plus grand, ni le plus gros, ni le plus musclé, ni celui dont les incisives étaient les plus longues ou les griffes les plus pointues. Non, le vainqueur s'avérait de taille modeste, son poil était uniformément blanc et ses yeux rouges. Selon notre prisonnier, sa légende le précédait.

On disait qu'il avait séjourné chez les hommes, qu'ils avaient fait des expériences sur lui. Il avait connu les pires épreuves, mais il avait survécu et ces épreuves lui avaient donné une capacité de survie et d'adaptation phénoménale.

Ce nouveau chef était toujours calme. Quand il combattait, il compensait sa taille chétive par un talent pour anticiper le moindre coup de ses adversaires. Il repérait leur point faible et frappait avec une rapidité fulgurante. Il avait toujours un temps d'avance.

C'était ainsi que ce petit rat blanc aux yeux rouges avait vaincu tous ses adversaires. Après sa victoire, il avait annoncé qu'il détestait les humains pour le mal qu'ils lui avaient fait et qu'il comptait les tuer tous sans exception, afin qu'on oublie jusqu'à leur existence. Il détestait aussi les chiens et les chats qui, selon lui, n'avaient aucune fierté et n'étaient que les esclaves soumis des humains.

Il avait garanti à son peuple que les chats et les humains qui avaient participé à la bataille de l'île aux Cygnes seraient tout spécialement suppliciés pour effacer cette défaite honteuse et pour qu'à l'avenir nul autre chat ou humain ne soit tenté de leur résister.

Le prisonnier a expliqué que ce nouveau roi est équipé d'un trou dans le front grâce auquel il peut se brancher aux ordinateurs humains et ainsi accéder à toutes les anciennes connaissances humaines.

Bon sang, il est lui aussi doté d'un Troisième Œil !

Après avoir découvert l'histoire de l'humanité et de ses principaux chefs, le nouveau roi des rats a choisi son nom en référence à un humain célèbre du passé auquel il souhaitait être comparé.

« Tamerlan ».

Le prisonnier a confirmé que ce rat blanc aux yeux rouges, une fois devenu leur nouveau roi, a su fédérer toutes les hordes de la région pour en former une seule : la horde brune. Celle-ci est installée dans une grande maison dans l'ouest de Paris, à partir de laquelle Tamerlan organise la future invasion ratière.

La horde brune va bientôt venir ici, car le groupe de cette nuit n'était qu'un commando d'éclaireurs. Le gros de l'armée, composée d'une multitude de rats, arrive pour tout dévaster. Le prisonnier a conclu en signalant que nous ne pourrions rien faire pour arrêter Tamerlan et sa horde brune.

Cependant, profitant d'un instant d'inattention, notre prisonnier s'échappe. Nous avons à peine le temps de nous mettre à sa poursuite qu'il monte dans une tour de Notre-Dame et saute dans le vide, s'écrasant en bas sur le parvis. Sidérée, je demande :

– Pourquoi a-t-il fait ça ?

– C'est un fanatique. Il a probablement voulu sacrifier sa vie pour ne pas nous donner plus d'informations, répond Pythagore.

– Mais pourquoi dans ce cas ne l'a-t-il pas fait plus tôt ?

– Il voulait nous faire passer le message que Tamerlan et la horde brune arrivent. Il veut installer la peur.

Le siamois ne peut réprimer un mouvement nerveux à l'extrémité de ses oreilles.

Il se dirige vers la chambre de Nathalie et je le suis. Il attrape avec ses pattes le câble USB et le branche dans son Troisième Œil. Je sais qu'il consulte Internet. Je le vois se concentrer, puis enlever enfin le câble ; il ne peut réprimer une grimace du bout de son museau.

Prudemment, je lui demande :

– Alors ?

Il s'ébroue, comme s'il voulait se débarrasser de l'information qui vient de pénétrer son cerveau.

– Alors, je viens de trouver sur Internet qui était l'humain auquel le nom de Tamerlan fait référence.

12. TAMERLAN (PREMIÈRE PARTIE).

Tamerlan fut le plus cruel et le plus sanguinaire de tous les conquérants du Moyen Âge. On parle de lui comme d'un « accident de l'histoire », car il donne l'impression d'avoir passé sa vie à guerroyer non pas pour bâtir un empire, mais simplement parce qu'il prenait plaisir à massacrer le plus grand nombre d'humains possible et de la pire des manières. Tamerlan naquit le 8 avril 1336 à Kech, en Ouzbékistan. L'accouchement se passa mal et il sortit du corps de sa mère les mains ensanglantées. Pour certains, cet épisode originel explique son goût pour le meurtre.

Son père était un chef de clan mongol converti à l'islam. Selon la légende, ce dernier aurait baptisé son fils Tamar parce que, alors qu'il avait voulu le présenter au cheikh local pendant qu'il lisait le Coran, celui-ci aurait interrompu sa lecture au mot *tamarou* qui signifie « ébranlement ». Plus tard, l'adjectif *lang*, qui signifie « boiteux » en mongol, fut adjoint à son nom, car Tamerlan claudiquait à la suite d'une blessure de guerre.

À seize ans, Tamerlan s'engagea dans une armée turque dont le chef, Kazghan, avait pour seul mérite d'avoir fait assassiner le dernier khan de la tribu mongole locale. Kazghan lui enseigna l'art de la politique, lui affirmant que la duplicité, la trahison, l'assassinat et le complot étaient des ingrédients nécessaires pour gravir les échelons du pouvoir.

À trente-six ans, Tamerlan s'allia avec son frère Husayn pour conquérir Samarcande, puis il empoisonna ce même frère pour rester seul à gouverner. Mais il ne resta pas longtemps à régner dans sa nouvelle capitale, puisqu'il leva bientôt une immense armée et partit à la conquête des contrées voisines. Pendant les trente années suivantes, il consacra sa vie à assouvir son goût pour la destruction, les carnages, les pillages, les tortures et les exécutions à grande échelle.

Selon ses propres historiens officiels, il se lançait dans la bataille comme si c'était une fête. Il dirigeait ses troupes non pas en stratège, mais au gré de ses accès de rage et de ses caprices irraisonnés. Il avait pour arme une massue en forme de crâne de bœuf recouverte d'une épaisse couche du sang séché de ses victimes.

Tamerlan rêvait de recréer l'Empire mongol de Gengis Khan. Seulement, il voulait que cet empire soit musulman et incomparablement plus grand. Au lieu de prendre le titre de khan, il se faisait d'ailleurs appeler sultan.

En 1380, il s'empara de l'Iran, en 1386 de l'Irak, de la Géorgie, avant de lancer, en 1389, une expédition contre la Horde d'or mongole dirigée par le fils aîné de Gengis Khan.

Il parvint à le vaincre. À cette occasion, il détruisit entièrement la région d'Astrakhan, il attaqua Moscou, il ravagea la Crimée. Partout où il arrivait, il capturait tous les résidents chrétiens, puis il les faisait exécuter de la manière la plus douloureuse et la plus spectaculaire possible, inventant chaque fois de nouveaux supplices atroces pour frapper les esprits.

Par exemple, en 1383, dans la région du Pakistan, il fit entasser les uns sur les autres 2 000 prisonniers vivants et les cimenta pour édifier un minaret.

En 1387, à Ispahan, il eut l'idée, pour mater une révolte, de faire construire à l'entrée de la ville plusieurs pyramides formées des crânes des 70 000 prisonniers qu'il avait fait exécuter.

En 1398, lors de sa conquête de l'Inde, après avoir pris Delhi, il fit égorger 100 000 prisonniers en déclarant : « J'aurais voulu épargner cette épreuve à la population mais Allah en a décidé autrement. »

En 1400, à Bagdad, il demanda à ses soldats de rapporter chacun la tête d'un habitant pris au hasard. Avec les 90 000 crânes ainsi obtenus, il construisit cent vingt tours composées de 750 crânes chacune. Avant de partir, il fit brûler puis raser la ville.

En 1402, il arriva jusqu'à Ankara et se retrouva face au

sultan ottoman Bayezid Ier. Ce dernier, musulman lui aussi, était son principal concurrent dans le domaine des invasions et des massacres d'infidèles. En effet, il avait déjà détruit la Bulgarie, la Serbie, la Grèce, et massacré toutes les populations chrétiennes de ces territoires. Les deux chefs s'affrontèrent toute une journée lors de la bataille d'Ankara, qui fit à elle seule, selon les historiens de l'époque, un million de morts. Lorsque la nuit tomba, la victoire fut pour Tamerlan. Il fit prisonnier Bayezid Ier et le laissa agoniser dans une minuscule cage de fer suspendue en hauteur au milieu de sa salle à manger. Bayezid mourut de faim en assistant aux banquets de ses ennemis.

Encyclopédie du Savoir Relatif et Absolu.
Volume XII.

13. JOURS TRANQUILLES AU PARADIS.

Un rayon de soleil illumine le ciel. Après l'attaque nocturne, la vie reprend son cours sur l'île de la Cité.

Nos serviteurs humains rebouchent le tunnel conduisant au métro et ils installent une porte blindée métallique qu'ils ont récupérée dans une banque. Quant à la serrure numérique, seule une combinaison de chiffres permet de l'ouvrir et de la fermer.

Dans les jours qui suivent, d'autres chats et d'autres humains nous rejoignent à la nage. Plus l'effectif de notre communauté augmente, plus nous pouvons bâtir de nouvelles protections contre les agresseurs. Si bien que, en une semaine seulement, nous sommes 3 000 chats pour 500 humains. Probablement soudés face à l'adversité, nous nous entendons tous très bien.

Pour détendre les membres de notre communauté, Esméralda monte une chorale de chats et d'humains qui apprennent à miauler ensemble en profitant de l'acoustique particulière de l'intérieur de Notre-Dame.

Elle sépare les participants en trois groupes distincts et leur demande d'entonner avec un léger décalage en fonction des groupes la même chanson constituée des mêmes miaulements. Pythagore nous informe que cela s'appelle un canon.

Je participe à une de ces séances de miaulement collectif. Ce qui me surprend, c'est que ce mélange de toutes nos voix, humaines et félines, parvient à fusionner pour ne former qu'un seul son. Le siamois qualifie ce nuage vibrant d'« égrégore » et me dit qu'on pourrait imaginer un nuage de pensée similaire à ce nuage de son, un « égrégore spirituel », semblable à l'égrégore vocal que nous venons de constituer.

Je ne sais pas encore bien de quoi il parle mais nous décidons de mettre en place des ateliers d'apprentissage où chacun d'entre nous a pour mission d'enseigner.

Par exemple, Hannibal nous apprend l'art du rugissement. Tout le secret consiste, selon lui, à faire partir le son de son ventre et à utiliser sa cage thoracique comme une caisse de résonance en cherchant à pousser le son le plus grave possible.

Ensuite, le lion nous initie à l'art du combat. Il nous montre comment dégainer ses griffes comme des sabres tranchants, comment attaquer pour mordre l'ennemi à la gorge jusqu'à faire gicler le jus savoureux de son sang.

Pythagore baptise ce nouvel art martial « chat-kwan-do », ce qui désigne l'art de se battre des chats.

Angelo lui-même, grand admirateur du lion, s'avère pour une fois un élève attentif :

– Maman, ça y est, j'ai trouvé ma voie, m'annonce-t-il.

– Je t'écoute.

– Ce que j'aime le plus, c'est… la violence.

Du coup, je me fais du souci pour la prochaine génération.

– Arrête de dire des bêtises, mon fils.

– Non, maman, Hannibal a révélé mon talent. J'aime me battre. Tu sais, moi aussi j'ai l'âme d'un chef.

Et il se met à rugir pour essayer de m'impressionner. Je lui réponds, un peu agacée :

– Tu sais, Angelo, être chef ne découle pas d'une décision unilatérale. Il faut que tu inspires aux autres l'idée que tu pourrais remplir cette fonction, et alors ce seront eux qui te désigneront naturellement.

– Et tu crois que je ne suis pas assez fort pour inspirer cette idée aux autres ?

Et Angelo de mimer des mouvements de chat-kwan-do.

– Écoute-moi, mon fils, je t'aime bien mais je crois qu'il faut que tu gagnes en modestie. Regarde-moi : je suis respectée précisément parce que je ne montre pas ma force. Dès le moment où tu commences à te battre, tu deviens faible.

– Mais, maman, sans violence on ne peut pas gagner.

– La violence est le dernier argument des imbéciles.

– Je ne suis pas d'accord avec toi. Je crois au contraire que la violence est le meilleur moyen de convaincre tout le monde qu'on a raison.

Il a beau être mon fils, je sens qu'il va finir par m'énerver, lui aussi. Ce doit être la mauvaise influence d'Esméralda, cette mère de substitution qui lui laisse tout faire. Il faudra peut-être un jour que je pense à le reprendre en patte, voire à l'éduquer.

Mais pas tout de suite. Plus tard. Pour le moment, j'ai un atelier à présider.

De manière plus sereine que mon fils, j'apprends à un autre groupe de jeunes chats, essentiellement des femelles, comment soigner simplement en ronronnant.

– Il faut commencer par repérer les ondes négatives émises par l'être qui souffre, puis produire une vibration inverse à même de faire contrepoids.

Après la théorie, la pratique : comme l'une de mes élèves dit avoir mal au ventre, je me mets à ronronner auprès d'elle à environ 19 hertz avant d'augmenter l'intensité. Je remarque que ma technique fait effet à peu près 24 hertz, puisque mon étudiante, qui souffrait de constipation, signale qu'elle sent que cela s'est débloqué dans ses intestins.

– Voilà. Ce n'est pas plus compliqué que ça.

Dans le cadre des cours en commun, Patricia enseigne la méditation aux humains et aux chats qui le souhaitent.

Personnellement, j'ai l'impression que mes siestes sont déjà des formes de méditation, mais la chamane nous montre en plus comment adopter une posture verticale, la colonne vertébrale droite, les pattes arrière en tailleur, position qui, selon elle, est la plus propice à l'observation de ses pensées.

Elle nous fait comprendre par signes que, pour passer un moment satisfaisant de méditation, il ne faut surtout pas s'endormir. Or, pour ma part, je termine toujours mes méditations par un assoupissement. Je ne sais pas si je vous l'ai dit, mais j'aime particulièrement dormir, et surtout rêver.

Je poursuis ma tournée des ateliers.

Plus loin, Pythagore diffuse ses connaissances sur le monde des humains. Il donne à ceux que cela intéresse un cours de géométrie. Il leur parle du fameux théorème de Pythagore auquel, en toute honnêteté, je ne comprends rien. Il est question du carré de l'hypoténuse, c'est un peu trop pour moi. Il évoque aussi un sujet qui, d'après les informations qu'il a pu recueillir, importait beaucoup à son homonyme humain, la « réincarnation ». Selon lui, nous les chats, nous avons neuf vies, de sorte que, chaque fois que l'on meurt, on renaît dans la peau d'un nouveau chaton entièrement différent.

Donc, si l'on en croit cette théorie de la réincarnation, je serais née puis morte, puis de nouveau née et de nouveau morte plusieurs fois. Je me demande dans laquelle de mes neuf vies je me trouve actuellement.

En tout cas, cette idée me donne la sensation d'être plus ancienne que je ne le croyais jusqu'à présent. Je me rends compte aussi que, même si je mourais, je ne serais pas vraiment morte puisque mon esprit renaîtrait sous une autre forme et à un autre endroit.

Pythagore poursuit ensuite avec ce qu'il appelle l'« hypnose régressive ». Cette technique consiste à visualiser, par la seule force de l'esprit, les vies antérieures que l'on a oubliées. Il nous fait même faire des exercices. J'essaie, mais en vain. De toute façon, je n'y crois pas vraiment, à son histoire de réincarnation, je passe donc à d'autres occupations plus concrètes.

J'attends la fin de son cours pour discuter avec lui. Ce que j'apprécie avec ce siamois, c'est l'étendue de son vocabulaire. Il m'explique des notions subtiles et abstraites que je n'aurais jamais su nommer. Grâce à lui, je parviens à trouver les mots pour exprimer des nuances de sentiments ou des types de réflexions que je n'aurais jamais pu désigner sinon. Je mesure ainsi le pouvoir d'une pensée complexe et il m'arrive de moins en moins souvent d'être frustrée dans l'expression de mes idées.

Comme j'aime découvrir les mots ! « Nostalgie », par exemple, qui est le regret que le présent ne soit plus comme le passé. « Harmonie », qui exprime le sentiment que tout est à sa place. « Obsolète » pour désigner quelque chose qui devient dépassé en raison de la rapidité du progrès. « Névrosé » pour parler de quelqu'un qui a eu un traumatisme d'enfance l'empêchant de voir le réel tel qu'il est.

Chacun de ces mots rares est comme une friandise pour mon esprit. Je comprends que, dans la vie, celui qui détient le plus de vocabulaire a le plus d'outils pour élargir sa conscience et peut donc prendre l'ascendant sur celui qui en a moins.

Wolfgang, en tant qu'ancien chat d'un chef humain, nous enseigne quant à lui les « bonnes manières ». Il nous apprend à manger proprement un mulot sans se salir. Il nous instruit des rudiments de la gastronomie.

Pour lui, il existe deux sortes de croquettes, les croquettes bas de gamme et les croquettes haut de gamme. On doit juger une croquette à son parfum, à son caractère croustillant sous la molaire, à son goût en bouche.

Wolfgang nous apprend à ne pas manger trop vite ni trop bruyamment, c'est ce qu'il appelle le « savoir-vivre » selon les humains.

Le soir, pour nous détendre, éclairés par les réverbères encore actifs, nous pratiquons un sport que je baptise le « chat-ball ». On forme deux équipes de onze chats, qui se réunissent dans un lieu rectangulaire, en général une rue fermée. C'est comme du football humain, sauf que, au lieu d'une balle, nous utilisons une souris vivante préalablement choisie par l'arbitre. Cette souris est comme un ballon qui avance tout seul. Le but du jeu est que chaque équipe fasse peur à la souris pour la forcer à rejoindre la zone de but adverse.

Je ne sais pas si vous y avez déjà joué, mais je vous conseille d'essayer. Ah oui, et pensez à changer de temps en temps la souris, sinon elle est épuisée et cela fausse la partie.

Je propose d'ailleurs que, pour être sûr d'avoir une souris-ballon toujours opérationnelle, l'équipe qui marque un but ait le droit de manger la souris qui lui a permis de marquer. Ensuite, l'équipe qui a perdu doit aller chercher une nouvelle souris.

Bref, les journées s'écoulent ainsi sur l'île de la Cité, à s'instruire et à s'amuser. Je commence à apprécier de plus en plus la vie dans ce Paradis pour chats et humains.

Les jeunes humains ont aménagé leurs appartements ; moi, Angelo et Nathalie nous sommes installés dans la chambre de l'organiste de la cathédrale.

Le fait que, chaque jour, de nouveaux chats et humains affluent et nous demandent l'asile ne fait que nous renforcer dans notre optimisme.

Pythagore et Nathalie, aidés de quelques jeunes humains surdoués en informatique, travaillent pour favoriser le dialogue entre chats et humains. Ils arrivent déjà à bien améliorer la communication entre le siamois et ma servante.

Ils mettent au point un appareil de taille réduite qui est implanté dans le Troisième Œil de Pythagore et permet de communiquer par ondes. De même, ils créent un programme qui traduit les miaulements en langage humain et le langage humain en miaulements.

Ainsi il suffit à Pythagore de s'exprimer en langage chat pour que ses mots soient captés par l'appareil de son Troisième Œil, transformés en mots humains, puis envoyés à Nathalie qui, pour sa part, les entend prononcés dans sa langue dans une oreillette-micro et y répond dans son langage humain naturel qui va être en retour de nouveau transformé en langage chat. La miniaturisation est poussée à l'extrême. L'énergie provient d'une surface photosensible qui capte les rayons du soleil. L'engin a la taille d'un œil d'un chat, noir et luisant.

À chaque essai l'appareil est amélioré.

À eux deux, ils parviennent ainsi à créer un premier pont de communication quasi naturelle. Ils peuvent dialoguer comme s'ils étaient de la même espèce.

Alors que je me suis replacée en haut de la gargouille, Pythagore me rejoint.

– Comme je t'envie ! Comme je voudrais moi aussi parler à ma servante !

Le vent se fait plus fort, lissant ma fourrure noire et blanche. J'observe mon île. Les feuilles des arbres commencent à devenir orange, rouges et marron. Je miaule avec nostalgie :

– Je n'ai pas vu le temps passer.

– Pourtant les jours ont formé des semaines, les semaines des mois et c'est déjà la fin de l'automne. Nous allons vers l'hiver. Il va faire de plus en plus froid.

– Je crois que nous avons réussi à accomplir quelque chose d'important, toi et moi, Pythagore.

– Et encore, le meilleur est à venir, Bastet.

– Je n'arrive toutefois pas à oublier la menace que représente ce Tamerlan. À quoi cela sert-il de créer cette communauté du Paradis si un simple rat blanc aux yeux rouges peut l'envahir et tout détruire avec pour seules armes la violence et le nombre ?

75

Il secoue la tête comme pour signifier : « La peur n'évite pas le danger. »

14. TAMERLAN (DEUXIÈME PARTIE).

Tamerlan bâtit un empire immense à force de massacres et de pillages. Toutefois, il ne supportait pas qu'on évoque ses destructions en sa présence. Il se voulait le défenseur du raffinement et du bon goût. Il aimait revêtir des habits luxueux, et ne pouvait charger dans les batailles que vêtu de sa tenue d'apparat en soie et paré de tous ses bijoux.

Se considérant comme un esthète, il accueillit les artistes de Damas après avoir exterminé le reste de la population. Il choisissait ainsi dans les pays vaincus les meilleurs architectes, bijoutiers, sculpteurs, tailleurs et peintres pour édifier et décorer sa capitale consacrée à sa gloire : Samarcande. Chaque cité millénaire qu'il détruisait était ainsi pour lui l'occasion de récupérer des œuvres d'art et des matériaux pour décorer sa ville, que ce soit les pierres précieuses de Delhi, les sculptures ou les fresques des villes iraniennes, syriennes, russes ou chinoises.

Cependant, s'il avait la force de frappe des nomades, il n'aimait pas gérer les cités conquises.

Il exterminait les civils, de peur que les familles survivantes soient tentées de se venger. Après chaque invasion, il empoisonnait les puits en y amoncelant des cadavres qui s'y putréfiaient et qui rendaient l'eau imbuvable. Il détruisait les systèmes d'irrigation. Sa haine du sédentarisme et des paysans le poussait aussi à saupoudrer les champs de sel. Par ce geste, il faisait des champs une steppe ou un désert.

Il s'apprêtait à envahir l'Europe de l'ouest lorsqu'il fut frappé par un simple rhume qui lui fut fatal. Il mourut en 1405 à l'âge de 69 ans.

Après son décès, ses dix-huit enfants se disputèrent son empire dans des guerres fratricides. Cela suffit à disloquer tout ce que leur père avait bâti. L'Empire timouride ne survécut pas à la mort de son fondateur.

Au total, Tamerlan, en ravageant le Moyen-Orient, l'Extrême-Orient et l'Europe centrale, aura été responsable de 17 millions de morts, soit 5 % de l'ensemble de l'humanité de l'époque – estimée à environ 350 millions d'habitants.

Encyclopédie du Savoir Relatif et Absolu.
Volume XII.

15. LA FIN DES ILLUSIONS.

« Si tu connais une période longue sans problème, c'est qu'un gros malheur s'apprête à surgir », disait ma mère qui était d'un naturel angoissé.

Par un bel après-midi ensoleillé et venteux, les cloches de Notre-Dame de Paris se mettent à sonner.

C'est l'alerte, et cette fois ce n'est pas moi qui l'ai déclenchée. Je crains une nouvelle attaque des rats par les sous-sols, mais c'est autre chose qui est en train de se produire.

Je rejoins la cathédrale et monte sur la gargouille qui fait office de belvédère ouvrant sur un large panorama. De là, je peux observer ce qui justifie cette alerte.

Les berges du fleuve sont remplies de rats. Non plus de centaines, mais de dizaines de milliers de rats.

Pythagore me rejoint.

— Je crois qu'ils n'attaqueront pas, dit-il.

— Qu'en sais-tu ?

— Si leur chef est si intelligent, il a forcément tiré les leçons de l'échec de leur première mission commando. Je me demande même si ce n'était pas le but de cette incursion : tester nos défenses et notre temps de réaction. Constatant leur échec, ils ont changé de stratégie. Ils font ce qu'on appelle en langage militaire humain un « siège ».

— C'est quoi ?

— Ne rien faire et attendre que l'adversaire craque. Ils ne vont pas bouger, mais ils vont empêcher la nourriture d'entrer jusqu'à ce que nous soyons suffisamment affamés pour être obligés de nous rendre sans combattre. Ils jouent sur le temps, sur notre patience, sur notre faim.

— Dans ce cas, il n'y a aucun problème, nous ne risquons pas la pénurie avec tous les poissons qui circulent dans le fleuve.

Le siamois pointe de son oreille l'est du fleuve, et j'aperçois un barrage.

— Je l'ai remarqué tout à l'heure. Les rats l'ont construit très tôt ce matin en nageant et en poussant des bouts de bois prélevés sur d'anciens meubles.

— Ils ne peuvent pas arrêter l'eau de tout un fleuve, surtout s'il est aussi large que la Seine.

— Regarde mieux et tu comprendras.

Ah, comme je déteste quand il prend ses petits airs supérieurs de chat qui croit tout savoir. Je jette un œil dans la direction qu'il m'indique et distingue une dentelle formée par les silhouettes de ces rongeurs.

— Ils peuvent, à partir de ce barrage, plonger pour tuer en amont tous les poissons avant que le courant ne les amène vers nous. Ainsi, ils détruisent notre gibier sans que nous puissions le consommer.

— Eh bien, nous pêcherons en aval.

— Ça m'étonnerait.

Pythagore pointe de son autre oreille la direction opposée. Je me tourne vers l'ouest et constate que les rats ont, de la même manière, construit dans la nuit un barrage similaire.

Je commence à comprendre en quoi consiste la technique du siège. Et j'ai beau être optimiste, cela ne me laisse guère augurer des jours meilleurs. Pythagore n'est pas rassurant :

— Le temps joue pour eux. Ils vont attendre.

— Nous allons résister. Nous sommes nombreux.

— Plus aucune aide n'est à espérer dans les jours qui viennent. Aucun humain ni chat ne pourront approcher de cette zone.

De dépit, j'ouvre grand la bouche et je me mets à cracher en soufflant bruyamment, ce qui chez moi signifie que je me retiens de tout casser, mais que cela ne va pas durer.

Pythagore se propose de m'apaiser en faisant l'amour, mais je n'ai plus du tout l'esprit à cela. Le fait de nous retrouver coincés sans pouvoir agir me met dans un état d'exaspération totale.

Le soir, je tente de me calmer avec une séance de méditation. J'essaie de me souvenir des conseils de Patricia : je me place en position du lotus, les pattes douloureusement croisées devant moi, le dos raide, la queue plaquée en arrière pour me stabiliser et respire de plus en plus lentement afin de me calmer.

Ça ne marche pas. Il faudra que je pense à le dire aux autres chats.

La méditation, c'est comme le champagne, c'est fait pour les humains mais pas pour les chats.

Je regarde au loin le soleil se coucher, désabusée et un peu amère. Je sais au plus profond de moi que nos belles journées sont derrière nous et que le malheur va désormais doucement grignoter la sérénité de notre Paradis.

Angelo vient me voir et se met à ronronner comme pour me rassurer.

Brave Angelo. Je ne sais pas dans quelle aventure je t'ai entraîné, mais j'espère que cette histoire finira bien.

Je n'ose lui dire que je crois être née à la bonne génération, celle qui a pu bénéficier d'un grand confort en toute sécurité, mais que la prochaine risque de connaître un avenir plus sombre.

— On pourra aller tuer tous ces rats ? me demande mon fils.

— Non, Angelo, ils sont trop nombreux. Nous n'aurions aucune chance de gagner.

— Mais, maman, avec le chat-kwan-do, je peux en éliminer des centaines !

— Ils sont des dizaines de milliers. Tu serais vite épuisé.

— Je t'en prie, maman, laisse-moi aller les tuer !

— Va dormir.

Il me fixe :

— Eh bien, moi, quand je serai le chef, je ne serai pas un lâche. Je n'aurai pas peur de faire la guerre à nos ennemis.

— C'est cela, va dormir maintenant.

Combien de temps les jeunes mettent-ils à devenir raisonnables ? Bien sûr, je n'ai rien contre la violence si elle est utile et efficace, mais en l'occurrence, agir reviendrait à un suicide. Le problème des jeunes, c'est qu'ils pensent à leur plaisir immédiat (celui de tuer, dans le cas d'Angelo), sans réfléchir aux conséquences. Or, sur le long terme, la violence est un tribut bien trop lourd à payer. Je sais en mon for intérieur que seule la paix est rentable.

Nathalie me prend dans ses bras et me caresse. Elle aussi est inquiète, je le sens. Je lui lèche le menton, fourre ma tête sous son aisselle gauche, renifle son odeur de sueur que je trouve de plus en plus agréable, tout en continuant de réfléchir.

J'en arrive à une conclusion : il faut réunir tout le monde pour trouver ensemble une solution.

Je me dégage, trotte pour rejoindre le parvis, préviens quelques chats qui vont eux-mêmes chercher d'autres chats. Lorsqu'il y a suffisamment de monde autour de moi, je propose qu'on se retrouve tous dans la zone entre le chœur et le transept de la cathédrale.

Nous n'avons pas convié les humains, car nous n'avons pas envie de perdre du temps à attendre les traductions de Nathalie ou de Patricia (et, entre nous, leur odeur me gêne pour réfléchir).

Au premier rang, une vingtaine de chats sont alignés, pour la plupart d'anciens chats d'appartement, ou des chats de gouttière qui ont participé à la bataille de l'île aux Cygnes et qui donc savent ce que nous avons enduré avant de construire ce sanctuaire.

Nous nous regardons les uns les autres. Comme personne ne se décide à parler le premier, je prends l'initiative de lancer le débat.

— Cela va peut-être vous étonner, mais à ce stade, même moi je n'ai pas de solution, dis-je solennellement.

— Nous pourrions tenter une percée, propose Esméralda.

— Oui, c'est une très bonne idée ! approuve Angelo. Attaquons-les ! Tuons-les tous !

Ce serait bien qu'il se taise. Je n'aurais pas dû le laisser venir.

Je lâche un soupir et agite la tête en signe de dénégation. Je n'aime pas me répéter, alors Wolfgang, qui a compris, répond à ma place :

— Ils sont trop nombreux.

— Que reste-t-il comme option ? Fuir ? suggère Pythagore.

— Par où ? reprends-je. Toutes les berges alentour sont surveillées par nos ennemis. Ils bloquent l'amont et l'aval. Nous serions plus faciles à attaquer que dans notre île de la Cité fortifiée. *A priori*, si les rats restent sur les berges, c'est qu'ils n'ont pas les moyens de tenter un assaut frontal contre nos systèmes de défense et notre mur d'enceinte. Mais ils n'hésiteront pas à attaquer un objet flottant qui tenterait de s'échapper.

— Négocier ? propose Pythagore qui, en bon pacifiste, cherche à éviter la confrontation.

— Les attaquer par surprise ? insiste Esméralda, ses beaux yeux jaunes brillant dans son pelage noir.

— Oui, tuons-les tous ! répète Angelo.

J'écoute les propositions. N'en trouvant aucune vraiment réalisable, je reprends la parole.

— Finalement, plus j'y réfléchis, plus l'idée qui me paraît la moins mauvaise est de tenter une sortie de nuit pour aller chercher des renforts. Grâce à ces troupes fraîches, nous pourrions prendre nos assiégeants en tenaille par l'extérieur.

Un court silence s'ensuit. Puis le brouhaha. À ce qu'il me semble, tous les chats présents reconnaissent le bien-fondé de mon plan, même si pour l'instant je perçois aussi la difficulté de le mettre en pratique.

J'ai lancé cette suggestion car je sais qu'il est indispensable de passer à l'action et de ne pas rester passifs. C'est ma manière de gérer ce genre de crise : tout faire pour garder l'initiative, ne pas subir les choix stratégiques de mes ennemis et encore moins ceux de mes alliés.

Cependant, l'un de nos points faibles, à nous autres les chats, c'est notre indépendance. On n'aime pas obéir, on n'aime pas les chefs, on n'aime pas la hiérarchie. Chaque chat se considère comme le meilleur et voit les autres comme des inférieurs. Difficile, dans ces conditions, d'imposer une discipline collective. Alors, je tente le tout pour le tout :

– Lançons un commando de nuit ! Je suis sûre que cela va marcher.

Les autres, étant moins sûrs d'eux, préfèrent finalement approuver mon idée.

Le soir même, au moment où la nuit est la plus noire, sur mes indications, six chats que j'ai sélectionnés pour leur discrétion, leur furtivité et leur capacité à nager partent pour réaliser cette mission (sans Angelo, que j'ai dû remettre à sa place : « Tu es trop jeune, et pas assez expérimenté. Contrairement à ce que tu crois, le chat-kwan-do ne suffira pas à te sauver la vie. Donc tu te tais, tu m'écoutes et tu restes là ! »).

Profitant de la simple lueur des étoiles, mes six soldats parviennent à fendre l'eau du fleuve jusqu'à rejoindre discrètement la berge.

Jusqu'ici tout va bien.

Je surveille leur évolution du haut de la tour de Notre-Dame grâce à ma bonne vision de loin dans l'obscurité, et à mes vibrisses qui perçoivent précisément tout ce qui bouge aux alentours, comme un radar humain.

Notre commando progresse ensuite sur la terre ferme sans qu'aucune sentinelle ne réagisse dans le camp adverse.

Ouf.

Désormais, les six chats vont devoir contourner les rats endormis sans les réveiller pour traverser les lignes d'encerclement. Comme je n'entends aucune réaction en provenance des berges, je me sens rassurée.

Pythagore me rejoint sur mon promontoire.

– Ils ont réussi la première phase de leur mission. Maintenant, reste à savoir s'ils vont arriver à trouver des renforts en nombre suffisant et à les ramener à temps.

Comme souvent dans ce genre de situation, je place une patte au-dessus de mon cou et me lèche le ventre pour me détendre. Pythagore, qui constate que je suis crispée, se propose spontanément pour me gratter le dos afin de m'enlever les puces. J'ai toujours apprécié les mâles prévenants qui savent devancer le désir de leur femelle.

Pythagore opère avec beaucoup de délicatesse et cela finit par m'exciter.

Je lui propose donc de me prendre en saillie tout de suite. Il ne se fait pas prier et je sens son sexe couvert de piquants qui s'enfonce en moi (Pythagore m'a un jour expliqué que si le pénis des chats était ainsi équipé c'était pour évacuer le sperme du chat précédent et augmenter les chances que la fécondation se fasse avec leurs spermatozoïdes et non pas ceux de leur prédécesseur).

Cela me fait un peu mal au début, très mal ensuite, mais là encore je finis par trouver cela plaisant. Quand je fais l'amour, je sens l'intérieur de mon corps, c'est comme si son épi me réveillait les entrailles en profondeur (aucun mâle ni aucun humain ne pourra comprendre ce genre de ressenti typique des chattes).

Quand j'arrive au summum de l'extase, je miaule fort, à m'en décrocher les cordes vocales, en *si* bémol (Pythagore m'a un jour signalé que, durant l'orgasme, je miaule toujours sur cette note).

– Arrête ! me supplie Pythagore.

– Non, continue, lui réponds-je.

– Non, arrête de miauler si fort ! Tu vas réveiller les rats !

Zut. Je n'y pensais plus !

Agacée par ma propre désinvolture, je me dégage de mon mâle et lui donne un coup de patte sur le museau, de manière à lui faire comprendre que s'il arrive quelque chose au commando nocturne, ce sera sa faute.

Je lui demande de me laisser seule. Je regagne ma chambre et y retrouve ma servante qui déjà s'est endormie. Alors, je me place sur son ventre et me mets à le piétiner en rentrant et en sortant mes griffes pour me détendre.

Elle ouvre les yeux et prend cela pour un geste d'affection. Elle me caresse.

Si elle savait que je fais ça pour me défouler, que c'est elle la peluche qui sert à me détendre…

Je me mets à ronronner à 25 hertz.

– Bastet ?…, murmure-t-elle (c'est le seul mot humain que je comprends).

Puis, après toutes ces émotions alternativement négatives et positives, je décide de dormir.

Mais mon apaisement est de courte durée : je recommence bien vite à m'inquiéter de notre situation.

Pourvu que les six éclaireurs qui ont réussi à franchir les lignes de la horde brune arrivent à ramener des secours à temps pour nous libérer de notre enfermement.

16. LE SIÈGE D'ALÉSIA.

Au Ier siècle avant J.-C., le consul Jules César, désireux de devenir le seul dirigeant de Rome en éliminant le consul Pompée, avec qui il partageait le pouvoir, voulut impressionner le peuple romain par un coup de force.

En l'an - 58, il puisa dans l'argent de sa mère, s'acheta une armée privée et décida de se lancer dans la « pacification » de la Gaule (avec laquelle Rome était jusque-là en bons termes).

Pompée prévint les Gaulois que cette guerre était celle d'un seul homme et non de la République romaine entière – le Sénat n'avait pas approuvé cette intrusion agressive –, mais ces derniers ne furent pas en mesure d'arrêter cette armée privée surgissant depuis le sud-est.

En habile diplomate, César se servit des dissensions internes des peuples gaulois pour les monter les uns contre les autres. Bon stratège, il accumulait les victoires dans les batailles. Si bien qu'avec son armée il arriva à envahir entièrement la Gaule, allant jusqu'aux îles Britanniques et franchissant même le Rhin pour envahir la Germanie.

Toutefois, en 52 avant J.-C., un chef arverne, Vercingétorix, monta une armée gauloise pour affronter l'envahisseur romain. Il réussit à vaincre l'armée de Jules César qui assiégeait le camp retranché de Gergovie.

Fort de cette première victoire, Vercingétorix résista aux Romains dans plusieurs autres batailles. Mais le jeune chef gaulois ne parvint pas à maintenir son avantage. Il finit par être obligé de fuir et se réfugia avec 80 000 hommes dans un camp retranché, Alésia, qu'on situe actuellement en Bourgogne-Franche-Comté.

Jules César, pour sa part, avait à sa disposition une armée de 70 000 légionnaires. Constatant son infériorité numérique, le chef romain, plutôt que d'attaquer, préféra mettre au point un dispositif de siège très compliqué : il fit construire autour d'Alésia une ligne de défense de 35 kilomètres de long. Il s'agissait d'un fossé de 4,5 mètres de large sur 4,5 mètres de profondeur, suivi d'un mur de 3,5 mètres de haut, surmonté d'une palissade. Tous les 25 mètres, on trouvait des tours remplies d'archers.

Devant le fossé, étaient disposés des pieux aux pointes de fer, devant lesquels étaient creusés des trous coniques de 1 mètre, tapissés de plus petits pieux, dissimulés par des broussailles afin que les chevaux viennent s'empaler dessus. César ne se contenta pas de ces préparatifs : il fit construire une deuxième ligne de défense similaire. Si la première était destinée à empêcher les attaques de Vercingétorix depuis son fort, la seconde servait à bloquer une éventuelle armée de renfort.

Le siège dura plusieurs mois. Lorsqu'ils furent à court de vivres, les assiégés firent sortir du camp les femmes, les personnes âgées et les enfants. César empêcha le passage de ces derniers et il les laissa mourir de faim entre les deux lignes de défense.

L'armée gauloise de secours arriva enfin en septembre. Elle comprenait 250 000 guerriers gaulois dirigés par Vercassivellaunos, le cousin de Vercingétorix. Après deux tentatives de percée de la ligne, qui se conclurent par des échecs, Vercassivellaunos passa à l'attaque avec sa cavalerie le 26 septembre (jour d'éclipse de lune), de nuit. Au début, la victoire semblait acquise pour les Gaulois, mais César se reprit vite et parvint à envoyer une armée qui prit les attaquants à revers. Ainsi il remporta *in extremis* la bataille.

Le lendemain, Vercingétorix se rendit et réclama la clémence pour ses soldats survivants. Les prisonniers gaulois furent offerts comme esclaves aux légionnaires ayant participé à la bataille.

Ramené à Rome puis enchaîné à son char, Vercingétorix fut exhibé au triomphe de son pire ennemi. Quelque temps après, il fut étranglé dans sa prison.

Mais l'une des réussites principales de César, au-delà de la victoire militaire à proprement parler, réside dans le récit qu'il livra de cette bataille dans *La Guerre des Gaules*. Les Romains y lirent ses aventures en territoires barbares et furent tous saisis par le suspense de son récit, qui culminait précisément avec le siège d'Alésia.

Des siècles plus tard, *La Guerre des Gaules* reste l'unique ouvrage décrivant ce qui se serait passé. En l'absence d'historiens gaulois, la seule version de l'histoire que nous possédons est celle où César se présente lui-même en héros de la civilisation luttant contre la barbarie.

Encyclopédie du Savoir Relatif et Absolu.
Volume XII.

17. UNE SOLUTION ORIGINALE.

Cette nuit-là, je rêve que je fais l'amour avec le roi des rats en personne, le fameux spécimen au poil blanc et aux yeux rouges, Tamerlan.

Dans mon rêve, je le séduis facilement en lui montrant ma croupe.

Je l'autorise progressivement à s'approcher, je me baisse, il me grimpe dessus. À ma grande surprise il a un sexe plus grand que celui de Pythagore.

À la fin, il me dit :

– Toi et moi, nous pouvons dominer le monde. Unissons-nous plutôt que de lutter l'un contre l'autre.

Alors je me mets de nouveau en position de dominée prête à offrir mon corps et se produit une deuxième saillie rat-chat.

Cette fois-ci, après l'acte, le rongeur blanc est épuisé et il s'endort. Alors, de ma griffe la plus tranchante, je lui ouvre le crâne, et je dévore son cerveau encore palpitant. Tout en mastiquant, je déclare :

– Vous les mâles, vous êtes faciles à manipuler, chats ou rats. Nous les femelles, nous pourrons toujours vous avoir avec le sexe.

Là-dessus je termine de déguster sa cervelle, et je remplis ensuite de lait son crâne pour boire cette boisson blanche dans ce récipient aux poils blancs. Ton sur ton.

Je suis expulsée de ce songe par les cloches de Notre-Dame. Sans attendre, je rejoins le sommet de la gargouille et je scrute les alentours pour découvrir la raison de cette alerte.

Alors, je vois.

À cette heure de l'aurore où le soleil orange commence à éclairer les berges, on aperçoit les six chats du commando. Ils sont accrochés sur deux planches de bois en forme de T, les pattes postérieures réunies et les pattes antérieures étirées. Ils sont couverts de morsures, mais certains remuent encore, agités par de petits spasmes nerveux.

Oh non, pas ça.

Un frisson désagréable me parcourt l'échine.

Il y a plusieurs choses qui, à cet instant, me perturbent. Tout d'abord, l'échec du commando signifie que nous n'aurons pas de secours dans l'immédiat et que nous allons probablement manquer de nourriture. Ensuite, c'est un petit détail, mais qui m'importe, cette mission était mon idée et je perds donc en crédibilité auprès de ceux de ma communauté.

Je descends sur le parvis de la cathédrale et propose une réunion d'urgence. Nous composons spontanément ce que Pythagore appelle un « gouvernement de crise », formé d'un comité restreint de sages.

Nous décidons de nous réunir sur la grande table au fond de la cathédrale, que Pythagore appelle « l'autel ». En tout, nous sommes douze chats parmi les plus intelligents et les plus valeureux.

Avant que qui que ce soit n'ait commencé à s'exprimer, j'assois mon autorité en ouvrant les débats.

– Il y avait deux options. La première était que nous sortions à la recherche de renforts. Cette option vient d'être explorée et a débouché sur un résultat que je qualifierais de peu satisfaisant. La deuxième était de ne rien faire, auquel cas nous risquions de mourir de faim. Selon toi, Wolfgang, on peut tenir combien de temps ?

– Moi ? Pourquoi tu me demandes cela à moi ? se défend l'inté-ressé.

– Parce que je sais que la nourriture est ton centre d'intérêt principal. Allez, réponds.

– Sans poisson, juste avec les réserves ? Eh bien, je dirais un mois. Mais l'hiver arrive, peut-être qu'avec le froid nous aurons besoin de plus de nourriture pour tenir.

Je sens les onze autres nerveux. Esméralda lève la patte pour demander la parole.

– Attaquons le barrage en amont.

– Comment vois-tu la manœuvre ?

– Peut-être pourrions-nous demander à nos serviteurs humains d'y mettre le feu. Après tout, c'est un aménagement formé de morceaux de bois, qui doit donc être inflammable.

– Oui, mais c'est du bois mouillé, ce qui ne brûle pas facile-ment, intervient Pythagore.

– À moins que nous n'utilisions de l'essence, complète Esméralda. Nous avons déjà vu l'efficacité du procédé lorsqu'il s'est agi d'arrêter l'offensive de l'île aux Cygnes.

– Mais nous n'avons plus d'essence, déplore Wolfgang.

– Tuons-les tous ! miaule Angelo, qui nous a discrètement rejoints.

– Excusez-le, dis-je, il est jeune.

– J'ai peut-être une solution, annonce le siamois après quelques secondes de réflexion.

J'adore cette phrase.

– Mais c'est une solution un peu compliquée. Juste avant de venir ici, j'ai utilisé mon Troisième Œil pour voir quelles situa-tions similaires ont connues les humains dans le passé. Parmi les plus célèbres, on trouve le siège de Troie par les Grecs, ceux

91

d'Alésia par les Romains, de Constantinople par les Turcs, de la forteresse juive de Massada par les Romains, de Vienne par les Mongols… Bref, je ne vais pas faire une liste exhaustive, mais il y en a un qui a tout particulièrement attiré mon attention.

Il m'énerve avec son ton qui veut montrer qu'il sait des choses que les autres ignorent.

– C'est le siège de Paris en octobre 1870 par les troupes prussiennes.

Les autres chats présents ne voient pas du tout à quoi Pythagore fait allusion, car ils ne connaissent évidemment pas l'histoire des humains. Je suis tout aussi ignorante, mais je fais semblant de savoir :

– Raconte-leur.

Pythagore adopte l'attitude caractéristique de celui qui veut instruire des élèves.

– Eh bien, explique-t-il, après la guerre de 1870 qui a opposé les Français et les Prussiens (c'est-à-dire les Allemands), ces derniers envahirent le pays par la frontière est et finirent par encercler la capitale, Paris, pour en faire le siège.

– Cela se passait donc ici même, me permets-je d'ajouter.

– En effet. Enfin, pas seulement ici, plutôt dans l'ensemble de la ville de Paris. Les assiégés ont cherché un moyen de contacter l'extérieur pour aller chercher des secours et finalement ils en ont trouvé un : fuir non pas par le sol mais par… les airs.

– Comme les oiseaux ? s'étonne Esméralda.

– Exactement. Comme les oiseaux. C'est ainsi que leur chef, qui s'appelait Léon Gambetta, est parvenu à quitter Paris en s'envolant puis en atterrissant au-delà des lignes ennemies pour aller former ensuite une armée de résistance.

– Comment est-ce possible ? demande Wolfgang, impressionné.

– Grâce à une… « montgolfière ».

– Une quoi ? questionne Esméralda.

– Un engin magnifique permettant à ceux qui, précisément, ne sont pas équipés d'ailes de voler.

Pythagore se gratte la tête comme si son Troisième Œil le démangeait.

– Cela fonctionne selon le principe suivant : l'air chaud monte, donc si on en souffle dans un ballon, cela a le pouvoir de faire monter des gens ou des objets qui sont dans une nacelle accrochée au ballon.

Parfois, je me demande si ce siamois ne raconte pas n'importe quoi pour m'impressionner. Pourtant, comme il semble très précis, je suis finalement tentée de le croire. Je me permets de l'interrompre quand même, pour rester au centre de l'attention :

– L'air chaud fait monter, ça c'est sûr. Et donc, plus concrètement, une montgolfière, cela ressemble à quoi ?

– Il s'agit d'une membrane grande comme une maison. Elle est gonflée d'air chaud et soulève alors une nacelle, une sorte de grand panier d'osier. Puis elle monte dans le ciel.

– Plus haut que les toits ? demande Esméralda, intriguée et rêveuse.

– Plus haut que les nuages. C'est de la technologie humaine de pointe.

J'interviens dans le débat :

– Et tu voudrais fabriquer un de ces engins ?

– Pas moi, c'est difficile sans mains, mais nos serviteurs humains le peuvent, eux. Je sais déjà quel site Internet consulter : www.fabriquerunemongolfiereen10leçons.com.

93

J'approuve en dodelinant de la tête.

– Cela me semble la meilleure suggestion que nous ayons entendue jusqu'à présent. Pour ce qui est de la construction de « notre » montgolfière, il suffira, Pythagore, que tu donnes tes directives à ma servante Nathalie. En tant qu'ancienne architecte, elle sait gérer les chantiers et coordonner les efforts de ses congénères.

– Et quand bien même nous réussirions à franchir les lignes ennemies, que se passerait-il ensuite ? demande Esméralda, qui n'est pas complètement convaincue.

– Nous trouverons des secours qui viendront briser l'encerclement que nous subissons. Ensemble, nous vaincrons les rats.

Ça y est, j'ai retrouvé ce charisme naturel qui est le mien et qui impose le respect à mon entourage.

Je clos la réunion du gouvernement de crise par un miaulement déterminé qui signifie : « Plus de temps à perdre, mettez-vous tous au travail. »

Pythagore transmet l'ordre et Nathalie organise le chantier de construction avec ses semblables. Ils s'installent dans la cour de l'Hôtel-Dieu et commencent à œuvrer.

Ils récupèrent une cinquantaine de draps de l'hôpital, les découpent en longs fuseaux qu'ils cousent ensemble pour constituer comme une tulipe renversée. Ils enduisent cette toile de cire visqueuse pour la rendre plus étanche. Ils récupèrent une baignoire en plastique, percent des trous sur ses rebords et y fixent des cordages pour constituer la nacelle. Ils attachent ensuite l'autre extrémité de ces liens à l'enveloppe du ballon.

Vient le moment d'installer le cœur de la machine : une bonbonne de gaz reliée à un tuyau, lui-même rattaché à un chalumeau, autant d'objets que nous trouvons dans un garage de la préfecture de police. Ils garnissent l'extrémité d'un embout évasé issu d'un pommeau de douche. L'ensemble forme ce que Pythagore nomme une « bouche à feu ».

Enfin, après trois jours de travail acharné et méticuleux, la montgolfière est prête à décoller.

Nous nous réunissons de nouveau, nous, le Conseil des douze chats dirigeant l'île de la Cité, pour décider de la mise en place de cette mission de la dernière chance.

– Qui va y aller ? questionne Esméralda.

– Moi ! dit Wolfgang.

– Moi ! gronde le lion Hannibal qui, par simple curiosité, nous a rejoints à l'autel de la cathédrale.

Profitant de mon aura naturelle, je fais taire ces chats en me plaçant en position bipède et en crachant comme si j'étais en colère.

– L'idéal serait qu'un humain et deux chats y aillent. Un humain, au cas où nous aurions besoin de manipuler des objets ou de faire fonctionner l'engin. Deux chats pour agir efficacement. Pour l'humain, je sais déjà qui choisir. Ce sera Nathalie, parce que je la connais et que je sais qu'elle est très débrouillarde. Et pour les chats… Ce sera Pythagore, car lui seul est équipé du Troisième Œil qui permet de communiquer avec elle.

– Et le troisième chat ? reprend Esméralda.

– Ce sera… moi, déclarai-je.

– Pourquoi pas moi ? s'étonne Hannibal. Ne seriez-vous pas en train de faire du racisme anti-lion ?

– Tu es trop lourd, Hannibal, désolée de te le dire. Et puis tu fais peur. Or, nous aurons probablement besoin d'être rassurants pour convaincre nos éventuels alliés de nous suivre. Enfin, je vais y aller parce que dans cette situation critique, je crois qu'il faut quelqu'un capable de prendre rapidement les bonnes décisions. Or, sans me vanter, je vous rappelle que tout ce que nous avons réussi depuis le début de cette aventure a été accompli grâce à moi. Et, comme par hasard, chaque fois que je ne participe pas à la mission, elle échoue. Je rappellerai seulement l'épisode des six chats crucifiés sur la berge.

– Le commando des six !? Mais c'était ton idée ! s'insurge Esméralda.

– Certes, mais si l'expédition n'a pas réussi, c'est parce que je n'y suis pas allée. Si j'avais fait partie des six, les cinq autres seraient probablement encore vivants, dis-je d'un ton tranchant teinté de cette mauvaise foi qui me caractérise. Si nous voulons réussir, je dois y aller.

D'ailleurs, entre nous, sachez que j'aime bien avoir tort et imposer mon point de vue quoi qu'il arrive. J'aime bien mentir, j'aime bien faire croire que j'ai dit des choses que je n'ai pas dites. Est-ce mal ? À mon avis, la mauvaise foi est un talent nécessaire pour faire de la politique. Et, du peu que m'en a dit Pythagore, les seuls humains qui aient réussi à devenir des chefs respectés n'étaient pas les plus intelligents mais ceux qui étaient le plus de mauvaise foi ; d'ailleurs, lorsqu'ils se trompaient, ils faisaient tout de même raconter par leurs propagandistes la version qui les mettait en valeur.

– Je ne suis pas d'accord avec ta décision, Bastet, tente maladroitement d'insister Wolfgang. Alors, oui, nous te sommes redevables de plein de choses, mais ce n'est pas une raison pour que tu participes à toutes les missions. Je veux vraiment y aller, moi aussi. Cela doit être formidable de voler dans le ciel. J'ai toujours rêvé d'être un oiseau.

Ils commencent à m'agacer.

Je leur assène sèchement :

— Votre avis m'importe peu et ne change rien à ma décision.

— Mais nous sommes douze, nous pourrions voter, propose Wolfgang.

— Je ne crois pas que le vote soit le moyen de faire de bons choix. Avec le vote, nous obtiendrions au mieux un consensus mou. Je préfère mon système de dictature éclairée. Éclairée par moi, bien sûr. Vous m'écoutez, vous m'obéissez, et si j'échoue, vous pourrez me tenir pour unique responsable. À l'inverse, si je réussis, j'aurai ainsi prouvé une fois de plus que j'avais raison et que mes détracteurs avaient tort.

Ils me regardent tous un peu atterrés, mais ils n'ont pas grand-chose à opposer à ma franche détermination. Plus c'est gros, plus ça marche. En fait, eux aussi sont masochistes, ils aiment les femelles dominatrices et je sais très bien jouer ce rôle. Il suffit d'adopter un ton un peu méprisant pour qu'ils soient renvoyés à leur médiocrité.

Je comprends qu'il ne faut surtout pas laisser le débat s'installer. Je lance donc d'un ton péremptoire :

— Je pars avec Pythagore et Nathalie, point final.

Je sais que je suis plus efficace lorsque j'y vais au culot, en prenant tout le monde de haut. Je sais que les faibles ont toujours peur du conflit et que, rien que par fainéantise, ils préfèrent m'obéir que me contredire. C'est comme cela que je compte installer ma dictature éclairée, de manière à aboutir à notre bonheur collectif.

Je les fixe un par un, oreille dressée, moustache frémissante, laissant entrevoir une canine pour montrer ma volonté. Hannibal est le premier à renoncer. Wolfgang baisse les yeux. Esméralda secoue la tête, indignée.

Angelo, de nouveau, se manifeste.

– Et moi, je peux venir ?

– C'est trop dangereux pour un chaton.

– Mais, maman, je ne suis plus un chaton, tu sais.

– Oui, excuse-moi, mais tu es encore jeune et à mon avis un peu trop fougueux.

– Je suis fort, je sais rugir. Je veux tuer des rats ! Je veux tous les tuer !

Et là il pousse un mini-rugissement, le plus grave que sa gorge d'adolescent puisse produire. Je me désintéresse de ses facéties pour m'adresser encore au Conseil des douze :

– Y a-t-il d'autres objections ?

Personne n'ose me contredire. Alors, avant que qui que ce soit ne change d'avis, je conclus :

– Je suis contente que nous soyons une fois de plus tous d'accord pour faire les meilleurs choix et défendre l'intérêt géné-ral. Maintenant, hâtons-nous de procéder aux derniers préparatifs de cette aventure déterminante pour la survie de ceux de l'île de la Cité.

Une fois de plus, j'ai été formidable.

J'ai l'impression que s'ils avaient des mains, certains m'applau-diraient.

18. HISTOIRE DES MONTGOLFIÈRES.

L'homme a toujours rêvé de voler comme les oiseaux. La première étape de la réalisation de ce fantasme peut être datée de 1783. On la doit aux deux frères Montgolfier. Leur père, Pierre Montgolfier, était un riche industriel

dans la papeterie, installé dans la ville d'Annonay, pas loin de Saint-Étienne. Il avait seize enfants.

Joseph, le douzième, était un mauvais élève, turbulent, indiscipliné, mais il se passionnait pour l'observation de la nature et la science physique. Joseph eut une grande influence sur son cadet Étienne, le quinzième de la famille, lui aussi plus intéressé par la science que par l'école.

Un jour, alors qu'il avait jeté un papier dans le feu de la cheminée, Joseph s'aperçut que celui-ci montait dans l'air. Il en parla à Étienne. Ensemble, ils entreprirent une série d'expériences pour exploiter cette découverte.

Devant les habitants d'Annonay réunis, ils firent bientôt s'élever un cube de papier de un mètre de côté gonflé par la chaleur produite par la combustion d'un peu de laine et de paille. Le prototype s'envola à une trentaine de mètres d'altitude.

Le roi Louis XVI, passionné de sciences, eut vent de l'anecdote et voulut voir le phénomène par lui-même. Le 19 septembre 1783, les frères Montgolfier firent donc une grande expérience à Versailles devant le roi et la cour. Pour l'occasion, ils construisirent un ballon de 1 000 mètres cubes et de 24 mètres de haut, formé de 24 fuseaux de coton et doublé de papier. Autre innovation, ce vol accueillait des passagers dans sa nacelle d'osier : un mouton, un coq et un canard. Le ballon monta à 500 mètres, vola 8 minutes et parcourut 3,5 kilomètres. À l'atterrissage, les animaux étaient vivants et bien portants (à l'exception du coq, dont le bec avait été cassé par un petit accident : le mouton s'était assis sur lui). Le roi encouragea les Montgolfier à passer à l'étape suivante et à faire voler un de ces engins avec des humains à son bord. Ils pensèrent au début réquisitionner des prisonniers condamnés à mort – si cela devait mal tourner, la perte était limitée –, mais c'était sans compter la fougue d'un jeune aventurier, Jean-François Pilâtre de Rozier, qui voulait à tout prix être le premier humain à voler. Il intrigua auprès de la cour jusqu'à ce qu'on l'autorise à tester un vol humain dans le ciel.

Les premières expériences se déroulèrent en octobre 1783, à Paris, dans le faubourg Saint-Antoine. Au début, les vols restaient captifs, c'est-à-dire que la montgolfière était retenue par une corde qui la reliait au sol. Puis, le 21 novembre 1783, Pilâtre de Rozier, accompagné du marquis d'Arlandes, tenta un « lâcher-prise » total : la montgolfière décolla de la porte de la Muette à l'ouest de Paris et s'éleva jusqu'à 1 000 mètres d'altitude, avant d'être poussée par les vents vers le sud-est, jusqu'au quartier de la Butte-aux-Cailles. Les deux hommes furent toutefois forcés d'atterrir quand les poussières du brasier mirent feu au bas du ballon de papier. La distance parcourue ce jour-là fut de 9 kilomètres en 25 minutes.

Les deux frères Montgolfier, en récompense, reçurent le titre de chevaliers et ils prirent comme devise : « Nous irons jusqu'aux astres. »

Encyclopédie du Savoir Relatif et Absolu.
Volume XII.

19. ENVOL.

Ma mère disait toujours : « Quand tu as le choix entre y aller et ne pas y aller, choisis toujours la première solution. Au pire, tu sauras pourquoi il ne fallait pas y aller. »

Donc j'y vais.

A priori, la météo est bonne.

Nous sommes tous réunis dans la cour de la préfecture de police de l'île de la Cité.

Ce bâtiment aux murs élevés nous permet de ne pas être repérés depuis les berges car j'ai déjà pu constater que des rats à la fonction de guetteurs se sont juchés au sommet des arbres pour surveiller ce qu'il se passe chez nous.

Pythagore et moi nous montons dans la nacelle baignoire en plastique. À l'intérieur, Nathalie a disposé trois petits fauteuils. Un qui supporte les bouteilles de gaz, un où elle s'assoit et un sur lequel nous les chats sommes censés nous installer pour pouvoir voir à l'extérieur de la nacelle. Des sacs de sable ont été accrochés sur les flancs. Ils serviront de lest si nous avons besoin de prendre rapidement de l'altitude.

Faute de nourriture, ma servante a emporté un sac à dos rempli d'outils divers, qui vont du couteau au marteau, en passant par des jumelles et une boussole. Puis les humains soulèvent la membrane du ballon pour éviter qu'elle ne flambe et Nathalie allume les bouches à feu. Une flamme jaune s'étire.

L'air chaud commence à remplir la toile, qui se gonfle et se soulève. L'immense sphère de la montgolfière se déploie lentement. Je sens que la nacelle est tirée vers le haut. Cependant, par précaution, nous avons fixé des cordages qui nous relient à des piquets au sol. Lorsque le ballon est entièrement gonflé, les fixations se tendent. La baignoire frémit, puis se soulève. Elle ne tient plus que par les cordes.

Les autres chats et les humains nous regardent, curieux du phénomène. Angelo est sur l'épaule de Patricia, Wolfgang et Esméralda sont sur un arbre.

— Tue un maximum de rats ! me lance mon fils.

— Je vais surtout vous ramener des renforts et de la nourriture !

— Essayez déjà de revenir vivants ! miaule Esméralda.

— Ne nous abandonnez pas, sans vous nous sommes fichus ! ajoute Wolfgang.

— De toute façon, ne te fais pas de souci, maman, si tu meurs je serai là pour prendre la relève, conclut Angelo.

Il me tarde de partir et de quitter cette assemblée de défaitistes, alors je donne le signal du départ.

Pythagore passe le message à Nathalie qui coupe les cordages et, d'un coup, la montgolfière s'élève au-dessus du sol.

Je perçois que la chamane, qui nous regarde nous envoler, est inquiète, mais chez les humains les émotions sont plus difficiles à décrypter, ils ne dressent pas leur queue, ils ne tendent pas leurs oreilles, ils cachent leurs odeurs avec des tissus. Ce sont vraiment des êtres qui cultivent le mystère quant à leurs sentiments profonds.

Je suis sûre que même entre eux, ils ne perçoivent pas les émotions des uns et des autres.

Je grimpe sur l'épaule de ma servante pour observer ce qu'il se passe d'un meilleur point de vue. Pythagore, craignant d'avoir le vertige, préfère se calfeutrer sous un fauteuil.

Souffrirait-il de vertige ? C'est étonnant, car il n'avait pas peur de faire l'amour sur la gargouille de Notre-Dame. J'en déduis donc que ce qui lui fait peur, c'est d'être en hauteur sans plus aucun lien avec le sol.

Moi-même, je ne suis pas parfaite. Comme vous le savez, j'ai mes propres phobies : l'eau, le ridicule, tout ce qui est sale, mais en tout cas je n'ai pas peur du vide.

Nous montons très vite. En quelques secondes à peine, nous dépassons le sommet de Notre-Dame de Paris et, à ce moment-là, quelques jeunes humains ont la bonne idée de faire sonner les cloches pour nous saluer. Même si les guetteurs rats nous voient, ils ne peuvent rien faire pour nous empêcher de nous enfuir par les airs.

Nous nous élevons encore et je vois l'île de la Cité progressivement ressembler à une amande grise entourée du fleuve vert aux reflets étincelants.

Notre paradis ressemble, vu de là, à un œil humain.

— Aucun chat n'est monté aussi haut ! dis-je, émerveillée.

Pythagore me répond du fond de la baignoire :

— Mais si, souviens-toi : les humains ont envoyé en 1963 la chatte Félicette dans une fusée.

— Certes, mais tu m'as dit qu'elle ne pouvait pas regarder dehors, alors que nous si.

Enfin, moi, si, en tout cas.

L'horizon s'élargit et je distingue les lignes sombres des armées de rats sur les berges ainsi que leurs barrages sur le fleuve. Ils sont encore plus nombreux que je ne l'avais estimé au premier abord.

Nous continuons de monter.

Rien que pour impressionner Pythagore, je me place sur le rebord de la baignoire, deux griffes plantées dans un cordage, en équilibre instable. La vue est vertigineuse. Quand même, ces humains sont sacrément doués d'avoir inventé ce véhicule volant.

Le haut de mon crâne est chauffé par les tuyères, les conduits qui amènent la chaleur, tandis que mes pattes s'enfoncent dans le froid à mesure que nous montons. Je découvre à cette occasion que, plus on monte, plus la température baisse.

Nathalie vient me caresser. Brave humaine. Je me dis qu'elle a fait du beau travail.

Si un jour je parviens à dialoguer avec elle, il faudra que je pense à la remercier.

Je grimpe sur son épaule, elle me caresse encore et je miaule à son oreille un « Continue ».

Elle me répond dans sa langue et, comme à notre habitude, je ne reconnais dans la conversation que mon nom, « Bastet ».

Je suppose qu'elle doit me féliciter d'être une aussi bonne maîtresse, car finalement, tous les humains n'ont pas la chance de tomber sur des maîtresses-chattes comme moi.

Il paraît qu'avant, il y avait même des chats qui éduquaient leurs serviteurs humains en leur donnant des coups de griffes sur les mains.

Mais, à un moment, peut-être parce qu'elle est nerveuse, Nathalie allume une cigarette.

Ah ça, je ne supporte pas la fumée de cigarette et, en plus, sa substance toxique colle à mon poil, de sorte que, quand je me lèche, les résidus me piquent la langue.

Comme je ne peux pas signifier cela clairement à Nathalie, je me contente de m'éloigner et me positionne dans un autre coin de la nacelle en me penchant au-dessus du vide.

Plus nous montons, plus notre champ de vision s'élargit. Je m'adresse à Pythagore, toujours pelotonné au fond de notre vaisseau :

– Où va-t-on maintenant ?

– Cet engin est une montgolfière et non un dirigeable, il monte et descend, mais il ne peut pas être dirigé.

Je suppose qu'il plaisante. Oui, il plaisante forcément.

– Donc on ne peut pas choisir où l'on va ? Et tu me le dis seulement maintenant !

– Oui, excuse-moi, j'aurais dû t'avertir.

Certainement. Si j'avais eu cette information, je n'y serais jamais allée !

– Ah ? Et donc, comment va-t-on contourner les lignes de rats ?

– Il faut attendre que des courants d'air latéraux nous poussent dans la bonne direction. Le problème, c'est qu'on ne sait pas quels vents nous allons rencontrer ni dans quel sens ils souffleront. En revanche, ce qu'on peut faire, c'est repérer des courants aériens et nous placer dans leur sillage.

– Et comment on les repère, ces courants ?

– En observant les mouvements des nuages, des poussières et des oiseaux. Bref, de tout ce qu'il y a à notre hauteur et qui bouge.

– Et tu saurais faire cela ?

– Moi non, mais Nathalie est au courant. L'idéal serait d'aller vers le nord puisque la horde brune a déjà envahi le sud. Au nord, nous devrions trouver des peuples que nous pourrons convaincre de combattre à nos côtés.

Je constate que s'il y a certes des mouvements aériens, il y a aussi de plus en plus de nuages. Nous nous enfonçons dans une épaisseur de vapeurs opaques dont, cette fois, nous n'arrivons plus à nous extirper. Nous perdons alors tout repère visuel. Nous ne savons plus ni où nous sommes ni même à quelle hauteur.

Nous restons à voler dans ces vapeurs cotonneuses quelques minutes. Quand le brouillard se dissipe enfin, nous discernons un nouveau décor. Une immense forêt. Pour moi qui suis née dans la ville au milieu des bâtiments humains, toute cette végétation a quelque chose de perturbant. À perte de vue s'étendent seulement de la verdure, des arbres, de l'herbe ; nul trottoir, pas de voitures, ni buildings, ni réverbères. Rien de gris ou de noir, seulement du vert, de l'orange et du rouge de fin d'automne.

Un vent se fait sentir et nous pousse enfin. La nacelle tangue et Nathalie est déséquilibrée. Elle tombe sur son fauteuil et écrase un peu le siamois qui se met à miauler plaintivement.

Moi seule garde l'équilibre sur le bord de la baignoire et surveille tout de haut. Le vent fait ployer mes moustaches et onduler ma fourrure. Je goûte ce plaisir de voler comme un oiseau.

Nathalie est tout ébouriffée et elle finit par se pencher par-dessus bord pour vomir. Il me semble que c'est le moment parfait pour entamer un dialogue. Je m'adresse donc à Pythagore :

– J'aimerais discuter avec ma servante ; tu traduis ?

Toujours réfugié au fond de la baignoire en boule, il me fait signe qu'il va essayer.

– Dis-lui que je suis contente qu'elle ait eu le courage de faire cette expédition avec nous deux.

Il miaule et elle répond en retour quelque chose en humain. Il me traduit :

– Elle dit qu'elle pense que tu es une chatte formidable.

– Remercie-la. Et dis-lui qu'elle ne doit pas s'inquiéter. De toute façon, nous les chats allons nous mettre à régner sur la planète pour prendre le relais de la civilisation humaine effondrée.

– Elle prétend que, pour que « vous les chats » puissiez reprendre la relève de la civilisation humaine, il vous manque trois notions fondamentales :

1) L'AMOUR.

2) L'HUMOUR.

3) L'ART.

Après un temps de réflexion, je réponds.

– Pour ce qui est de l'amour, eh bien, je sais aimer. Je fais l'amour plus souvent et bien mieux qu'elle, il me semble.

– Non, l'amour dont elle te parle n'est pas que l'accouplement. C'est quelque chose qui, selon sa formule, implique des sentiments.

– Mais c'est l'inverse : c'est nous qui faisons l'amour avec des sentiments, et eux qui sont juste engagés dans un acte bestial reproductif !

– D'après elle, c'est le contraire. Je pense que vous ne voulez pas dire la même chose quand vous parlez de « sentiments », elle affirme que ce dont elle parle est quelque chose de très subtil et puissant.

Mais pour qui elle se prend, celle-là ! Elle voudrait me donner des leçons pour apprendre à quelqu'un comme moi ce qu'est le vrai amour ? Le niveau de prétention et d'autosatisfaction des humains me surprendra toujours. Ils se considèrent encore, malgré l'Effondrement, comme l'espèce de référence en tout.

Pythagore continue :

– Elle dit que dans l'Amour humain avec un grand A, tu ressens ce que ressent l'autre comme si tu étais lui. Il y a une part de compassion dans cet amour-là : comme on partage les mêmes émotions, on se comprend mieux mutuellement.

Étrange discussion en altitude. Malgré l'inconvénient que constitue le temps de traduction, je poursuis.

– Quant à l'humour, il me semble avoir déjà entendu parler de ce concept humain, mais peut-elle me rappeler de quoi il s'agit ?

– Selon elle, c'est difficile à expliquer. C'est une forme de déséquilibre de l'esprit qui fait qu'on a envie de relâcher la pression : alors quelque chose se produit dans le cerveau qui soulage, tout en provoquant une respiration saccadée. Ce phénomène est encore typiquement humain : cela s'appelle le « rire ».

Je me demande si je n'ai pas déjà ri dans le passé, sans savoir que c'était ce que je faisais. Comme je peux constater que mes deux compagnons de voyage sont mal en point à cause de leur vertige alors que je suis dans les meilleures dispositions du monde, je suis pleine d'assurance et continue :

— Je connais l'art musical et l'art culinaire. J'aime la Callas, Vivaldi, Bach et le caviar, c'est déjà pas mal, non ?

— Nathalie prétend que, quand tu pourras vraiment percevoir ce qu'est l'art, tu connaîtras une extase. Pas seulement un simple plaisir des sens, mais une sorte de révélation que tu ne soupçonnes pas encore.

— Certes je n'ai pas encore connu d'état d'extase artistique…

— Selon Nathalie, c'est parce que tu n'as pas trouvé l'art qui fait vibrer ton âme. Mais rassure-toi, il n'y a pas que la musique et la gastronomie ; il y a aussi la peinture, la sculpture, la danse et encore d'autres formes d'expression artistique, comme la parfumerie, l'habillement, le jardinage. Elle espère que tu toucheras un jour ce concept du doigt, parce que, selon elle, si tu veux créer une civilisation féline qui prenne le relais des humains, il te faudra à tout prix percevoir la puissance de l'art. Une espèce ne domine pas seulement par la force ou l'intelligence, mais aussi par sa capacité à se surpasser pour produire de la beauté.

Justement Nathalie allume son smartphone pour diffuser de la musique.

— Je crois que tu aimes bien la « Toccata » de Bach. Je lui ai demandé de te faire écouter quelque chose du même musicien, une œuvre de circonstance puisqu'il s'agit d'un morceau qui s'appelle « Air ».

Comme chaque fois que j'entends des musiques humaines, au début cela me semble juste des bruits, puis, à force, je finis par reconnaître des phrases musicales, avant de distinguer dans les thèmes répétés une forme d'évolution qui dessine comme une histoire sonore.

« Air » de Jean-Sébastien Bach. C'est beau. Il me semble que cet instant où je suis avec ma servante humaine et mon mâle dans cette montgolfière qui survole le monde, à écouter cette musique merveilleuse, je ne dois pas l'oublier.

J'inspire profondément l'air frais des altitudes et je contemple l'immense panorama qui se déploie en dessous de moi. J'ai l'impression d'être un pur esprit qui voit tout et qui peut tout accomplir.

Nathalie, pour amorcer notre descente, tourne le bouton qui contrôle l'arrivée de gaz et baisse ainsi l'intensité des bouches à feu. Nous perdons très progressivement de l'altitude. Au fur et à mesure que nous descendons, des odeurs d'herbe, d'humus, de fleurs montent jusqu'à mes narines frémissantes. C'est délicieux et cela va bien avec « Air » de Bach.

C'est quand je distingue ces immenses forêts et ces plaines colorées que je comprends que même le bois de Boulogne ou le bois de Vincennes que j'ai découverts lors de mes aventures précédentes n'étaient que des petites forêts urbaines, et que la vraie nature, c'est ce que je contemple maintenant : l'horizon végétal à l'infini, sans constructions humaines.

Nathalie stabilise l'altitude de notre aéronef. Un vent latéral nous pousse toujours à bonne vitesse. Ma servante essaie de faire fonctionner le GPS de son smartphone puis sa boussole pour situer où nous sommes.

Je me penche et vois le sol qui défile tout en dessous de notre baignoire-nacelle.

C'est alors que nous avons une visite, en la personne d'un pigeon gris et noir. Il se pose sur le rebord de notre nacelle et nous observe en tournant la tête, car la séparation des yeux de l'animal de chaque côté du crâne l'oblige à alterner vision de l'œil droit et de l'œil gauche.

Il roucoule, déterminé, comme s'il voulait nous dire quelque chose d'important. Je propose un contact d'esprit à esprit.

Bonjour, pigeon. Enchantée de vous rencontrer dans votre territoire aérien. Nous ne faisons que passer.

Le volatile se met à roucouler plus fort, avec une intonation un peu agressive, en agitant la tête d'avant en arrière. J'ai l'impression qu'il me répond et imagine sa requête. Peut-être quelque chose comme :

Qu'est-ce que des chats et des humains fabriquent sur notre territoire aérien ? Vous n'avez rien à faire ici.

Je tente une explication :

Désolée du dérangement, mais nous n'avons pas le choix. Nous fuyons les rats.

Le pigeon n'a pas l'air de comprendre mes messages télépathiques. Il fait vibrer sa gorge sur un ton de plus en plus hostile en secouant la tête et en battant des ailes. Sa gorge se gonfle et se dégonfle en signe de colère.

Bientôt, d'autres pigeons viennent se poser sur le rebord de la baignoire et tous roucoulent en chœur sur ce même ton agressif.

Nathalie ne semble pas du tout rassurée par ces présences roucoulantes. Une fois de plus, je constate que la communication inter-espèces n'est pas encore au point. Un autre pigeon qui tournoie au-dessus de nous lâche une fiente verte et gluante qui tombe dans ses cheveux.

Tentent-ils une communication chimique ?

Peu importe. Je n'aime pas qu'on souille un seul poil de ma servante, alors, prise d'un réflexe animal, je lance ma patte droite toutes griffes dehors et je laboure les plumes du pigeon le plus proche. L'animal éclate comme un ballon dans un nuage de sang et de duvet.

Les autres oiseaux s'envolent aussitôt et profitent de leur capacité de se mouvoir dans les airs pour tournoyer autour de moi en tentant de me piquer de leurs petits becs pointus. Je dégaine de nouveau ma patte droite qui part avec une vitesse fulgurante et j'arrive à tuer trois autres de ces volatiles tandis que je me fais moi-même bombarder de leurs fientes puantes.

Quel est l'animal qui peut être assez pervers pour considérer ses excréments comme une arme ?

D'autres pigeons volent près du bord de la nacelle. Je comprends leur stratégie : ils veulent me forcer à me pencher suffisamment en avant pour me faire choir, mais j'ai un sens de l'équilibre parfait. J'en tue donc encore deux qui ont eu l'inconscience de rester à portée de mes griffes.

– Et voilà, nous aurons de la volaille à manger pour le déjeuner.

Pythagore, qui vient enfin de me rejoindre sur mon fauteuil, ne partage toutefois pas mon enthousiasme. Il me fait signe de regarder en l'air et j'aperçois un de ces maudits oiseaux agrippé par les griffes à la membrane du ballon, tel un pic-vert face à un tronc d'arbre.

Non, ne fais pas ça, pigeon.

Ne tenant pas compte de ma suggestion, il plante son bec de

111

toutes ses forces dans le tissu. Cela produit un sifflement aigu et libère un jet d'air chaud opaque. Déjà, arrivent une dizaine d'autres pigeons qui se livrent à la même opération de perforation sur la membrane de notre montgolfière.

Je miaule fort en espérant que mes cris les effraieront. Mais non, au contraire, ils prennent de l'élan et foncent, leur bec pointu en avant.

Quelques-uns rebondissent sur la toile parce qu'ils manquent de force, mais la plupart parviennent à planter leur bec et à percer le ballon. Et puis, au signal du plus gros d'entre eux, tous se mettent à frapper ensemble au même endroit pour élargir la brèche.

Nathalie, inquiète, augmente la puissance des bouches à feu, mais il est trop tard. Nous perdons vite de l'altitude.

Ma servante se met alors à jeter les fauteuils pour essayer d'alléger la nacelle, puis elle se débarrasse de tout ce qui traîne autour de nous, jusqu'aux bonbonnes de gaz. Nous chutons de plus en plus vite et je vois le sol se rapprocher, sous les piaillements narquois des volatiles victorieux.

Nous tombons.

Finalement, le ciel n'est pas fait pour les chats.

Je préfère sauter que rester dans la nacelle. Je sais que la réussite de ma chute dépend du nombre de tours, pair ou impair, que j'effectue avant de toucher le sol. Je saute, plane un peu et me mets à compter. 1... 2...

Pourvu que ce soit un chiffre impair.

20. POURQUOI LES CHATS RETOMBENT-ILS SUR LEURS PATTES ?

Dès qu'ils tombent d'une hauteur importante, en une fraction de seconde, les chats tendent instinctivement leurs membres avec l'amplitude la plus large possible.

Ils bénéficient ainsi d'une plus grande surface de portance, qui ralentit leur chute pour que celle-ci ne dépasse pas les 100 kilomètres à l'heure, un peu à la manière des écureuils volants.

Tous leurs membres contribuent à les aider dans leur chute. Leur queue leur permet de trouver le positionnement parfait. Durant la descente, leur oreille interne les informe de l'orientation que prend leur trajectoire, ce qui les fait se placer de manière optimale. Leurs vibrisses leur indiquent en permanence la distance qui les sépare du sol.

À la fin, la colonne vertébrale se contorsionne pour bien placer le bassin dans l'alignement de la tête. C'est le réflexe dit d'« équilibration ».

Juste avant le contact avec le sol, ils tendent leurs pattes pour répartir la secousse harmonieusement entre les quatre membres. Leur queue bascule alors en sens inverse pour servir de contrepoids.

Pile au moment du choc, les membres fléchissent pour encaisser la secousse.

Ainsi, les chats peuvent se tirer indemnes de chutes élevées, là où tous les autres mammifères se briseraient les os.

Encyclopédie du Savoir Relatif et Absolu.
Volume XII.

21. LE MONDE DES BRANCHES.

... 5.

Je suis mal positionnée, mais ma chute est amortie par la frondaison de l'arbre sur lequel je tombe. Je m'emmêle un peu dans le feuillage orange, je pédale nerveusement dans le végétal, puis je retrouve mon équilibre sur une branche épaisse et me relève sans la moindre égratignure et avec ma dignité intacte.

De toute façon, j'avais tout calculé.

Pythagore tombe plus maladroitement, mais lui aussi parvient à se raccrocher aux branches souples.

À peine ai-je eu le temps de le voir se redresser que nous arrivent dessus, dans l'ordre : la baignoire en plastique qui nous a servi de nacelle, ma servante et toute la membrane de la montgolfière qui s'étale au-dessus de nous.

Enfin, j'entends la voix de Nathalie et accours dans sa direction : même si je suis égoïste, je tiens à ce que ma servante reste opérationnelle.

S'aidant de ses mains, elle se dégage de la toile de la montgolfière.

Elle a les cheveux ébouriffés et quelques écorchures mais je comprends que la vaste toile a ralenti sa chute. Nous nous retrouvons tous les trois perchés en haut d'un arbre, installés dans la nacelle, quand celle-ci se met à vaciller.

Nous n'avons que le temps de nous extirper avant qu'elle bascule dans le vide, retenue par les cordages emmêlés dans les branchages.

Nathalie entreprend de descendre le long du tronc avant que

la nacelle ne dégringole complètement. Autant Pythagore et moi sommes souples et légers, autant elle est lourde et malhabile.

Soudain, alors que je suis au niveau médian du feuillage de l'arbre, je vois jaillir face à moi deux oreilles poilues, suivies d'une tête de rat.

Heureusement l'être que je découvre n'a pas une fourrure grise, mais rousse, presque rouge, et est doté d'une énorme queue fournie.

Un écureuil.

On dirait qu'il n'a jamais vu de chat ou, en tout cas, qu'il n'en a jamais vu qui tombait du ciel pour le rejoindre dans les frondaisons. Il ne semble ni hostile ni effarouché. Comme à mon habitude, j'essaie de lui envoyer un message bienveillant d'esprit à esprit.

Bonjour, écureuil. Comment vas-tu ? Nous sommes chez toi, je présume. Enchantée de cette rencontre.

Il ne répond pas et se contente de faire vibrer l'extrémité de sa truffe, comme s'il cherchait quelque chose de précis. Un instant, je suis tentée de prendre plus de temps pour communiquer avec lui mais, peut-être à cause de la nervosité liée à notre fuite, à l'attaque des pigeons, à notre chute et à toute cette succession de catastrophes, j'ai un peu perdu patience. Et moi, vous me connaissez, quand je perds patience, j'ai tendance à choisir les solutions expéditives.

Donc je le tue. Puis, sans attendre, je le mange.

L'écureuil, hmm… Comment vous le décrire ? Il a un parfum de souris mais avec un délicieux arrière-goût de noisette. Rien à voir avec le côté amer du rat, vous voyez ? En fait, c'est délicieux, surtout au niveau des cuissots.

Pythagore, qui m'a vue agir, vient partager ma pitance. Nous reprenons confiance en nous-mêmes : nous ne faisons pas que subir les événements, nous savons désormais que nous pouvons aussi les contrôler et en apprécier certains intermèdes.

Après m'être régalée de cet écureuil juteux, je me décide à observer le bas de l'arbre et à m'aventurer sur une branche. Pythagore me suit, ainsi que Nathalie qui, en tant qu'humaine, est bien évidemment moins adroite que nous pour descendre des arbres. Ce n'est pas brillant. La pauvre dégringole dans le feuillage avant de rejoindre poussivement le sol en lâchant un gémissement de douleur.

Ensuite, elle se met en route en boitant un peu, sans cesser de maugréer dans son langage.

J'entends alors la sonorité : « Oputinmerdefaitchié. » Je pense qu'il doit s'agir de ce que Pythagore appelle des « expressions défouloirs » humaines.

C'est fragile, les humains. Et ça râle tout le temps. En tout cas, ils ne sont pas doués pour sauter avec élégance depuis les branches des arbres.

Je me place sur le sommet de l'épaule de Nathalie pour ne pas me fatiguer. Je lui mordille l'oreille, ce qui devrait lui faire comprendre qu'elle doit aller plus vite car nous n'avons pas de temps à perdre. Pythagore trotte à nos pieds.

Mon véhicule humain n'est pas très en forme à la suite de sa chute, mais elle arrive à avancer. Comme disait ma mère : « Les humains n'ont pas besoin d'être parfaits, il suffit qu'ils soient obéissants et travailleurs. »

J'ai très envie de parler à Nathalie, alors, profitant de ce que je suis sur son épaule, je lui chuchote dans le creux de l'oreille :

– Vous savez, servante, j'ai beaucoup d'estime pour vous et je rêve de pouvoir un jour discuter avec vous directement, sans passer par aucun intermédiaire. Je crois que vous et moi nous pouvons faire ensemble des choses formidables, qui inspireront ensuite tous les chats et tous les humains devenus des espèces qui dialoguent et ont le même objectif. Cet objectif, c'est bien sûr la passation de pouvoir des humains aux chats, afin que nous puissions, grâce à vos connaissances, assumer plus pleinement notre supériorité non seulement sur vous mais sur tous les autres animaux.

En réponse, ma maîtresse me caresse tout en marchant et répète des phrases où j'entends le mot « Bastet ». *Comme c'est humiliant d'être à ce point incomprise.* Bon, je n'insiste pas. Tant pis, quand j'aurai besoin de lui donner des informations j'utiliserai le truchement de Pythagore qui avec son Troisième Œil sait dialoguer avec elle.

Autour de nous, la forêt aux milles nuances de vert a laissé la place à de vastes plaines avec des cultures identiques à perte de vue. Ces champs forment un tapis jaune uniforme.

Je me rappelle que Pythagore m'a parlé de cela, du concept d'agriculture. Il me semble quand même bizarre de réunir toute la nourriture au même endroit. Pour ma part, je préfère la chasse ; plus aléatoire, mais aussi plus sportif.

La route s'étend à l'infini devant nous et je cherche des odeurs d'espèces étrangères qui pourraient devenir nos alliés dans la lutte contre les rats. Je détecte alors un relent animal inconnu. Si les écureuils étaient des sortes de rats arboricoles, là j'ai l'impression de détecter comme des chiens des forêts. J'en informe Pythagore, qui transmet à mon humaine la direction à prendre pour rejoindre ce remugle exotique.

Au fur et à mesure que nous en approchons, je perçois, derrière l'odeur de chien sauvage, une autre plus désagréable, celle, caractéristique, d'une chair en putréfaction.

Nous remontons jusqu'à la source de cette puanteur pour découvrir une vingtaine de loups, une meute entière, crucifiés sur des morceaux de bois disposés en T. Ils sont couverts de morsures de rats. Leurs plaies laissent s'écouler des rainures brunes de sang coagulé. Des centaines de mouches bourdonnent sur leurs corps.

Je sens ma monture humaine défaillir devant ce spectacle. J'en descends avant qu'elle ne s'évanouisse.

Pythagore exprime tout haut ce que je viens de penser tout bas :

– Ce sont des loups venus de la forêt toute proche. Si les rats sont capables de s'attaquer à autant de loups et de les vaincre, c'est que désormais ils n'ont plus aucun prédateur.

– Mais comment arrivent-ils à être aussi forts ?

– Tamerlan. Ce doit être lui qui leur apporte en plus de leur nombre une stratégie politique et militaire cohérente, suggère le siamois. Sans compter cette mise en scène particulièrement impressionnante pour ceux qui seraient tentés de les défier.

– Alors on fait quoi ?

Je lui pose cette question sans arriver à détacher mes yeux de ces loups vaincus par des êtres beaucoup plus petits qu'eux.

– Plus que jamais, il nous faut trouver des alliés. Seule l'union de plusieurs espèces animales pourra venir à bout de ces envahisseurs. À nous de fédérer tous les anti-rats.

Tout en parlant, Pythagore secoue les oreilles nerveusement. Je perçois chez lui un grand trouble. Il poursuit :

– Ce qui m'inquiète, c'est qu'ils réalisent des croix suffisamment grandes pour crucifier des loups. Cela signifie qu'ils savent se servir de leurs doigts comme des humains pour manipuler des outils, couper du bois et faire des nœuds avec des cordes.

– Et tu en déduis quoi ?

– Que Tamerlan a bien utilisé son Troisième Œil pour consulter Internet et que, tout comme moi, il s'est initié à certaines techniques humaines. Nous n'avons plus affaire à des rats normaux. Ce sont des rats beaucoup plus évolués, donc beaucoup plus dangereux que tous ceux que nous avons affrontés jusqu'à présent.

Nathalie est restée la main devant les yeux pour ne plus subir le spectacle de tous ces loups suppliciés. Je me replace sur son épaule et lui fais comprendre qu'il est temps de repartir. Nous hâtons le pas en direction du soleil, donc du sud.

Pythagore, sentant que je suis un peu inquiète, me propose de me détendre. Après un bref aparté avec Nathalie, cette dernière met de la musique sur son smartphone.

– Je lui ai demandé de te faire écouter les *Variations Goldberg*, de Bach.

C'est beau, mais cela ne suffit pas à me distraire des rats.

– Concentre-toi bien sur la musique, enchaîne Pythagore, comme s'il arrivait à percevoir mes pensées. L'art permet d'évacuer la peur.

– Comment est-ce possible ?

– Nos pensées sont chimiques, ce sont seulement des hormones, des liquides qui circulent dans notre sang et influent sur notre cerveau. La peur des rats est générée par l'adrénaline ; le plaisir d'écouter de la musique par l'endorphine. On peut ainsi compenser la peur-adrénaline par l'art-endorphine.

– Tu as lu ça dans ton Encyclopédie du Savoir Relatif et Absolu ?

– L'Encyclopédie ne fait que mettre des mots humains sur des intuitions naturelles. Je crois que nous savons déjà tout cela au fond de nous. Mais comme nous l'avons oublié, le fait de l'exprimer nous permet de nous le rappeler. Nous aurons toujours le choix entre la fascination pour ce qui est lié à la mort et l'appel de la vie. Les crucifixions ne servent qu'à nous encourager à devenir plus sensibles à la première émotion. Et le but est de nous empêcher de réfléchir… C'est sur cette stratégie que se fonde Tamerlan : frapper les esprits par la terreur. Cela lui permet de prendre le contrôle de nos émotions. Si nous maîtrisons notre chimie intérieure, il n'a plus prise sur nous.

L'art pour soigner de la peur ?

Nathalie boite moins, mais elle marche de plus en plus lentement en respirant bruyamment. Ses tempes et sa carotide battent vite. Je crois qu'elle commence à fatiguer. Pour la soulager de mon poids, je descends et j'avance côte à côte avec mon compagnon siamois.

– Tu penses qu'on est où ?

– Au sud-ouest de Paris.

– Et tu proposes qu'on aille où ?

Il pointe l'oreille vers un sentier qui, même de là où nous sommes, sent bon les fougères.

– Tout à l'heure, il m'a semblé distinguer des habitations humaines par là.

– Tu ne crois pas que nous risquons de tomber sur des rats ?

– Il y aura toujours des risques à aller sur des territoires inconnus. De manière générale, aller là où les autres ne vont pas est forcément plus dangereux que de suivre les chemins habituels. C'est le principe des « crapauds fous » dont parle l'Encyclopédie de Wells.

– C'est quoi, ton histoire de crapauds fous ?

22. LE SYNDROME DES CRAPAUDS FOUS.

Chaque année, les crapauds connaissent une migration qui les achemine de leur lieu de vie courant à leur lieu de reproduction ancestral.

Cependant, parfois, entre deux migrations, une autoroute est construite par les humains, ce qui modifie l'habitat naturel des crapauds et les empêche de parcourir le chemin qui doit les amener à destination. Mus par leur instinct grégaire, les crapauds tentent alors malgré tout la traversée et se font le plus souvent tous écraser par les voitures lancées sur ces voies express.

Évidemment, les crapauds ne sont pas à même de saisir que leur chemin de migration est devenu impraticable et ils s'obstinent donc à l'emprunter, puisque c'est celui indiqué par leurs ancêtres.

On peut donc se demander comment l'urbanisation n'a pas tué toute l'espèce.

En fait, il semble qu'une forme d'intelligence collective ait résolu ce problème.

La conscience collective des crapauds a fini par intégrer ce risque, puisque, au moment où la majorité d'entre eux part dans la direction habituelle, une minorité se dirige à l'opposé, vers ce qu'ils considèrent pourtant comme le mauvais côté. Et c'est parce que ce petit groupe dissident, au lieu de prendre le chemin ancestral, a emprunté une voie tenue pour absurde, que toute l'espèce va pouvoir survivre.

Encyclopédie du Savoir Relatif et Absolu.
Volume XII.

23. NOUVEAUX HORIZONS.

Vous me connaissez, je ne suis pas du genre à me reposer alors qu'il y a encore du chemin à parcourir. De nouveau juchée sur l'épaule droite de Nathalie, je ne cesse de la stimuler pour qu'elle accélère le pas et cesse ce boitement saugrenu. Je lui répète régulièrement en miaulant – en espérant qu'elle comprenne quelque chose – que de la rapidité de sa marche dépend la survie de notre communauté.

Quand elle manifeste des signes de fatigue, je la remets face à ses responsabilités en lui mordillant les lobes de l'oreille avec mes canines. C'est tout à fait le genre de choses qui, moi, me mettrait en rage et me donnerait envie d'avancer.

Pythagore reste silencieux. Je sais qu'il considère les humains avec davantage d'admiration que moi, probablement parce que son accès à Internet lui a fait concevoir pour eux un certain respect. De ce fait, il les place sur un piédestal. Pour ma part, j'émets plus de réserves. Il ne faut quand même pas oublier que ce sont des animaux à notre service.

Allez, allez, on ne traîne pas, on avance, servante.

Le paysage autour de nous change, après la forêt et la plaine agricole, nous voici entourés de petites collines recouvertes d'herbes désordonnées. Nathalie décide spontanément de monter sur l'un de ces promontoires naturels. Comme je n'ai pas mieux à proposer, je la suis.

Bientôt, nous apercevons des bâtiments construits par les humains. À mesure que nous nous rapprochons, j'ai un mauvais pressentiment. C'est mon côté visionnaire. C'est peut-être aussi ce type de prémonition qui légitime mon statut de chef.

– N'y allons pas, dis-je à Pythagore.

Mais lui, c'est un mâle. Il a beau avoir des talents artificiellement développés par son Troisième Œil, il n'a pas l'intuition naturelle aiguisée qui est notre caractéristique, à nous les femelles.

– Nous n'avons pas le choix, nous ne pouvons pas contourner tous les bâtiments humains, sinon nous ne sommes pas près de trouver de l'aide, rétorque-t-il.

Je crois que son principe du crapaud fou a ses limites.

Nathalie, arrivée en haut d'une colline, embrasse du regard le panorama. De ce point de vue élevé, nous pouvons distinguer un peu mieux les bâtiments au loin.

Nathalie et Pythagore débattent par le truchement du smartphone et Pythagore finit par me dire :

– C'est le château de Versailles.

– Qu'est-ce que c'est ?

– Le plus grand et le plus majestueux palais des chefs humains du passé.

Nathalie extrait des jumelles de son sac à dos. Elle nous explique qu'on peut utiliser cet instrument pour observer à distance l'intérieur de ce village. Elle prend le temps de tout examiner puis elle sort de son sac une paire plus petite.

– Ce sont des jumelles pour enfant qu'elle a trouvées dans un appartement de l'île de la Cité. Elle les a prises pour nous, signale Pythagore. Tu vas voir, on peut les utiliser nous aussi.

Il saisit l'instrument dans ses pattes et le coince avec ses coussinets pour le porter jusqu'à ses yeux.

Il regarde un long moment. Je le sens nerveux.

– Cela grouille de rats.

– À mon tour ! Je veux voir aussi, dis-je dans un miaulement impatient.

Je pose mes yeux devant les trous ; ma servante adapte les œilletons et soudain se produit quelque chose d'affreux : je suis projetée au milieu d'une multitude de rats !

Mon cœur s'arrête de battre. J'éloigne mes yeux de cet objet effrayant et me retrouve avec Pythagore et Nathalie à l'abri sur la colline.

J'ai voyagé instantanément là-bas ! Comment est-ce possible ?!

Je remets mes yeux dans les binocles et me voici de nouveau entourée de rats. Je repousse l'instrument.

– C'est quoi, ça ?!

– Ne t'inquiète pas, Bastet. C'est une illusion visuelle. Tu crois que tu es près de ce que tu regardes mais en fait tu en es loin, explique le siamois.

Je déglutis. Décidément, les humains ont su fabriquer avec leurs mains si bien articulées des appareils extraordinaires dont nous, les chats, devons à tout prix connaître les secrets.

Nathalie, comprenant mon désarroi, me caresse le front et m'invite à regarder de nouveau dans les jumelles. Je prends une profonde inspiration et me replace face aux œilletons avec plus de sérénité.

Nathalie dézoome, ce qui me permet une vision plus lointaine et panoramique. Je distingue le château de Versailles dans son ensemble. Ainsi, c'est cela que le rat prisonnier désignait comme une « grande maison humaine » ? C'est en réalité un bâtiment immense. Je zoome.

Grâce à ces jumelles magiques je découvre tout en détail, comme si j'étais juste en face. Je vois des grilles, des statues, des murs décorés de sculptures, mais surtout une foule de rats qui occupe tout le rez-de-chaussée du château ainsi que la cour.

La première information que je tire de cette observation aux jumelles est qu'il y a non plus des milliers ni des dizaines de milliers, mais des centaines de milliers de rats. La deuxième, c'est qu'ils sont déjà très bien organisés. Au centre de la cour, trône une pyramide de plusieurs mètres de haut formée de pierres rondes et beiges. Au sommet, une sorte de petite plate-forme tel un belvédère.

En regardant plus attentivement, je me rends compte que ce ne sont pas des pierres rondes.

Non, ce n'est pas possible.

Ce sont des crânes d'humains empilés ! Un frisson d'angoisse me parcourt l'échine.

Je m'ébroue puis replace mes yeux dans les œilletons des jumelles. J'augmente encore le grossissement de l'image.

J'aperçois bientôt un petit rat blanc, porté par six autres rats. Tous s'écartent devant lui. Il gravit la montagne de crânes et s'installe au sommet pour se placer à l'avant de la petite plate-forme.

Cela ne peut être que lui.

Donc te voilà, Tamerlan.

Il est plus petit que je ne l'imaginais. Ses yeux sont rouges, comme s'ils étaient remplis de sang. Je peux même distinguer, malgré la distance, son Troisième Œil fiché sur son front. Tout, dans son attitude, inspire l'autorité. D'ailleurs, tous les rats des alentours baissent les oreilles, en signe de soumission.

Le rongeur blanc siffle, et les rats lui répondent par un sifflement de même tonalité qui produit une vague sonore aiguë désagréable. Puis Tamerlan se dresse lentement sur ses pattes arrière et reste dans cette position verticale comme si elle lui était naturelle.

Il siffle de nouveau, un ton au-dessus, et tous les rats se dressent eux aussi sur leurs pattes arrière en sifflant en écho.

– Il ne faut pas traîner ici, s'exclame Pythagore. Compte tenu de leur nombre, il y a fort à parier que des sentinelles font des rondes. Si elles nous trouvent, je ne donne pas cher de nos fourrures.

Je ne l'écoute pas, trop occupée à observer la scène qui s'offre à mes yeux : ce nouveau roi des rats, blanc aux yeux rouges, dressé sur une pyramide de crânes humains. Il me semble qu'il prononce un discours. J'interroge Pythagore :

– Tu as vu la fente sur son front ? Elle est plus petite que la tienne. Tu as une explication ?

– Je suis doté d'une prise USB classique et lui d'une micro USB. Ce sont des prises récentes de taille plus réduite. Allez, Bastet, filons vite d'ici.

– Attends, c'est extraordinaire de voir enfin distinctement nos adversaires.

– Si on les voit, ils peuvent probablement nous voir aussi.

– Nous sommes loin. Ils n'ont pas de jumelles, eux.

Pythagore pointe l'extrémité de sa queue dans une direction. Je repère alors un groupe d'une centaine de rats qui accourt vers nous.

Bon, pour une fois, je reconnais que le siamois a raison. Nous galopons pour nous enfuir, quand un deuxième groupe de rats nous coupe le chemin. Je refuse catégoriquement qu'après tout ce que nous avons dû faire pour arriver jusqu'ici, nous soyons déjà prisonniers !

Nous accélérons et arrivons à les distancer. Nous nous réfugions dans les hauteurs d'un arbre afin de nous prémunir contre une attaque nocturne.

Nathalie, pour sa part, préfère rester au pied du tronc, car elle a peur de chuter durant son sommeil. Je me dis que si elle se fait attaquer par les rats, elle va crier, ce qui devrait nous réveiller et nous permettre de nous échapper.

Enfin, je me retrouve tranquille avec mon compagnon. Je plonge mon regard dans ses beaux yeux bleus :

– Hum… Il me semble que nous avons affaire à un roi des rats vraiment redoutable.

– Je crois que nous sommes fichus, répond-il plus laconiquement.

Nous nous léchons un peu mutuellement pour nous rassurer, puis nous nous serrons l'un contre l'autre et nos deux queues s'entortillent en tresse pour nous rapprocher encore plus. Je ne partage pas le pessimisme de Pythagore. Je me dis que, tant que je suis vivante, je peux agir. Et tant que je suis avec ce siamois, nous pouvons espérer gagner.

Car, pour moi, Pythagore est quand même le plus beau et le plus intelligent de tous les mâles que j'ai rencontrés.

24. PYTHAGORE.

Le scientifique grec Pythagore est connu pour son théorème qui met en relation les longueurs des côtés dans un triangle rectangle selon la formule : $a^2 + b^2 = c^2$ (la somme des carrés des deux autres côtés est égale au carré de l'hypoténuse). Mais le rayonnement de ce personnage ne s'arrête pas là. Déjà, il est le créateur des mots « philosophie » et « mathématique ». C'est aussi lui qui a inventé la première gamme de musique.

Sa famille était originaire de l'île de Samos. Sa mère, pensant être stérile, était allée consulter la Pythie de Delphes,

un oracle, qui lui avait prédit la naissance d'un enfant qui aurait toutes les qualités. Aussi, quand son enfant naquit, elle l'appela « Pythagore », ce qui signifie « annoncé par la Pythie ».

Pythagore est né en 570 avant J.-C. Tout jeune déjà, il était très beau et très sportif. À dix-sept ans, il était non seulement un virtuose de la harpe et de la flûte, mais il remporta plusieurs compétitions de pugilat (la boxe de l'époque) aux Jeux olympiques.

Un jour, son père, qui était bijoutier, lui demanda de se rendre en Égypte pour livrer aux prêtres du temple de Memphis les bagues ciselées qu'ils avaient commandées. Le jeune homme profita de ce voyage pour être initié aux mystères égyptiens. Or, il se trouva que, au même moment, le pays fut attaqué par l'armée perse de Cambyse II. Le jeune Pythagore assista, impuissant, au saccage des temples, au supplice public de l'ancien pharaon, à la mise à mort des prêtres et des aristocrates… Il n'eut que le temps de fuir en Judée, l'actuelle Israël. Là, il fut accueilli par des prêtres hébreux qui l'éclairèrent sur la religion juive.

Mais la Judée fut à son tour envahie par les guerriers du royaume de Babylone, aujourd'hui l'Irak, qui le firent prisonnier et le ramenèrent chez eux comme esclave. Dans sa geôle, en plus de rabbins, il rencontra des prêtres du culte d'Orphée, capturés en Thrace, et des prêtres chaldéens. Il recueillit donc de nombreuses informations sur ces religions puis, étant parvenu, avec leur aide, à s'évader, il partit vers l'est, en direction de l'Inde, où il compléta son instruction religieuse par l'hindouisme. Une fois formé, il rentra à

128

Delphes où il eut une histoire d'amour avec la nouvelle Pythie et reçut l'enseignement des prêtresses du temple.

De retour dans son pays, il découvrit que son île natale de Samos était sous la coupe d'un tyran, Polycrate. Il préféra donc continuer sa route vers l'ouest. Il s'installa à Crotone, dans le sud de l'Italie, et convainquit ses habitants de le laisser créer une école. En échange, il proposa de se charger de la gestion politique et économique de la ville.

Dans cette école, on enseignait aussi bien le sport que la médecine, la géométrie que la poésie, l'astronomie que la géographie, la politique que la musique. La sélection des nouveaux élèves était très stricte ; ils étaient choisis en fonction de leur intelligence et de leur bravoure. Chaque nouvel élève devait tout abandonner pour entrer dans cet institut. L'école pythagoricienne fut la première à admettre en son sein des femmes, des étrangers et des esclaves. Cette école abritait également des laboratoires de recherche scientifique. Pythagore a passé sa vie à tenter d'établir un pont entre la spiritualité et la science, lequel lui semblait devoir se faire par l'étude mystique des nombres. Sa devise était d'ailleurs : « Tout est nombre. »

En 450, un noble de la ville de Crotone, Cylon, déçu de n'avoir pas été admis à l'école pythagoricienne, convainquit la population de se soulever contre cet établissement. Il accusa les pythagoriciens d'être trop élitistes et prétendit qu'un trésor se trouvait caché à l'intérieur de l'école. Les habitants attaquèrent le lieu, l'incendièrent, tuèrent les élèves et les professeurs qui tentaient en vain de défendre leur maître. Pythagore fut assassiné. Il avait quatre-vingt-cinq ans.

Tous ses écrits furent brûlés, mais sa pensée a continué à vivre à travers ses disciples qui, eux, ont témoigné de ses découvertes et de son enseignement. Parmi les plus célèbres héritiers de sa pensée, on trouve Socrate et Platon, ou encore l'architecte romain Vitruve.

Encyclopédie du Savoir Relatif et Absolu.
Volume XII.

25. CHÂTEAU D'EAU.

Ma mère disait toujours : « Quoi qu'il arrive, ce n'est pas en t'inquiétant que tu vas arranger les choses. » Pourtant, je ne peux m'empêcher de sentir l'effroi doucement s'insinuer en moi.

Après avoir vu les loups crucifiés, la foule de centaines de milliers de rats, la pyramide de crânes humains de Versailles, leur chef aux yeux rouges dressé sur ses pattes arrière, j'ai l'impression que la situation est encore bien pire que je ne l'imaginais.

Et ce sentiment ne fait que se confirmer au fur et à mesure que nous poursuivons notre voyage. Nous découvrons en effet des bourgades et même des villages entiers qui ont été ravagés par les rats puis désertés. Cela signifie que les rats ne veulent même pas les occuper : ils se contentent de tuer les populations qui y vivent avant de continuer d'avancer.

Le plus souvent, pour signer leurs actions, les rats laissent derrière eux des odeurs d'urine et de sinistres accumulations de petites crottes noires.

Parfois, nous trouvons des chiens ou des chats crucifiés de

manière similaire aux loups. Comme s'ils voulaient diffuser le message qu'ils ne sont pas n'importe quels rats.

Nathalie marche de plus en plus difficilement ; je crois qu'elle commence à perdre espoir et que l'épuisement la guette.

Soudain, je détecte des odeurs d'urine qui viennent non pas de rats, mais de chats.

– Là, renifle ! dis-je à mon compagnon.

Sans même prendre la peine d'expliquer quoi que ce soit à Nathalie, nous galopons, remontons les effluves et parvenons jusqu'à une tour ronde dont la partie supérieure est largement évasée. La base de ce bâtiment humain sent très fort une délicieuse et familière urine de chat.

– Miaou ! je lance en direction de ce haut bâtiment.

J'attends.

– Miaou, répond enfin une petite voix lointaine en provenance des hauteurs.

Nous cherchons l'entrée et découvrons une porte métallique rouillée et close. Nathalie, qui a fini par nous rejoindre, essaie de l'ouvrir avec ses mains, mais elle est fermée par une grosse serrure. Je repère enfin une chatière à la base de cette issue. Je comprends comment les chats d'ici ont pu survivre : il leur a suffi de tuer les rongeurs qui essayaient de passer un par un par la chatière, et la structure métallique et ronde de la tour achevait de les protéger de toute autre forme d'assaut. Ce lieu, rien que par sa forme, constitue une protection parfaite contre la horde brune. Il faut agir ; je m'adresse à Pythagore :

– Dis à ma servante qu'elle va devoir nous attendre dehors. Mais qu'elle se rassure, dès que nous aurons convaincu les nôtres de nous suivre, nous la retrouverons. Si cela dure, elle n'aura qu'à dormir dans la petite cabane de jardinier que j'ai vue derrière le bâtiment.

Pythagore traduit, et Nathalie accepte ce plan, nous informant au passage que le bâtiment en question est un château d'eau.

– Tu y vas ou j'y vais en premier ? me demande mon compagnon.

– J'y vais.

Je franchis la porte battante de la chatière. Aussitôt, un petit chat birman à tête noire et à fourrure beige vient à notre rencontre, nous renifle, frotte le sommet de son crâne contre mon flanc et nous guide.

Je découvre un escalier en colimaçon qui tourne et qui monte. L'odeur d'urine de chat est de plus en plus forte.

Je gravis les marches, suivie de près par mon mâle préféré.

Cela sent bon le chat.

Ils doivent être nombreux là-haut.

L'escalier est interminable. La plus haute marche débouche sur un espace étonnant. Il y a là une coursive circulaire, au centre de laquelle s'étend un grand bassin d'eau verte comme celle d'un marécage.

Le long de la coursive sont entassés plusieurs centaines de chats. La surface du bassin central est à moitié recouverte de nénuphars d'où surgissent parfois de petites grenouilles vertes et de bruyants crapauds noirs.

Le birman nous guide vers un meuble sur lequel sont disposés plusieurs coussins qui forment une sorte de trône. Au centre, un chat se tient assis bien droit, entouré de femelles lascivement étendues, le ventre tourné vers lui, en signe d'offrande de leur corps. Il a les yeux fermés et une femelle lui lèche le dos.

Ce mâle est spécial : il est totalement dépourvu de fourrure. Sa peau est complètement lisse et rose, à la manière d'un humain. Je me tourne vers Pythagore, intriguée :

— À quelle race il appartient, celui-là ?

— C'est un sphynx. Je n'en avais moi-même jamais vu. À ce qu'il paraît, ce sont les chats les plus anciens, les plus rares et les plus intelligents.

Les plus intelligents ?

— Ils doivent pourtant avoir une faiblesse : la résistance au froid. Sans fourrure, l'hiver doit leur paraître pénible.

Le sphynx daigne enfin ouvrir ses yeux pour me regarder. Il me fixe de ses grands yeux bleus qui contrastent sur sa peau rose. Il a d'énormes oreilles hautes et larges. Je dois dire qu'il m'impressionne. Avec sa peau ridée et son museau dépourvu de vibrisses, il me fait penser à un très vieux chat, mais son odeur indique qu'il est pourtant jeune. À mieux l'observer, ce sphynx a un regard vraiment profond.

Il tourne la tête et étire lentement le cou, avant de laisser échapper un petit soupir blasé comme s'il voulait nous signifier que nous avons intérêt à avoir une bonne raison pour le déranger. Le birman qui nous a guidés nous fait signe de nous placer plus près du sphynx. Ce dernier dodeline de la tête, avant de consentir à s'adresser à nous :

— D'où venez-vous ?

— De Paris, une ville au nord, répond Pythagore.

Le sphynx approuve et ajoute :

— Je croyais que Paris était déjà entièrement tombé sous la coupe des rats qui ont profité du métro et des égouts pour l'envahir.

— Pas entièrement, non. Il reste une île au milieu du fleuve qui résiste encore à l'envahisseur. C'est précisément de là que nous venons.

– Et pourquoi êtes-vous partis, si vous étiez si bien protégés que ça ?

Je me dresse sur mes pattes arrière pour être plus convaincante :

– Notre île est assiégée par des milliers de rats. Ils n'ont pas réussi à y pénétrer, mais nous y sommes enfermés.

Nouveau hochement de tête entendu (ma mère disait que hocher la tête de haut en bas signifie universellement « oui » car c'est le mouvement que fait un bébé quand il veut téter, par contre il tourne la tête de droite à gauche quand il refuse de prendre le téton. Je ne sais pas si c'est dans l'Encyclopédie du Savoir Relatif et Absolu mais il faudra que je le signale à Pythagore).

– Et comment, dans ce cas, avez-vous pu, vous deux, échapper à vos assiégeants ?

– Par les airs.

Pour la première fois, il semble déstabilisé, ce qui se manifeste par le fait qu'il soulève une arcade sourcilière dépourvue de poils.

– Vous savez voler comme les oiseaux ?

– Nos serviteurs humains ont conçu un vaisseau plus léger que l'air qui monte très haut, capable de transporter des chats. C'est ainsi que nous avons pu franchir le siège des rats.

Il consent à me fixer avec plus d'attention.

– Et où avez-vous atterri ?

– Près du château de Versailles, là où les rats sont tous réunis.

Le sphynx soupire d'un air las, comme si toute cette conversation finalement l'indifférait.

– Nous savons qui est leur chef, dit Pythagore.

– Ah ? Qui est-il ?

– Un petit rat blanc aux yeux rouges devenu mutant à la suite d'expériences que des humains ont menées sur lui. Ces expériences lui permettent d'avoir accès aux ordinateurs des hommes, enfin disons aux connaissances des hommes, ce qui le rend plus instruit que les autres.

Cette fois-ci, le sphynx fait signe à la femelle qui lui lèche le dos de sa longue langue râpeuse de cesser son activité. Il déploie sa queue et, là, je ne peux m'empêcher de marquer ma surprise. Elle est lisse et rose, semblable à une queue de rat, si ce n'est qu'à son extrémité s'épanouit une touffe de quelques poils argentés.

Cette vision me procure une émotion. Je sens une pression me submerger ; je veux la contenir, mais elle est comme une vague qui remonte dans mes veines jusqu'au cerveau et provoque un tremblement incontrôlable dans ma mâchoire inférieure. Ma gorge me pique, mais je ressens dans le même temps l'envie d'ouvrir la bouche pour souffler.

Non, pas ça, pas maintenant.

Je retiens le plus longtemps possible cette pression, car je sens bien qu'il ne faut pas se laisser aller. Mais c'est plus fort que moi, cela me brûle le cerveau.

NON IL NE FAUT PAS ! SURTOUT PAS MAINTENANT.

Comme je suis incapable de me retenir plus longtemps, je lâche tout. C'est une libération totale. Je me mets à expulser de l'air et à pousser des séries de claquements de langue, à tousser, à cracher.

Je suis en train de… rire !

Le sphynx m'observe, surpris. Il doit penser que je suis malade. Mais, comme il voit bien que mes yeux n'arrivent pas à se détacher de sa queue et de sa touffe de dix longs poils gris clair, il perçoit confusément que je me moque de lui.

Tous me regardent, intrigués. Seul Pythagore semble

comprendre ce qu'il m'arrive et me fait signe d'arrêter. Or, étonnamment, plus je sens sa gêne et sa réprobation, plus j'ai envie de rire. En gros, plus je me rends compte qu'il ne faut pas poursuivre et plus c'est impossible de cesser.

Je ne peux pas m'en empêcher.

C'est la faute du rire lui-même.

Il me semble bien que l'expérience que je suis en train de vivre est la troisième leçon d'humanité après l'amour et l'art : celle de l'humour qui permet de voir le grotesque intrinsèque à certaines situations, et qui entraîne un rire irrépressible. Dommage que cela arrive au pire moment.

Je tousse et crachote.

– Puis-je vous demander ce qui vous prend ? demande le sphynx.

– Je (j'ai du mal à articuler mes miaulements et à me retenir de pouffer en même temps) je... je...

Il faut que j'arrête de regarder sa queue.

– Excusez-la, intervient Pythagore. C'est une sorte de... d'allergie. Il doit y avoir du pollen ou de la poussière ici. Elle fait très clairement une crise d'allergie.

– Certes, mais c'est la première fois que j'assiste à ce type de réaction, signale l'imberbe animal.

– Je... je...

Je bégaye toujours, sans arriver à articuler un autre miaulement.

Pythagore vient à mon secours, alors que je continue de toussoter bizarrement.

– Elle disait que nous avions besoin de votre aide pour briser l'encerclement de l'île de la Cité à Paris. Il suffirait d'une centaine de chats pour sortir du blocus. Nous aiderez-vous ?

Je respire désormais par spasmes et préfère me placer derrière le siamois, en évitant de regarder cette queue cocasse dont les tressautements agacés ne font qu'en augmenter le potentiel comique.

– Que se passe-t-il si je refuse? demande le sphynx d'un ton sec.

– Tous les habitants de notre île mourront, répond le siamois.

La situation empire et devient critique car je me mets à rire de plus en plus fort.

IL FAUT QUE JE CESSE TOUT DE SUITE. L'HUMOUR, C'EST NUL ET DANGEREUX.

Mais je n'y arrive pas. C'est plus fort que moi.

– Si tout ce que vous nous dites est vrai, cela mérite réflexion…, miaule le sphynx.

De nouveau, il a ce petit geste nerveux de son appendice caudal avec lequel il tapote sur le sol.

– Vous hésitez à nous aider? s'offusque Pythagore.

– Qui n'hésiterait pas? Ces rats sont quand même des adversaires redoutables.

– Nombreux certes, mais plus petits, dépourvus de griffes rétractables ou de canines pointues.

Le chat à la peau rose et lisse enroule sa queue en spirale, ce qui doit être chez lui un signe de concentration. Comme sa queue est enfin dérobée à mon regard, j'arrive à cesser de rire.

Un instant de silence suit. Il finit par reprendre :

– Et quand bien même nous vous aiderions, qu'adviendrait-il de nous ensuite? Les rats se reproduisent vite. Leurs portées sont plus fréquentes que les nôtres, vous en conviendrez.

Pythagore répond :

– C'est parce que nous ne faisons pas assez l'amour. Si tous les chats forniquaient plus, nous aurions plus de chatons et nous pourrions monter rapidement une armée qui…

– La mort est plus rapide à donner que la vie.

– Justement. Si nous nous unissons, nous pouvons les empêcher de tout envahir. Nous les chats, nous sommes forts quand nous sommes soudés. Mais, pour triompher, nous devons renoncer à certaines de nos pulsions naturelles, comme l'individualisme et l'égoïsme.

– Demain, je vous dirai ce que j'ai décidé. Pour l'instant, je vous offre l'hospitalité. Reposez-vous. Nounours va vous montrer où vous pourrez vous installer pour reprendre des forces.

Le sphynx fait un geste et un énorme chat poilu marron apparaît.

– Je suis Nounours, annonce le nouveau venu.

– C'est un nom de jouet humain, si je ne m'abuse, commente Pythagore.

– C'est ce que j'ai été pour une famille d'humains qui avait beaucoup d'enfants. Cela m'a donné le goût des ambiances familiales et la hantise de la guerre.

Voilà résumée en un seul être vivant la raison pour laquelle les humains nous prennent pour des peluches. Nounours nous guide dans leur village. Il avance devant nous avec une démarche qui dégage beaucoup de puissance.

À quoi ça sert d'être aussi grand, aussi gros et donc probablement aussi fort si on n'aime pas combattre et si on se perçoit soi-même comme un pur être de divertissement pour enfants humains désœuvrés ?

Ce n'est pas que j'apprécie spécialement la guerre, je ne suis pas comme mon fils qui prône la violence comme distraction, mais je sais que l'une des lois de la nature est aussi la confrontation des espèces : les chats mangent les souris. Il arrive même que les plantes s'y mettent et que du lierre fasse la guerre à des oliviers en les étouffant avec ses longues tiges.

Et puis, parfois, les chats sont en rivalité avec des chiens ou des rats. Alors, ce n'est pas de gaieté de cœur, mais il faut bien se défendre, tuer pour ne pas mourir. Nounours prétend avoir la hantise de la guerre ; mais avoir peur de la guerre, c'est comme avoir peur de l'orage : c'est détester quelque chose qui fait partie d'un cycle naturel. Car, sans orage pas de pluie, sans pluie pas de végétation, sans végétation pas d'herbivores, sans herbivores pas de carnivores. C'est Pythagore qui m'a fait prendre conscience de cette logique et je lui en suis reconnaissante.

Dans notre monde, la loi qui gouverne les relations entre les êtres, quels qu'ils soient, est la confrontation. Refuser de le voir, ce n'est pas être pacifiste, c'est être inconscient. Enfin c'est là mon humble avis. « Faites la guerre d'abord, l'amour viendra ensuite, quand nous serons enfin tranquilles » est ma devise du moment. Cependant, comme je suis accueillie dans cette cité de chats, je ne me permets pas de lancer un débat philosophique sur ce sujet.

En avançant sur la coursive, je vois des centaines de chats, peut-être même un bon millier, installés dans des niches ou des excavations sur plusieurs niveaux.

– C'est exactement ce que je rêvais de trouver : une cité de chats, sans rats, sans humains, miaule le siamois.

– Pourtant, je ne me sens pas vraiment chez nous. Quelque chose me met mal à l'aise. C'est comme si tous ces chats avaient un secret.

– Il faut toujours que tu te méfies, Bastet ! Ce sont des alliés potentiels pour sauver notre communauté, c'est tout ce qui importe.

Nounours nous montre une cavité dans la paroi du château d'eau.

– Pour la nourriture, vous n'avez qu'à vous servir dans le lac. Je vous conseille de prendre plutôt des crapauds que des grenouilles, c'est plus goûteux.

Lorsqu'il est parti, Pythagore lâche un soupir.

– Tu as failli tout gâcher.

– C'était plus fort que moi ! Quand j'ai vu sa queue rose, lisse avec ses poils argentés, j'ai senti une irrépressible envie que je n'ai pas pu contenir.

– Ton comportement a failli ruiner toutes nos chances de réussite.

– Tu crois que le sphynx l'a mal pris ?

– Il n'a pas perçu ton rire car il ne sait pas ce que c'est, mais il a senti ta gêne, et il en a forcément déduit qu'il y avait une raison inavouable à ton attitude.

Je change de sujet.

– Il est de quelle race, Nounours ?

– C'est un maine coon. Les maine coon sont les chats les plus grands du monde. Certains spécimens peuvent atteindre 15 kilos et mesurer jusqu'à 1,20 mètre. Parmi les chats d'appartement, ce sont eux qui ressemblent le plus à nos ancêtres les lynx.

– Ils sont complémentaires tous les deux : d'un côté ce sphynx tout lisse et de l'autre ce maine coon aux poils tellement longs qu'il en sort par touffes de l'intérieur de ses oreilles !

Nous observons le lac. Les chats circulent tranquillement sur ses berges.

– Il ne faut pas juger les êtres sur leur apparence, reprend Pythagore.

– Tu crois qu'ils vont nous aider ?

– S'ils refusent, ils seront forcément attaqués après nous. Ils ne pourront pas indéfiniment rester dans ce château d'eau.

– Nous le savons, mais eux n'en sont pas encore convaincus.

– Ils ne connaissent pas nos troupes ni nos défenses.

– J'aurais dû leur parler de notre invincible Hannibal, cela les aurait rassurés sur notre potentielle victoire, dis-je.

– À mon avis, ils ne savent même pas ce qu'est un lion.

Cela me laisse songeuse. Comme il est fatigant d'avoir toujours raison et de ne pas être comprise par les esprits étriqués autour de soi. Je crois que j'ai encore beaucoup d'efforts à faire pour supporter un monde essentiellement peuplé de gens stupides qui ne pensent pas comme moi.

– Donc, nous risquons d'échouer parce qu'ils refusent l'évidence, à savoir que l'alliance est notre seul salut à tous, dis-je en guise de résumé.

Pythagore se gratte l'oreille avec sa patte antérieure.

– Durant la Deuxième Guerre mondiale, en 1940, les États-Unis non plus ne voulaient pas s'engager dans la guerre contre les Allemands. Il y avait même des humains comme Joe Kennedy (le père du futur président John Fitzgerald Kennedy) qui militaient pour que l'Amérique soutienne Hitler. Des acteurs célèbres, des vedettes politiques, des journalistes américains étaient favorables au soutien aux nazis. Au nom du pacifisme, des intellectuels de gauche défendaient l'immobilisme. Il a fallu le bombardement surprise de leur base navale de Pearl Harbor par les Japonais, alliés des Allemands, pour que les Américains se réveillent et se décident à entrer en guerre ; sans cela, ils seraient peut-être restés neutres jusqu'à la fin.

– Pourquoi ?

– Pour être tranquilles, pour s'enrichir en vendant leurs armes aux deux camps. Et s'ils s'étaient abstenus d'agir, le monde aurait forcément fini envahi par les nazis… Y compris les États-Unis bien sûr. La partie s'est jouée à très peu de choses.

Je ne sais pas à quoi précisément il fait référence avec son « bombardement de Pearl Harbor » et ses « nazis », son « Hitler », ses « Japonais » mais je crois comprendre l'idée générale : la lâcheté ne paie pas.

– Allons manger, j'ai faim, dit Pythagore en s'ébrouant pour se débarrasser de toutes ses pensées négatives.

Mon compagnon siamois, qui n'a pas peur de l'eau, arrive à capturer quelques batraciens moins rapides que lui.

Nous comparons le goût des grenouilles et des crapauds ; personnellement, je trouve que ces deux bestiaux ont tous deux un ignoble arrière-goût de vase. Mais comme toutes ces aventures m'ont donné faim, je ne fais pas trop la difficile. Après nous être sustentés, je décide de revenir à nos affaires :

– Il nous faut trouver un moyen de faire basculer ceux qui hésitent encore en notre faveur. Ma mère disait : « Tous les problèmes ont une solution ; ce n'est qu'une question d'imagination. »

– Je ne connais pas ta mère, mais je me méfie de tous les gens qui fonctionnent en citant d'autres personnes. C'est précisément parce qu'ils n'ont pas assez d'imagination pour inventer leurs propres citations.

Il insulte ma mère ? Il me nargue ? Il se moque de moi ?

Je ne relève pas, et me gratte à mon tour derrière l'oreille puis commence à me lécher sur tout le corps. La patte postérieure gauche au-dessus de la tête, je me lèche le bas-ventre. Cela m'aide à me concentrer. Pythagore fait de même par mimétisme. Après un soupir, il me propose :

– Dormons et on verra bien ce que le sphynx nous répondra demain.

Déjà, il ferme les yeux et commence à ronfler.

Ça, ce sont bien les mâles, toujours à s'endormir au moment où on a le plus besoin d'eux.

Pour ma part, je sais que je n'arriverai pas à plonger dans le sommeil tant que je n'aurai pas trouvé une idée. Je déteste être là à attendre et à espérer. Ma mère disait toujours : « Si ton bonheur dépend des décisions que va prendre une autre personne, prépare-toi à être malheureuse. »

ET NE VOUS EN DÉPLAISE, MONSIEUR PYTHAGORE, MA MÈRE AVAIT RAISON DE DIRE CELA, TOUT COMME J'AI RAISON DE M'EN SOUVENIR !

Cette phrase-là est forte et elle a su m'éclairer jusqu'à ce jour. Je ne dois pas être soumise aux choix d'autrui, jamais. Ou en tout cas je dois me débrouiller pour influer sur celui qui prend la décision. Je n'attends rien de la chance ou de la gentillesse des autres. Ce sont eux qui doivent redouter mes choix.

Pythagore dort de plus en plus profondément. Je vois qu'il rêve, car ses yeux bougent sous la fine peau de ses paupières. Sa queue est parcourue d'infimes spasmes.

Il doit rêver de moi.

Alors, je patiente jusqu'à ce que tout le monde soit assoupi (à force de vivre chez les humains, la plupart des chats ont oublié qu'ils sont des animaux nocturnes, et dorment la nuit). Lorsque j'entends les ronflements des centaines de chats réunis dans le château d'eau, je m'aventure à petits pas hors de ma tanière.

Je rejoins la niche du sphynx.

Il dort sur son trône. À ses pieds, des femelles les yeux également clos. Je les examine et constate que toutes sont moins belles que moi.

Je m'approche du sphynx et le réveille doucement en lui léchant l'intérieur des oreilles. (Je l'avoue : j'aime faire aux autres ce que je n'aime pas qu'on me fasse.) Il ouvre un de ses yeux bleus. Là, je sors le grand jeu, l'imparable technique pour séduire les mâles hésitants, spécialement brevetée par moi-même. Je me retourne, je dandine un peu du bassin et je soulève par à-coups ma queue pour lui dévoiler mon fondement. Je sais que mes glandes embaument toutes sortes de délicieuses phéromones sexuelles qui lui signalent que je suis d'humeur festive. Je me sens fleur exhalant son pollen pour séduire une abeille.

Toutefois, il semble hésitant. Ce qui confirme ma première impression : les sphynx ont beau avoir la réputation d'être les plus anciens et les plus intelligents de tous les chats, cela se retourne contre eux car cela les empêche aussi de prendre des décisions rapides.

Je lui touche la truffe du bout de la mienne et lui lance, dans un murmure ouaté :

– Viens, beau mâle rose.

Il hésite pour faire la guerre comme il hésite pour faire l'amour.

– Allez, je sais que tu en as envie, dis-je.

Alors j'utilise mon nouveau stratagème de séduction. Je le gratifie d'un petit coup de patte au museau et enfonce la griffe de mon index dans sa narine rose. Une goutte de sang perle, presque ton sur ton, rouge sur peau rose.

Il manifeste son étonnement.

Puis je baisse les oreilles en signe d'excuse et de soumission. Une gifle puis une caresse : rien de tel pour déstabiliser, puis pour prendre le contrôle. Et mon petit manège fonctionne : il consent enfin à me renifler de plus près, avant de me faire signe de le suivre, probablement pour s'éloigner de ses femelles habituelles.

144

Nous montons sur le rebord extérieur du château d'eau et là, à la lumière d'une pleine lune resplendissante, il se décide à monter sur moi. Je préfère être claire : j'agis par stratégie, je trouve cet individu particulièrement répugnant, mais si le salut de notre communauté doit passer par là, je suis prête à faire le sacrifice de mon corps. C'est mon côté martyre-diplomate.

À ma grande surprise, quand il entre en moi, je m'aperçois qu'il a un sexe très fin et dépourvu des petites épines qu'arborent les autres chats (pour, comme je vous l'ai déjà dit, évacuer le sperme de leur prédécesseur). Un sexe lisse pour un corps lisse. Un sexe comme… une petite asperge.

Je suis sur le point d'éclater de nouveau de rire, mais je me retiens, consciente de l'importance stratégique du moment. Je me concentre. Et pour rester sérieuse, je pense à Tamerlan. Mais les idées parasites se bousculent dans mon esprit. J'imagine qu'au lieu de son sexe, il utiliserait, pour me pénétrer, sa queue fine de rat, ornée de quelques poils au bout. Cette vision commence par susciter chez moi une impression désagréable, bientôt relayée par une impérieuse envie de m'esclaffer.

Je dois rester sérieuse. Je m'aperçois que l'amour et l'humour sont deux notions incompatibles. Soit on rit soit on jouit.

Alors que l'acte se prolonge de manière inconfortable, je me mets à rêvasser et décide de tenter l'expérience de l'hypnose régressive dont m'a parlé Pythagore, pour visiter une de mes neuf vies antérieures. Comme il me l'a expliqué, je visualise un couloir avec neuf portes numérotées et équipées de chatières.

Je franchis la chatière de la première : je vois un chat mâle de gouttière, vivant probablement au siècle dernier, qui a donc dû être moi. Puis j'ouvre une autre porte, et je me découvre en chaton dans une maison. Derrière une autre, je suis un chat sauvage dans une montagne. Puis un guépard dans la savane. Enfin, derrière la dernière porte, me voici projetée dans l'Égypte antique.

Je porte un collier en forme de triangle, serti de pierres précieuses bleues et qui descend sur mon poitrail. Autour de moi, des foules d'humains déguisés en chats se prosternent en psalmodiant mon nom.

— Bastet ! Bastet ! Bastet !

Je ne miaule même pas, me contentant de les contempler de haut. Puis tous dansent sur une musique très rythmée. Mâles et femelles humains mélangés à mâles et femelles chats. Et tous ces êtres sont heureux, tout à la joie de me vénérer.

— Bastet ! Bastet ! Bastet !

C'est une sensation extraordinaire, mais qui ne dure malheureusement pas longtemps. À peine le sphynx a-t-il jailli dans mes entrailles, il me fait comprendre qu'il souhaite s'en tenir là et ne pas enchaîner avec une seconde saillie.

Ah, les mâles ! Quels égoïstes ! Mon plaisir semble lui être totalement indifférent. Il ne pense qu'au sien. Je suis tentée de le frapper de nouveau, mais je me rappelle que c'est pour préserver ma communauté de l'île de la Cité que je fais tout ça, pas pour me détendre.

Je cache donc ma frustration et, sans insister davantage, je reviens dans l'anfractuosité qu'on nous a allouée. Je réveille Pythagore et lui signifie que j'ai envie de lui. Tout de suite. Au lieu de me satisfaire, il m'interroge :

— Où étais-tu ?

— Là où je pouvais faire pencher la balance en notre faveur.

— Tu as retrouvé le sphynx ? Ne me dis pas que tu t'es accouplée avec cet individu !

— Tu es jaloux ?

En guise de réponse, ses oreilles se rabattent vers l'arrière. Scandalisée, j'enchaîne :

– La jalousie ce n'est pas un sentiment de chat, c'est un sentiment d'humain. Je n'appartiens à personne. C'est incroyable ! À force d'être connecté aux humains, tu deviens possessif comme eux !

– Mais enfin, toi et moi nous voyageons ensemble, nous vivons ensemble, nous faisons tout ensemble !

– Et alors, cela implique nécessairement que tu aies l'exclusivité sur moi ? Pourquoi devrais-je me limiter à toi alors que, précisément, j'aime la nouveauté et la diversité ? Tu es mon mâle de référence, mais je vois plus loin et je suis capable de gérer ma sexualité en fonction non seulement de mon désir, mais aussi des intérêts collectifs.

– Mais enfin, ce sphynx est… hideux ! Sans poil et avec toutes ses rides, il est monstrueux !

– Tu te crois beau ?

Ma réplique est partie sans que j'y réfléchisse. Visiblement, elle a vexé Pythagore. Ses oreilles tombent encore plus bas. Sa queue est agitée de petits mouvements nerveux.

– Je… je… me crois en tout cas plus beau que lui, c'est certain !

Ça y est, il en fait une affaire personnelle. Bien sûr il a raison, objectivement Pythagore est charmant et le sphynx repoussant.

La meilleure défense étant l'attaque, je rétorque :

– Donc, j'avais raison : tu es jaloux comme un humain primitif qui croit que les femelles sont des jouets que l'on possède !

Le sentant désarçonné par ce reproche, j'enchaîne en articulant exagérément :

– Écoute-moi, animal primitif et prétentieux : les êtres ne sont pas faits pour appartenir à qui que ce soit, *a fortiori* nous, les chattes. Nous sommes faites pour être libres !

Puis j'ajoute, radoucie :

– Tu as de la chance, je ne t'en veux pas d'être jaloux. Allez. Fais-moi l'amour, cela devrait te détendre.

Et, pour clore le débat, je lui montre mon bassin. Et là, devinez ce qu'il fait ? Il refuse la saillie ! Je m'insurge :

– Mais pour qui tu te prends, Pythagore ? Tu te crois unique et irremplaçable ? Tu crois que parce que ton nom est celui d'un illustre humain, tu vaux autant que lui ? Tu n'es qu'un chat ! Siamois, qui plus est ! Et non, ce n'est pas du racisme, mais il faut quand même mettre les choses au clair. Ce que j'ai fait, je l'ai fait dans l'intérêt de tous ! « La fin justifie les moyens », c'est toi qui me l'as appris !

Il ne me répond pas, affiche son air de chaton vexé, me tourne le dos et fait mine d'aller se recoucher dans son coin. Bon, tant pis, je n'insiste plus.

Fatiguée de devoir m'occuper des susceptibilités de tous ces mâles, je m'endors. Au moment de fermer mes paupières, une pensée me traverse.

Si j'ai ri, cela signifie que j'ai compris ce que c'est que l'Humour. J'ai donc déjà accédé à une connaissance sur les trois dont Nathalie prétend qu'elles sont nécessaires pour fonder un nouvel ordre mondial.

Il ne me reste plus qu'à maîtriser l'Art et l'Amour.

J'espère, concernant ce dernier sujet, que Pythagore va arrêter de bouder. C'est quand même avec lui que je dois créer ma communauté idéale. Et il me semble même parfois que cet amour que je lui porte se rapproche de l'Amour avec un grand A qu'évoquait Nathalie...

26. HISTOIRE DE LA SEXUALITÉ.

Les plus anciens dessins érotiques datent de la préhistoire. Il s'agit de gravures réalisées par l'homme de Cro-Magnon il y a 35 000 ans. On peut y voir des hommes faisant l'amour avec des femmes, mais aussi avec d'autres hommes et même avec des chèvres et des brebis.

Chez les anciens Égyptiens, les femmes avaient le droit de choisir leur partenaire. La zoophilie était encore tolérée et l'historien grec Hérodote rapporta même avoir vu, lors d'une cérémonie religieuse, une prêtresse faire l'amour avec un bouc devant ses fidèles. L'inceste était lui aussi autorisé au sein de la famille royale, afin de préserver la pureté de la lignée. En revanche, la population devait s'abstenir de rapports sexuels pendant les soixante-douze jours suivant la mort du pharaon.

Dans la Grèce antique, on considérait que les rapports sexuels avec les femmes avaient pour seule utilité de faire des enfants. La sexualité raffinée était réservée aux relations entre hommes. Lorsque Alexandre le Grand épousa la fille de Darius, il embrassa sur la bouche, devant le parterre des spectateurs, deux de ses généraux qui étaient connus pour être ses amants.

Dans la culture grecque, on considérait par ailleurs qu'avoir un petit pénis était un signe d'intelligence, alors qu'un gros pénis signalait la bêtise. C'est pour cela que la plupart des statues représentant des hommes nus arborent un sexe de taille exagérément réduite.

À Rome, il était interdit de faire l'amour durant la journée, l'acte était autorisé le soir, quand les corps nus étaient cachés par l'obscurité. Les bordels étaient clairement signalés et les prostituées devaient, lorsqu'elles sortaient dans la rue, porter une perruque blonde, car les cheveux blonds, tout comme les yeux bleus, évoquaient les populations barbares du Nord (notamment les Germains) qui étaient considérées comme des brutes dégénérées. Cette blondeur permettait de distinguer les prostituées des honnêtes femmes, toutes brunes.

Au Moyen Âge, en Europe et dans la plupart des pays, la religion régissait la sexualité.

Pour le christianisme de cette époque, les rapports sexuels n'avaient comme objectif que la reproduction. La sexualité n'était autorisée qu'après le mariage, dans la position du missionnaire (l'homme se plaçant face à la femme) les lundis, mardis, jeudis et samedis. Faire l'amour en levrette (l'homme derrière la femme), avant le mariage, ou le mercredi, le vendredi ou le dimanche était considéré comme un péché, qui pouvait même mener à l'excommunication.

De même, les relations sexuelles étaient prohibées les quarante jours précédant les grandes fêtes religieuses (Pâques, la Pentecôte, Noël). Il était interdit enfin de s'unir lorsque la femme avait ses règles, lorsqu'elle était enceinte, et durant les quarante jours suivant la naissance du nouveau-né. Pour éviter les écarts de conduite et les accouplements en cachette, les prêtres mettaient en garde les populations en prétendant que de telles pratiques augmentaient les risques de fausses couches, d'hémorragie mortelle à l'accouchement et de naissance de nouveau-nés infirmes ou malformés.

À partir du XIIe siècle, des « étuves » commencèrent à faire leur apparition dans les villes : c'étaient des bains publics municipaux, et bien vite tous ces corps nus face à face dans un lieu chaud entraînèrent des rapprochements. Cependant, avec la diffusion des maladies sexuellement transmissibles – notamment la syphilis, ramenée d'Amérique par les premiers conquistadors espagnols –, la religion catholique fit du zèle : le pape obligea les rois à faire fermer les étuves et les prêtres firent vœu de chasteté alors que, jusque-là, il leur était seulement interdit de se marier. La masturbation, la fellation, la sodomie étaient interdits non seulement par le pape, mais aussi par les juges, donc passibles de peines de prison ou de châtiments corporels.

L'homosexualité était considérée comme une perversion (Thomas d'Aquin au XIIe siècle écrit que c'est pire que le cannibalisme), punie de la peine de mort (en Italie, Léonard de Vinci fut ainsi condamné et ne fut sauvé *in extremis* que par des amis de son père). Elle fut ensuite considérée comme une maladie qu'il fallait soigner. Encore en 1952, on obligea le scientifique anglais Alan Turing, l'inventeur du premier ordinateur, à se soigner de son homosexualité par un traitement hormonal ; il préféra se suicider en mangeant une pomme empoisonnée à l'arsenic.

Il faudra attendre les années 1960 pour que le plaisir sexuel à visée non procréative commence à être évoqué et toléré en Europe et aux États-Unis. Ce fut aussi à cette période que le baiser sur la bouche fut autorisé dans les lieux publics, de même que s'imposa de plus en plus l'idée qu'il pouvait y avoir des rapports sexuels avant le mariage.

En France, ce n'est que le 11 juillet 1975 qu'a été votée une loi dépénalisant l'adultère.

Toutefois, malgré ces avancées, la sexualité restait taboue et c'est à partir de la diffusion des travaux des scientifiques américains Master et Johnson sur ce sujet qu'on commença à considérer que la sexualité était un objet d'étude comme les autres.

Encyclopédie du Savoir Relatif et Absolu.
Volume XII.

ACTE II

Troisième Œil

27. LE CHOIX DU SPHYNX.

Je ne sais pas ce que vous faites, vous, le matin au réveil, mais moi, une fois que j'ai soulevé ma paupière, je suis tentée de me rendormir, je lutte pour ne pas le faire, et je lâche un premier soupir.

Puis je récapitule ce qui m'est arrivé la veille.

Hier j'ai eu peur, j'ai ri, j'ai mangé des crapauds, je me suis accouplée avec un sphynx.

Après un deuxième soupir, je fais la liste des objectifs de la journée.

Il faut que nous soyons fixés sur ce qu'a décidé ce sphynx.

Alors, je prends conscience d'où je suis, de l'heure qu'il est approximativement et du temps qu'il semble faire dehors.

Enfin, dernière étape, je me rappelle qui je suis vraiment.

Je suis celle qui va bientôt gouverner le monde et le faire évoluer pour qu'il devienne meilleur.

Exceptionnellement, compte tenu de l'ampleur de la tâche, je lâche un troisième soupir qui me donne encore plus envie de me recoucher, mais je ne cède pas à cette pulsion et parviens à me redresser.

Je salue l'univers et lui annonce que j'arrive.

Je m'étire et je me lèche, puisque, comme vous le savez, la devise de ma mère a toujours été : « L'avenir appartient à ceux qui se lèchent tôt. »

J'adore me lécher. Vous conviendrez que, pour éviter d'affronter immédiatement les problèmes de la journée, c'est ce qu'il y a de mieux à faire. En plus, il se trouve que j'ai bon goût. Je termine mes ablutions en plaçant ma patte gauche derrière mon cou pour me nettoyer vraiment bien partout. C'est à ce moment seulement que je remarque que le siamois me tourne ostensiblement le dos.

– Hé ! Pythagore, tu ne vas pas éternellement m'en vouloir pour hier, quand même.

Il ne prend même pas la peine de me répondre et sort trottiner sur la large coursive autour du lac vert.

Il me snobe !

– Arrête de faire ton fier. Tu ne peux pas m'ignorer après tout ce qu'on a traversé ensemble comme épreuves.

Il marche sans même se retourner et agite sa queue comme pour dire : « Tu peux toujours parler autant que tu veux, tu ne m'intéresses plus. »

C'est donc sans nous dire un mot que nous rejoignons la tanière du sphynx, installé comme la veille, entouré de sa cour de femelles. Cela sent tellement fort les hormones que j'en ai les yeux qui piquent. Le sphynx déguste un moineau qui a dû avoir le malheur de s'approcher pour boire dans l'eau de la citerne. Il a beau être distingué, il mange très bruyamment et très salement. De petites plumes volètent autour de ses babines.

De nombreux chats nous ont rejoints pour assister à notre

entrevue. Le sphynx nous fait enfin signe d'approcher et s'adresse à nous, la bouche pleine.

— J'ai examiné tous les aspects de votre requête, déclare-t-il en préambule.

Il laisse passer un long moment, pendant lequel il continue de dévorer l'oiseau. Je m'impatiente :

— Et on peut savoir ce que vous avez décidé ?

Il inspire profondément, puis répond, dans un soupir :

— Si je résume la situation, et si ce que vous dites est vrai, ma chère Bastet, il y aurait donc, d'un côté, quelques centaines de chats et d'humains coincés sur une île, encerclés et affamés ; et, de l'autre, des centaines de milliers de rats, unis autour d'un chef intelligent. C'est bien cela ?

— Oui, mais…

— Quant à nous, nous sommes précisément neuf cent trente et un chats. Alors, certes, nous pourrions vous aider, mais la véritable question que je dois me poser est : qu'avons-nous à y gagner ? Et de même vous devez vous interroger : si vous obteniez la victoire, est-ce que cela aurait une véritable influence à long terme sur votre destinée ?

Il déroule sa queue, probablement pour voir si je vais encore être prise d'une crise d'hilarité. Étrangement, cela ne me fait plus rien. Il enchaîne :

— Notre aide n'aurait que des effets temporaires. Nous sacrifierions de nombreuses vies pour seulement un court répit avant l'inéluctable.

— C'est-à-dire ?

— Voyons, Bastet, il faut être réaliste : même si nous triomphions des rats, ils reviendraient et finiraient par gagner.

À un infime signe de tête qu'il fait, les chats des premiers rangs s'avancent.

— En tant que chef de meute, il faut que je prévoie le futur et que je protège ma communauté des dangers à venir.

— Mais...

— Désolé. Si je regarde les choses en face, je dois bien dire que je ne crois pas en un avenir « nous les chats », mais plutôt en un avenir « eux les rats ».

— Cependant, les affronter serait le moyen de...

— Ce serait inutile. Même en admettant que nous gagnions une bataille, nous ne remporterons pas les suivantes. Nous ne pouvons pas gagner la guerre contre les rats, Bastet. Parce que nous ne sommes pas assez nombreux.

Je commence à sortir et à rentrer les griffes machinalement, ce qui, chez moi, est un signe d'agacement profond.

Il va me mettre en colère.

Je ne sais pas vous, mais moi, je ne supporte pas qu'on ne soit pas d'accord avec moi.

— Et donc ?

— Donc nous ne vous aiderons pas, tranche le sphynx.

— Eh bien, tant pis, dit Pythagore, viens, Bastet, on s'en va. Nous n'avons plus de temps à perdre ici.

Les chats tout autour de nous se font menaçants, certains nous bloquent déjà le chemin pour nous empêcher de fuir par l'unique escalier en colimaçon. Le sphynx s'arrête de manger, il repousse dédaigneusement le moineau qu'il a à moitié déchiqueté. Il nous observe et joue avec sa queue rose terminée de trois poils argentés.

Cela ne me fait plus rire. Comme quoi l'humour est tributaire du contexte.

– Par contre, si j'ai bien compris, la résistance de votre communauté contrarie le roi des rats, reprend-il.

Le sphynx déploie sa queue rose, du bout de laquelle il tapote le bord de son trône.

– Si nous vous livrons à ce Tamerlan, il nous en sera peut-être reconnaissant et nous verra comme des collaborateurs potentiels.

– Vous n'envisagez quand même pas de nous livrer à l'ennemi ? dis-je, incrédule.

– Il faut me comprendre : je privilégie notre intérêt. Je gère ma meute. Vous gérez la vôtre. Il n'y a rien de personnel ; vous auriez probablement fait exactement pareil à ma place.

– Trahir sa propre espèce ne me viendrait même pas à l'esprit ! C'est immoral.

– Pourquoi me parlez-vous de « morale » ? C'est une notion humaine, ça. Chez les chats il n'est question que de survie. Or, je pense que nos chances de survie seront nettement améliorées si nous vous donnons à « vos » ennemis les rats.

Je fixe un à un chaque chat présent dans la foule. J'identifie les autres espèces que m'a appris à reconnaître Pythagore et dont j'ai retenu les noms précis : le tibétain, l'abyssin, le birman, le chartreux, le devon rex, le japanese bobtail, le british shorthair, le javanais, le norvégien, le persan, le scottish fold…

Ils ont tous le regard fuyant.

Comme ils sont minables !

Si les mâles continuent à me décevoir, je vais commencer à fréquenter des femelles.

Je l'ai déjà fait, et je peux vous le dire, les sensations sont différentes, mais intéressantes. Elles proposent des préliminaires plus longs, alors que les mâles toujours pressés ne savent pas bien vous préparer.

Cependant ce n'est pas le moment de réfléchir sur la sexualité.

Nounours s'approche de nous et nous fait signe de le suivre. Le sphynx miaule depuis son trône :

– Sachez qu'il n'y a rien de personnel dans ce choix. Vous voulez savoir le fond de ma motivation ? Je peux l'avouer : nous avons peur.

Pythagore s'insurge.

– Vous n'êtes pas seulement des lâches, vous êtes des collabos. Je vous réponds ce que Winston Churchill a dit lorsque le ministre Chamberlain a signé les accords de Munich qui offraient la Tchécoslovaquie aux nazis : « Vous avez voulu éviter la guerre au prix du déshonneur. Vous avez le déshonneur et vous aurez la guerre ! »

Personne ne comprend à quoi il fait référence ni même ce que cette phrase veut dire, mais on sent tous que, pour le siamois, c'est une insulte terrible. Le sphynx ne semble pas trop affecté :

– J'ai connu un chat angora qui dormait tout le temps. Il s'appelait justement Winston. Quand il se réveillait, il ne pensait qu'à manger. Si votre Winston ressemble au Winston que je connais, il n'est pas très courageux.

Je m'aperçois que ma première impression négative sur ce sphynx était la bonne. Et en plus il est inculte. Cela m'oblige à réviser mon jugement sur notre espèce. Il semblerait que tous les chats ne soient pas fréquentables.

Avant que nous ayons esquissé le moindre geste de fuite, nous sommes emportés par une troupe d'une vingtaine de chats plus grands et plus costauds que nous qui nous serrent de près pour nous forcer à descendre les marches et à avancer.

Nous entendons alors un grand rugissement. Ce n'est pas Hannibal, mais l'orage. Une lumière blanche traverse un instant les trous béants du toit de la citerne, puis la pluie commence à tomber.

Les grenouilles et les crapauds coassent de joie. L'eau du lac se couvre de petits points d'impact des gouttes, le sphynx se met à l'abri, mais les chats nous poussent vers l'escalier en colimaçon.

Ils veulent que nous sortions alors qu'il pleut !

Je sais que je vous ai déjà dit que je détestais la pluie, mais ce que je ne vous ai pas encore dit, c'est que je la déteste tellement que je peux perdre mes poils par grosses touffes rien qu'à l'idée d'être mouillée. J'ai bien peur que prévenir le sphynx de cette particularité ne m'attire pas sa pitié. Je crois qu'il n'en a plus rien à faire de moi.

C'est dit, la prochaine fois que je rencontrerai un sphynx, non seulement je serai méfiante mais en plus je me refuserai à lui, même s'il insiste.

28. LE CHAT SPHYNX.

Les chats sphynx sont des animaux surprenants. Par leur aspect d'abord puisque leur absence de fourrure en fait des chats « nus ».

De plus, ils ne sont pas issus de croisements : leur peau dépourvue de poils n'est pas due à une mutation génétique ou à une volonté humaine. Les sphynx ont toujours été ainsi, on en trouve même des représentations dans les gravures égyptiennes et aztèques datées d'il y a plus de 3 000 ans.

Mais la population de sphynx, avec le temps, a tendu à se raréfier. Ils ont officiellement réapparu à l'issue d'une portée venue du Canada, qu'un éleveur français fit venir à Paris en 1983. Il présenta cette race à l'exposition féline au pavillon Baltard et établit ainsi le standard de la race baptisée « sphynx ».

161

La tête du sphynx est triangulaire, ses pommettes sont saillantes, son crâne plat, ses oreilles très hautes et très larges, ses yeux ronds. Il a un ventre rebondi, une queue fine que l'on compare souvent à un tentacule de pieuvre.

Sa peau est beaucoup plus épaisse que celle des autres chats, ce qui donne au sphynx un toucher « peau de pêche », et il n'est pas rare que l'animal présente des plis. Le sphynx transpire beaucoup de tout son corps, à la différence des autres chats qui ne transpirent que des coussinets. Son absence quasi totale de pilosité le rend sensible aux coups de soleil.

Les sphynx n'aiment pas la solitude et sont beaucoup plus sociables que les autres chats. Dans un groupe composé de plusieurs espèces, les sphynx prennent souvent le leadership naturellement. Comme leur intelligence est supérieure, ils n'ont guère de difficultés à s'imposer.

Les sphynx sont très affectueux avec les humains. Alors que la plupart des chats se contentent de s'asseoir sur les genoux des hommes, le sphynx aime venir sur leur épaule pour frotter sa tête ou même les lécher. Les sphynx n'ont jamais de comportements agressifs. Et, tandis que la plupart des chats se signalent par leur indépendance, les sphynx se révèlent d'une grande fidélité à des personnes précises.

Autre particularité des sphynx : leur énorme appétit. En effet, en l'absence de fourrure protectrice, il leur faut beaucoup manger pour se réchauffer et stocker des calories, surtout en hiver.

Encyclopédie du Savoir Relatif et Absolu.
Volume XII.

29. PRISONNIERS DES CHATS.

Nous avons tous au fond de nous un sujet d'angoisse démesurée. Ma mère avait peur des aspirateurs, Félix des araignées. Pythagore a la hantise des chiens et des conflits.

Pour ma part, ce que je ne supporte pas, comme je vous l'ai déjà dit, c'est l'eau et la bêtise de mes contemporains. Et là, je subis les deux simultanément. Chaque goutte qui traverse ma fourrure me brûle l'épiderme. Je déteste autant cette eau que ces congénères qui comptent me livrer aux rats…

Nous voici en dehors du petit château d'eau. Nous marchons en direction du château de Versailles, le repaire de la horde brune de Tamerlan, entourés d'une vingtaine de gros chats qui font ironiquement office de gardiens.

L'orage continue de zébrer le ciel et de faire trembler le sol. Toute la nature est en suspens. Plus d'oiseaux, plus d'insectes, plus aucun bruit d'animaux. Chaque éclair contracte mes pupilles.

Qu'est-ce qui m'a pris de venir ici?

J'aurais dû écouter ma mère qui me répétait toujours : « Réfléchis avant de faire n'importe quoi, Bastet. Quand tu as une intuition, n'hésite à faire l'exact contraire, c'est souvent le meilleur choix. »

La pluie cesse d'un coup. Je m'arrête pour m'ébrouer, mais déjà un chat me force à avancer. Maintenant qu'a disparu le trouble créé par l'orage, je perçois mieux les vibrations alentour. Mes vibrisses détectent une présence qui nous suit.

J'essaie de l'identifier. Je perçois un remugle particulier qui taquine mes narines. L'odeur de sueur de Nathalie !

Bon sang, je l'avais oubliée, celle-là !

La brave humaine qui nous a attendus à l'extérieur nous a repérés lorsque nous sommes sortis et nous a suivis. Discrètement, je demande à Pythagore :

– Tu as toujours le contact radio avec ma servante ?

– Pour qui me prends-tu, Bastet ? Je l'ai tenue au courant de tout ce qui se passait.

– Elle n'est pas loin de nous.

– Je sais.

– Pourquoi tu ne lui as pas demandé de nous libérer ?

– Je l'ai fait, mais elle a répondu qu'elle préférait attendre le meilleur moment pour que son action soit le plus efficace possible.

– Et en fonction de quoi estime-t-elle qu'un moment est le meilleur ?

Pourvu qu'elle n'intervienne pas trop tard. Si elle passe à l'action alors que nous sommes déjà dans le château de Versailles, nous allons avoir du mal à nous en tirer.

Impatiente, j'interroge Pythagore :

– Qu'est-ce qu'elle attend ?

– Elle redoute le maine coon.

Alors ça, c'est la meilleure ! Ma servante a peur des chats maintenant. On aura vraiment tout entendu.

– Elle dit qu'ils sont nombreux. Elle croit qu'ils vont l'attaquer avec leurs griffes.

– Mais… mais… elle a vécu avec nous, et nous étions entourés de chats sur l'île.

– Elle dit que c'étaient des chats gentils… pas comme ceux-là, qui sont dangereux.

– Dis-lui d'attaquer tout de suite, pour créer le trouble parmi nos sentinelles et nous libérer. C'EST UN ORDRE.

Nous longeons des sentiers, marchons dans la forêt, quand soudain Pythagore me dit :

— Tiens-toi prête, c'est pour bientôt. Elle va tenter le tout pour le tout.

Ma servante surgit alors, brandissant une torche enflammée. L'effet de surprise et la frayeur instinctive que provoque le feu jouent en notre faveur. Moi et Pythagore profitons de cette diversion pour échapper à nos gardes, faire demi-tour et fuir au triple galop.

Pour que vous vous figuriez la scène : sur une même route, Nathalie court, sa branche enflammée à la main, suivie de Pythagore et moi, nous-mêmes suivis par Nounours, un gros chat norvégien et une vingtaine de matous de taille similaire.

Si on m'avait dit qu'un jour je serais poursuivie par une horde de chats !

Nos ennemis gagnent du terrain. Ma servante a alors une idée que personnellement je désapprouve. S'apercevant que nous arrivons à une rivière, elle se jette dedans. Aussitôt, Pythagore saute lui aussi dans l'eau et se met à nager pour essayer de s'agripper à son dos.

Oh non, pas ça !

Mes poursuivants sont sur le point de me rattraper. Qu'auriez-vous fait à ma place ? Je serre les dents et ferme les yeux. Mon esprit est alors assailli par le souvenir pénible dont je vous ai déjà parlé, probablement le pire de ma jeunesse : la fois où ma servante a voulu me faire prendre une douche.

J'avais eu beau me débattre, comme elle avait prévu ma réaction, elle me tenait avec des gants de cuisine si épais que je n'arrivais pas à les percer de mes griffes ni de mes dents. Elle m'avait entièrement arrosée d'eau avec le pommeau de la douche, à la suite de quoi mon poil était devenu poisseux et lourd. La pauvre ignorait que les chats n'ont pas besoin d'être lavés, puisque nous nous nettoyons en permanence avec notre langue.

J'avais perdu toute ma dignité. Mais elle ne s'en était pas tenue à cette première humiliation, puisqu'elle m'avait ensuite recouverte de savon moussant. Je m'étais retrouvée plongée dans les bulles et dans un encore plus grand embarras. Pour achever cette torture, j'avais été rincée à l'eau froide.

Je ne vous le souhaite pas. Je ne souhaite d'ailleurs cette expérience dégradante à personne, pas même à mon pire ennemi.

Elle m'avait ensuite séchée dans un linge tiède puis au séchoir à cheveux. Pour me venger, j'étais allée uriner sur son lit, puis j'avais déféqué dans ses chaussures, et j'avais déchiré à belles dents son oreiller pour en extraire le duvet.

À cause de ce traumatisme, j'hésite à sauter dans la rivière.

– Viens vite ! miaule Pythagore de loin.

Le maine coon et le norvégien approchent. Alors je commets l'impensable : je ferme les yeux, prends une grande goulée d'air et me jette dans la rivière.

Il y a des moments de sa vie qu'on aimerait oublier. Celui-là en fait partie. Tout d'abord, je m'enfonce sous l'eau froide. Mes pattes sont mouillées, mon ventre est mouillé, mon menton est mouillé. L'horreur. J'agite mes membres dans tous les sens pour éviter de couler.

C'est là un bon réflexe, car de fait je remonte, et même si, en ouvrant grand la bouche, je bois un peu la tasse et tousse, je parviens quand même à aspirer un peu d'air tiède revivifiant.

Comme cette sensation de froid mouillé est désagréable et indigne de moi ! Une masse glacée et humide oppresse mon corps. À force de brasser l'eau, je découvre que, tant que je n'interromps pas mes mouvements, je peux maintenir ma tête à la surface.

Je tente de rejoindre ma servante, lorsque j'entends derrière moi un gros « plouf ». C'est le maine coon qui, à son tour, s'est jeté dans l'eau et nage pour me rattraper. Contrairement à moi, il ne semble pas du tout redouter l'élément liquide. D'autres gros chats le suivent, mais ils restent loin derrière. Nounours, lui, nage avec la rage de me rattraper. Cependant, la masse de ses longs poils le freine.

Le courant de la rivière nous emporte tous. Nathalie, Pythagore juché sur ses épaules, nage une brasse régulière similaire à celle d'une des grenouilles que nous avons mangées la veille. Derrière eux, j'invente une nage.

Je m'aperçois ainsi que lorsque je brasse l'eau avec mes pattes antérieures en même temps qu'avec les postérieures, j'avance plus vite. Quant à ma queue, que je tenais jusque-là au-dessus de l'eau, elle me sert désormais de gouvernail.

Après les nuages dans la montgolfière, je découvre un nouvel élément : l'eau. Deux endroits où je n'aurais jamais pensé aller.

Finalement, nager se révèle moins effrayant et compliqué que ce que je craignais.

Si vous n'avez jamais nagé, je vous donne le truc : passé le premier instant de pure panique, il faut respirer, tendre le cou pour bien sortir la tête au-dessus de l'eau et prendre des grandes inspirations en rythme avec son mouvement de pattes.

Je m'habitue à cette situation et me dis que je viens de surmonter ma phobie, lorsque, soudain, je reçois un coup de patte sur la queue. Nounours a réussi à me rattraper. Deux autres chats derrière lui s'approchent eux aussi dangereusement.

Oh non, pas une bataille navale de chats !

Je suis trop occupée à nager pour lui rendre ses coups et je me contente d'essayer de l'aveugler en lui projetant de l'eau avec ma queue. Mais cette manœuvre ralentit ma progression, et je vois Pythagore et Nathalie s'éloigner de moi.

Le maine coon se rapproche.

Tout à coup, se produit un événement inattendu : apparaît devant nous, dans l'eau, un vortex. Une spirale liquide se met à tournoyer pour s'enfoncer dans un cône sombre.

Au début, je ne porte que peu d'attention au phénomène. Mais, plus je m'approche de ce tourbillon, plus je me retrouve attirée, puis aspirée.

J'ai beau me débattre, cette fois-ci je m'enfonce dans le gouffre aquatique, passe sous la surface des flots.

C'est dans ces infimes secondes qu'on s'aperçoit que finalement si on a peur de quelque chose, c'est peut-être parce qu'au fond de soi, on sait que cette chose nous est fondamentalement néfaste.

Je n'aimais pas l'eau. J'avais raison de ne pas l'aimer. J'ai eu tort de croire que je pouvais me réconcilier avec cet élément. La substance liquide et froide pénètre dans mes poumons. Je me débats mais je sais que cela ne sert plus à rien.

La rivière entre en moi, à mesure que j'entre dans la rivière.

Bon, eh bien, voilà, ma dernière heure est venue. C'est maintenant que je dois mourir.

Je ne sais pas si vous êtes déjà mort, mais c'est vraiment une expérience difficile à décrire.

Je visualise mon corps transparent qui monte vers un tunnel de lumière qui se trouve haut dans le ciel. Mes parents sont là et m'attendent.

– Bonjour, maman (papa n'a jamais eu beaucoup d'importance dans ma vie).

– Veux-tu rester avec nous ou veux-tu revenir sur terre ? me demande pourtant ce dernier.

– Ai-je le choix ?

– On a toujours le choix. Demande-toi seulement si cette vie-là est terminée ou si tu as encore des choses à y faire.

– Eh bien… Il y a encore dans cette vie des choses qui comptent pour moi : ma communauté de l'île de la Cité, Pythagore, Angelo et même ma servante humaine.

– Ah, c'est bien de penser à ceux que tu aimes, dit ma mère dans un murmure d'approbation. Mais comptent-ils un peu ou beaucoup ?

– Je ne sais plus très bien.

– Réfléchis : tu serais prête à y retourner pour les retrouver ?

– Oui.

– Nous parlons du destin de ton âme. Pèse bien ta réponse. Veux-tu dire « oui peut-être » ou « oui assurément » ?

– Maman, je suis fatiguée. Tu ne peux pas décider pour moi, toi qui sais toujours ce qu'il faut faire ?

– La vie et la mort ne peuvent être que des choix personnels. Fais ton choix, ensuite tu assumeras ta décision sans te plaindre.

30. LE FATALISME.

Le mot « fatalisme » vient du latin *fatum* qui désigne le destin déjà écrit.

Selon la doctrine fataliste, il ne sert à rien d'effectuer des choix, puisque de toute façon tout ce qui nous arrive relève d'un scénario pré-écrit, dont les étapes ont été fixées par un

169

système supérieur – que ce soit la Nature, les dieux, Dieu, voire les lois de l'Histoire.

Dès lors, aucune expérience ne peut être considérée comme négative, mais seulement comme une péripétie parmi d'autres que nous vivons tel un rouage du scénario supérieur.

Si l'on est fataliste, on renonce aussi à la notion d'injustice, pour y voir seulement un nécessaire enchaînement d'événements vécus plus ou moins confortablement par chacun.

Il ne sert donc à rien de se plaindre.

Il ne sert à rien de se battre.

Il faut accepter le monde tel qu'il est, sans vouloir tenter de le modifier. Il faut supporter la souffrance, l'adversité, le malheur, qui ne sont que des mises à l'épreuve de notre caractère.

Dans son *Traité du fatum*, Cicéron a écrit : « Si ton destin est de guérir de cette maladie, tu guériras, que tu aies appelé ou non le médecin ; de même, si ton destin est de n'en pas guérir, tu ne guériras pas, que tu aies appelé ou non le médecin. »

Parmi les six maîtres indiens du bouddhisme, Makkhali Gosala, né en 484 avant J.-C., défendait le fatalisme « niyativâda ». Il affirmait que « les actions n'ont aucun effet, qu'elles soient bonnes ou mauvaises, aucune pratique religieuse ni aucune dévotion ne modifient quoi que ce soit. On atteint de toute façon tous la délivrance automatiquement une fois le cours de l'existence épuisé ». Cette déclaration fut cependant contredite par le Bouddha Siddharta Gautama qui, pour sa part, croyait que nos choix avaient un impact direct sur notre karma.

Le fatalisme s'oppose ainsi au libre arbitre, puisque le premier considère l'homme comme irresponsable, tandis que le second l'oblige à réfléchir aux moindres conséquences de ses actes.

Encyclopédie du Savoir Relatif et Absolu.
Volume XII.

31. EN BRISANT LA COQUILLE.

J'ouvre les yeux.
Donc je suis encore vivante !
Ainsi, je découvre qu'on peut se noyer, discuter avec ses aïeux disparus et… ressusciter. Cela me fait penser à ce que me disait Pythagore sur les chats qui ont neuf vies. Je crois que je viens d'en perdre une. J'espère que je n'entame pas la dernière.

La deuxième idée qui me traverse l'esprit après avoir ouvert les yeux est qu'il y a quelque chose de lourd et de mauvais à l'intérieur de mon corps. Je suffoque. Je cherche l'énergie pour expulser ce qui m'encombre, et finis par vomir un jet d'eau mêlé d'expectorations. Je tousse pour évacuer toute la rivière qui m'a envahie.

L'air chasse l'eau. Je libère mes poumons. Je prends en même temps conscience que je me trouve sur la berge opposée à celle d'où j'ai sauté. Le paysage est différent. J'ai échoué sur une sorte de petite plage de sable noir.

Un peu plus loin, je distingue une forme étendue. Je me remets sur pattes, puis je m'approche prudemment, encore toute poisseuse.

C'est Nounours. Le maine coon gît à quelques mètres de

moi. Je m'avance, prête à le combattre, mais lorsque je suis près de lui je découvre qu'il est inerte et que sa gueule ouverte laisse échapper de la bave beigeâtre.

Il ne respire plus. Déjà, des mouches opportunistes bourdonnent autour de lui. J'essaie de comprendre pourquoi lui est mort et pas moi. Je trouve une explication technique : ses longs poils l'ont alourdi et ont prolongé sa noyade, alors que je me suis seulement évanouie, que mon corps s'est maintenu à la surface avant d'être stoppé par une langue de terre.

À moins que... Peut-être qu'il a lui aussi vu ses ancêtres et qu'il a préféré rester avec eux.

Le bourdonnement des insectes augmente et déjà plusieurs se posent sur ses yeux. Je ne peux m'empêcher d'y voir un symbole : ainsi finissent ceux qui me contrarient ou s'opposent à mes projets : le corps gonflé d'eau, la gueule béante, des mouches dans les yeux.

Je me souviens d'un adage humain que m'avait cité Pythagore : « Si quelqu'un t'a fait du mal, ne te fatigue pas à te venger ; mets-toi près du fleuve et attends. Tu finiras par voir passer son cadavre. »

Je n'ai pas eu à attendre longtemps. Quoi qu'il en soit, je suis soulagée de ne pas avoir à lutter en duel contre lui. Je sens un frisson me glacer à l'idée que la mort est ce qui me serait arrivé si j'avais choisi de rester avec l'esprit de mes ancêtres.

Je prends aussi conscience que, désormais, je suis seule. Plus de Pythagore, plus de Nathalie, juste moi, mouillée, épuisée et perdue dans un territoire dont j'ignore même où il se trouve.

Je commence par faire le plus important : je m'ébroue. Je ne sais pas comment vous faites, vous, pour vous ébrouer, mais moi je lance un mouvement circulaire qui part de mon cou et va jusqu'à ma queue pour un essorage maximal. Puis je passe un long temps à me lécher pour enlever chaque goutte de cette ignoble eau de la rivière.

Enfin, lorsque j'ai retrouvé ma dignité de chatte, je me demande quelle direction prendre. Comme je ne peux pas remonter le fleuve à contre-courant, au risque de retomber sur les autres chats, je décide de partir vers le sud.

Je marche. Après tout ce que j'ai vécu en équipe, c'est une sensation étrange de me retrouver ainsi seule dans la nature. Enfin pas tout à fait seule : une vipère surgit. Je change de chemin, pour me prendre la gueule dans une toile d'araignée.

J'avais oublié que la nature sauvage était remplie de toutes ces bestioles. Cet environnement si différent de celui des villes humaines m'apparaît soudain dans toute sa sauvagerie : partout des insectes qui piquent, des ronces qui écorchent, des champignons empoisonnés.

J'ai faim, j'ai soif. Je repense à mon projet d'élargir mon esprit pour me connecter à tout ce qui vit autour de moi. Cela me semble désormais le seul moyen de survivre dans ce milieu hostile. J'essaie de m'inscrire dans le flux de cette énergie de vie, mais des pensées surgissent sans que je puisse les contrôler.

Pythagore.

C'est étrange mais, à cet instant, peut-être parce qu'il est loin de moi, je trouve Pythagore… extraordinaire. Surtout en comparaison de l'ignoble sphynx sans poil et du non moins ignoble maine coon trop poilu. Pythagore, lui, est poilu juste comme il faut.

Plus je pense à Pythagore, plus je le trouve attachant. C'est « mon » mâle. De toute façon, je sais que même s'il me fait un peu la tête, il me reviendra. Qui peut résister à mon charme naturel ?

173

Nous les femelles, nous le savons : les mâles sont comme ça. Si on les a eus une fois, on peut les ravoir quand on veut. Et les mâles n'arrivent pas à comprendre que c'est nous qui choisissons nos partenaires, nous qui contrôlons la situation du couple. Ensuite seulement, nous leur donnons l'illusion que ce sont eux les maîtres pour flatter leur virilité.

Je n'appartiens pas à Pythagore, mais Pythagore m'appartient. Et je lui serai de nouveau fidèle… jusqu'à ce que je trouve mieux.

Tout en marchant, je repense au concept de beauté. Je ne sais peut-être toujours pas ce qui est beau, mais je sais désormais ce qui est laid : le sphynx est devenu ma référence en matière de laideur féline.

J'ai faim. J'ai faim. J'ai faim. Et ma servante qui n'est pas là pour me servir des croquettes ! En attendant, il faut que je trouve à manger. J'aperçois bien des limaces, mais je n'aime ni leur texture ni leur goût.

Mon ventre émet des gargouillis, ma langue est parcourue d'infimes tressaillements. La nage dans la rivière m'a épuisée.

MANGER. JE DOIS MANGER.

Je repère en hauteur un nid d'oiseau rempli d'œufs blancs. J'adore les œufs. Je profite donc de mon agilité naturelle pour grimper sur le tronc, atteindre les frondaisons et rejoindre cette nourriture convoitée. Me voici enfin face à mon déjeuner, au bout d'une branche. Je perce une des quatre coquilles d'œuf avec ma griffe droite, j'écarte les éclats et trempe mon museau dans la délectable substance jaune.

Ma langue se met à la laper. Quel délice !

Dans le deuxième œuf se trouve un fœtus de poussin que je croque avec plaisir : pour quelqu'un qui a vraiment faim, cet aliment rempli de protéines est vraiment à la fois doux et crous-

174

tillant. Mais je suis contrariée par le fait que je n'arrive pas à identifier quel genre d'oiseau je suis en train de déguster. C'est quand je dévore le troisième œuf que j'ai ma réponse. La mère de ces oisillons me toise. Il se trouve que c'est un faucon. Enfin, une fauconne.

La propriétaire du nid me saute dessus et je sens pénétrer dans mon épiderme les pointes de ses serres ainsi que le bout de son bec crochu. J'ai le réflexe de dégainer mes griffes et de la repousser d'un coup de patte bien ajusté. Nous livrons combat sur la branche où je me tiens en équilibre instable.

Cela confirme ce que j'ai toujours pensé : la nature, c'est la guerre. La preuve : une rencontre avec un animal étranger commence souvent par une confrontation.

Les longues ailes de mon adversaire me giflent et m'empêchent de me concentrer sur mes attaques. À un moment, un coup d'aile me déséquilibre et me fait tomber de l'arbre. Je fais trois tours (ouf, c'est un chiffre impair) et retombe avec élégance sur le sol.

Rien de cassé, tout va bien.

Je ne veux plus combattre. Je suis repue, c'est tout ce qui compte. Je décide donc de poursuivre ma route pour tenter de retrouver mes compagnons de voyage.

Mais la fauconne n'entend pas les choses de la même manière. Elle m'en veut d'avoir occis trois de ses quatre enfants. Elle me barre le chemin et s'avance, menaçante, le bec en avant. Elle déploie ses ailes pour paraître plus large et plus grande.

Je recule, je trébuche, recule encore.

Et puis, soudain, il se passe quelque chose d'inattendu. Trois rats bondissent des fougères pour sauter sur la fauconne. Je ne les avais même pas repérés, ce devait être des patrouilleurs.

Autant le rapace est puissant dans le ciel, autant il est malhabile sur la terre ferme.

Elle tente de décoller, mais un des trois rats lui a déjà sauté sur le dos et planté ses dents dans le cou, tandis que les deux autres lui tiennent les ailes. La fauconne tourne la tête pour tenter d'en piquer un de la pointe de son bec, mais elle ne parvient pas à les atteindre.

Cette scène me donne matière à réfléchir. Après tout, moi aussi je suis une mère à qui il ne reste qu'un enfant après que les autres ont été tués, dans les circonstances terribles que vous savez déjà – le fiancé de ma servante a noyé tous mes chatons, sauf Angelo.

Alors, je me dis qu'il faut que j'aide cette mère, même si je n'ai strictement rien à y gagner. C'est, je le sais, une pensée qui vient directement de la mauvaise influence teintée d'humanité de Pythagore. Il m'a déjà parlé de ce sentiment : la « compassion ». C'est le fait de ne pas être indifférent à la souffrance d'autrui.

Je m'approche du lieu où se déroule l'agression et adopte la position dans laquelle je fais le plus peur : dos rond, griffes sorties, bouche largement ouverte pour dévoiler mes canines. Ma diversion fonctionne. Les trois rats me voient, relâchent leur proie et me foncent dessus, toutes incisives déployées.

Il est loin le temps où l'apparition d'un chat faisait fuir automatiquement les rats. Mais je ne suis pas du genre à me laisser intimider par trois petits rats de rien du tout surgis de nulle part : Hannibal m'a enseigné le chat-kwan-do. Je pousse un rugissement qui, même s'il n'est pas celui d'un lion, se révèle suffisamment impressionnant pour stopper net mes agresseurs. On n'en est pas encore au cri qui tue, mais au moins au cri qui fige.

Alors, profitant de cet instant de flottement, je bondis sur le plus proche et lui plante mes griffes dans les yeux. Ils explosent comme des raisins mûrs.

Ça, c'est mon style, on aime ou on n'aime pas.

Puis, avant que le deuxième n'ait eu le temps de m'atteindre de ses incisives, je lui tranche la gorge avec la pointe acérée de ma première griffe droite, la plus longue et la plus coupante, ma fameuse griffe-sabre.

Le dernier rat a compris qu'il vaut mieux ne pas m'approcher, alors il choisit de me combattre autrement : il utilise sa queue comme un fouet, fait tournoyer ce très long appendice et le projette en avant dans un claquement. Je ressens aussitôt une douleur sur la joue, mais heureusement ma fourrure me protège.

Il frappe sa queue par terre pour m'impressionner. Dans les cours de chat-kwan-do, nous n'avons pas encore étudié la séquence queue-fouet contre griffe-sabre, du coup je suis bien obligée d'improviser.

Je me cache derrière un arbuste, feignant d'avoir peur, et lorsque le rat lance sa lanière rose, je la laisse s'enrouler autour d'une branche. Le temps qu'il se dégage, j'ai déjà planté mon ongle effilé dans son menton et remonté dans la zone molle entre ses mâchoires jusqu'à lui chatouiller le palais. Je le traverse de part en part et lui perfore le cerveau. Il renonce aussitôt à combattre et, plus largement, à vivre.

Tu vas voir, tes ancêtres rats t'attendent là-haut.

Puis je me tourne vers la fauconne blessée qui est encore au sol. Une de ses ailes est en sang. Au lieu de tenter de voler, elle avance vers moi. Je crains qu'elle ne veuille de nouveau m'attaquer. J'ai déjà pu constater dans le passé que la gratitude n'était pas le sentiment le mieux partagé du monde.

– Bonjour, miaulé-je.

La fauconne ne me comprend évidemment pas, mais elle me regarde alternativement de chacun de ses yeux placés sur les côtés de son crâne. Elle prononce quelque chose dans sa langue, qui pour moi sonne comme un piaillement criard.

Je tente de communiquer d'esprit à esprit le message suivant :

Je suis une mère, moi aussi, je comprends votre réaction. Je vous laisse le dernier œuf pour que vous puissiez avoir une descendance.

La fauconne redresse son cou et continue de tourner la tête pour m'offrir son regard alterné.

M'a-t-elle comprise ?

Dans le doute, prudente, je décide de ne pas m'attarder et de reprendre ma route. Il n'y a pas de temps à perdre si je veux retrouver mes compagnons de voyage.

Je longe la berge à la recherche de traces de pas dans la boue.

Je réfléchis en avançant.

Ainsi, je peux compatir avec un être d'une espèce qui n'est pas la mienne et même ressentir une certaine fierté à avoir sauvé un de ses membres. C'est ma première expérience de compassion active.

Je sais bien que quelque chose a changé en moi. J'ai compris désormais que si je veux me connecter à la nature, il me faut aimer toutes ses créatures, même si elles ne me sont pas directement utiles.

Ou, pour le dire plus simplement, je crois qu'il me faut aimer les autres ne serait-ce que pour pouvoir mieux communiquer avec eux. Or, jusqu'à présent, je n'ai jamais aimé rien ni personne d'autre que moi-même. Pas même Angelo. Pas même Pythagore. Pas même Nathalie. Pas même ma mère. Je ne les concevais que comme des agents capables de maximiser mon propre plaisir. De ce fait, j'étais indifférente à ce qu'ils ressentaient.

J'ai fait souffrir Pythagore en lui rappelant sans cesse qu'il n'avait pas de droits sur moi. J'ai fait souffrir Angelo en ne lui consacrant pas assez de temps. J'ai fait souffrir Nathalie en n'étant pas exactement le doux animal de compagnie proche de la peluche qu'elle souhaitait avoir.

Même les chats et les humains qui m'ont fait confiance et suivie sur l'île de la Cité : c'est à cause de moi qu'ils souffrent actuellement de la faim. En fait, c'était moi l'égoïste et l'ingrate.

Plus j'y réfléchis, plus je vois l'intérêt de ce nouveau sentiment, la compassion. Du coup, la perception de ce qu'il y a autour de moi se modifie : même les serpents, les limaces, les fourmis, les papillons, les moucherons, les moustiques me semblent autre chose que des êtres étrangers que j'ai le choix soit de manger soit d'éviter.

Et, comme si le ciel voulait me féliciter de cette prise de conscience, un rayon de soleil éclaire soudain le sol en un endroit, ce qui fait apparaître des traces fraîches, qui ressemblent fort à des chaussures, à côté de pattes de chat.

Ils sont par là !

Grâce à mon repas revigorant à base d'œufs de faucon, je trouve l'énergie de galoper en suivant cette piste. Après une longue course, les deux empreintes se séparent.

Ils ont dû partir dans des directions différentes pour me chercher de manière plus efficace.

Je décide de suivre les pattes de chat. Je détecte alors un bruit derrière moi. Je me retourne et tends l'oreille. Quelqu'un me suit.

Se pourrait-il qu'un des rats ait survécu ?

Je marche plus vite. Je sens la présence qui approche. Je me retourne et je le vois.

Le norvégien ! C'est incroyable la capacité qu'ont les gens qui veulent vous causer des ennuis à vous retrouver.

Je fais le gros dos, lui aussi. Je gonfle mon poil, lui aussi. Il fait le double de ma taille. Cette période est assez difficile et les ennemis suffisamment nombreux pour que je n'aie pas en plus à combattre des chats.

Le norvégien bondit, me mord fort à l'épaule et m'écrase de son poids. Je n'arrive pas à le forcer à relâcher son emprise. Le chat au poil gris et blanc me coince entre ses pattes. C'est alors que je « le » vois.

Pythagore. Je miaule de toutes mes forces :

– Aide-moi !

Mais le siamois reste sur place, comme s'il était tétanisé. Ah non, ce n'est pas le moment de militer pour la non-violence ! Je hurle de plus belle :

– Au secours ! Pythagore ! Fais quelque chose !

L'énorme chat gris et blanc se place de manière à m'étouffer et je ne peux plus bouger.

– Attaque ! finis-je par crier.

Mais le siamois continue de nous observer, en plein dilemme : ne rien faire ou combattre ?

C'est le moment de changer de mentalité, Pythagore. Adapte-toi à cette situation. Fais-le par amour pour moi.

Il faut que je trouve les mots pour le convaincre.

– Tu as accusé le sphynx d'être lâche. Montre que tu vaux mieux que lui !

Le siamois se décide enfin à bondir sur mon assaillant deux fois plus grand que lui. Il reçoit un coup de patte, mais je profite de la diversion pour le mordre. À deux contre un, le combat devient plus équilibré.

Pythagore ne frappe pas d'une manière très efficace, mais il y met tout son cœur et parvient à s'accrocher à la tête du norvégien, l'aveuglant momentanément.

J'en profite pour le cogner au bas-ventre, ce qui lui fait perdre un instant sa concentration.

Nous nous acharnons tous les deux sur le gros chat à coups de pattes, jusqu'à le laisser à moitié assommé.

– Achève-le! dis-je.

Là encore, Pythagore hésite.

– S'il a été capable de me rejoindre si loin, c'est que c'est un as du pistage. Nous ne pouvons pas prendre le risque qu'il prévienne d'autres chats. Je ne te parle même pas du troisième chat qui avait sauté dans la rivière – et qui est peut-être tout près d'ici, lui aussi. Il faut le tuer, Pythagore.

– Tuer un chat? Je n'ai jamais fait ça, dit le siamois. C'est un… frère.

– Un frère qui voulait nous livrer en pâture à nos pires ennemis.

– Il ne faisait qu'obéir au sphynx.

– Si nous ne le mettons pas hors d'état de nuire, ce sont nos vies qui seront directement en danger.

Zut. Je ne vais quand même pas devoir le faire moi-même!

Voyant que je ne peux pas compter sur mon compagnon, décidément trop sentimental, je me charge de réduire cette menace à néant. Je vous l'ai dit, je suis une pragmatique. J'ai trop de grands projets pour risquer de les voir s'effondrer à cause d'un congénère qui a des états d'âme.

Je tue ce chat qui voulait me tuer. Pythagore a regardé ailleurs, comme si le fait de ne pas voir le dédouanait de sa complicité.

– C'est déjà bien que tu sois intervenu, j'ai eu peur que tu me laisses me faire détruire par ce norvégien au nom de tes principes pacifistes.

– Je... je crois que nous ferions mieux de rejoindre Nathalie, répond-il en détournant ostensiblement les yeux de ce qui reste de notre ennemi.

Il contacte Nathalie, qui ne tarde pas à nous rejoindre. Elle me serre chaleureusement dans ses bras et me couvre de caresses en répétant mon nom :

– Bastet ! Oh, Bastet... Bastet.

Elle prononce plusieurs phrases dans sa langue humaine qui, j'imagine, expriment son bonheur de me revoir.

La pauvre, elle a dû mourir d'inquiétude pour moi. Ce qu'elle laisse transparaître comme émotion me semble désormais limpide : c'est de la compassion. Je lui accorde une léchouille râpeuse sur la joue pour lui montrer que moi aussi je suis contente de la retrouver.

Quant à Pythagore, il reste en retrait, probablement tout à sa honte de ne pas m'avoir aidée plus vite, ni d'avoir eu le courage d'achever notre assaillant. Mais je ne lui en veux pas. C'était déjà un grand changement pour lui que de se battre contre un autre chat.

Il m'a sauvé la vie.

Comme tout cela m'a un peu fatiguée, je grimpe sur l'épaule de ma servante. Je miaule pour lui signifier que nous avons assez perdu de temps et qu'il nous faut trouver de l'aide pour notre communauté.

Nous marchons vers le sud en longeant le fleuve et tombons sur une villa abandonnée où nous abriter. Nathalie s'installe, déniche des boîtes de conserve et nous sert quelque chose que Pythagore identifie comme étant du cassoulet, puis elle se couche.

182

Comme nous nous retrouvons seuls avec Pythagore, je lui demande, un peu gênée :

– Tu m'en veux encore pour l'« incident » avec le sphynx ?

– Non, ment-il.

Bon, il faut que je trouve autre chose pour l'apaiser.

– Une fois, tu m'as lu un passage de l'Encyclopédie du Savoir Relatif et Absolu intitulé « Coopération-Réciprocité-Pardon », qui expliquait que la manière le plus profitable de fonctionner avec les autres était de proposer systématiquement la coopération : si l'autre avait un comportement décevant, il fallait agir de même, puis après pardonner et re-proposer la coopération. Donc, Pythagore, je te propose de pardonner et de recommencer la coopération.

Je dis ça tout en sachant parfaitement que je n'ai strictement rien à me faire pardonner, mais je préfère lui parler un langage qu'il soit susceptible d'intégrer.

Il semble hésitant, alors, prise d'un élan, je lui saute dessus et je le force à me faire l'amour comme si c'était moi le mâle. Il y a des moments où c'est à nous les femelles de prendre l'initiative, sans quoi on pourrait attendre longtemps.

Il me subit, me cède, m'obéit et semble apprécier que je prenne l'ascendant sur lui.

En fait, il se fait passer pour un dur, mais ce n'est qu'un passif soumis.

Nous obtenons tous les deux un grand plaisir quasi simultané.

Seul petit élément troublant : au paroxysme de l'orgasme, me vient une pensée parasite. Je revois le visage lisse du sphynx avec ses grands yeux bleus et ses larges et hautes oreilles roses presque transparentes.

Pourquoi fantasmons-nous sur ceux qui nous maltraitent

plutôt que sur ceux qui nous aiment ? C'est un grand mystère de la pensée chat. En tout cas, pour ma part, je dois avouer que les mâles qui m'excitent sont ceux qui me disent non.

Ok, je sais que ce n'est pas très moral ni compatissant, mais le reconnaître me soulage déjà un peu de cette perversion de mon esprit. Et puis, entre nous, avouez-le, vous êtes pareils, non ?

Évidemment je ne peux pas confesser cela à Pythagore. En plus, c'est un mâle, et vous connaissez les mâles, ils sont primaires. Qu'est-ce qu'un mâle pourrait comprendre à la pensée complexe d'une femelle ? *A fortiori* d'une femelle en pleine mutation comme moi !

Nous nous endormons chacun avec le sentiment que tout rentre dans l'ordre.

Cependant, je me fais un peu peur à moi-même. Ce nouveau sentiment de compassion qui m'a touchée m'inquiète. Il ne faudrait pas non plus que je devienne trop gentille, sinon je risquerais de devenir pacifiste comme Pythagore, puis laxiste par fainéantise et par peur, jusqu'à ce que, finalement, plus personne ne me respecte.

32. COOPÉRATION-RÉCIPROCITÉ-PARDON.

En 1979, Robert Axelrod, professeur de sciences politiques américain, organisa un tournoi entre des logiciels qui modélisaient les processus de décision suivant différentes stratégies.

Robert Axelrod reçut quatorze programmes envoyés par des collègues universitaires (mathématiciens, physiciens, psychologues, etc.). Chaque programme prescrivait des lois de comportement, le but étant d'accumuler le maximum de points. Certains programmes étaient « méchants » et avaient pour règle d'exploiter au plus vite ses voisins, de s'emparer par la force ou la ruse de leurs points, sans jamais coopérer. D'autres étaient « gentils » ou essayaient de se débrouiller seuls, gardant précieusement leurs points et fuyant tout contact avec ceux susceptibles de les voler. Certains étaient « lunatiques », trahissant ou coopérant au hasard.

Chaque programme fut opposé deux cents fois à chacun des autres concurrents. Celui d'Anatol Rapaport fut le grand gagnant.

Son programme fonctionnait sur trois règles simples :

1) la coopération,

2) la réciprocité,

3) le pardon.

Lors de la rencontre avec un autre, il proposait dans un premier temps l'alliance, la coopération. Ensuite, il appliquait la règle de réciprocité : le « donnant-donnant ». C'était une stratégie de la mémoire courte : si l'autre aidait, on l'aidait ; si l'autre agressait, il fallait l'agresser en retour. Ce programme a aussi été résumé par la formule : « punition immédiate, mais pardon inconditionnel ».

Le programme Coopération-Réciprocité-Pardon perdit au début face aux programmes agressifs, mais finit par être gagnant et enfin contagieux, à mesure que l'expérience avançait. En effet, constatant qu'il était plus efficace pour accumuler des points, les autres programmes changèrent leur attitude en se calquant sur la sienne. Sans le savoir, les scientifiques Rapaport et Axelrod venaient de trouver une

185

justification au célèbre « Aimez-vous les uns les autres ».
C'est votre intérêt à long terme.

Encyclopédie du Savoir Relatif et Absolu.
Volume XII.

33. TEMPS DE CHIEN.

Ma mère disait toujours : « Quoi que tu fasses, la nature qui
t'entoure le sait et tu seras récompensée ou punie pour ce que tu
as accompli. »

Franchement, c'est une bien jolie phrase mais je n'y crois pas.
Je crois que ce qu'on fait, on le fait pour soi et qu'on a intérêt à
ne rien attendre en retour au risque d'être déçu ou frustré, deux
sensations qui ne sont aucunement satisfaisantes à mes yeux.

Donc bien que j'aie été, hier, formidable de générosité grâce
à ma nouvelle compréhension de la compassion, je n'en tire
aucun orgueil et reste comme à mon habitude modeste et simple.

Nous avons repris la route de bonne heure pour profiter de la
chaleur. Même si, comme je vous l'ai dit, je n'attends nul remerciement de quiconque pour mon comportement héroïque, j'ai
l'impression que la nature est un peu plus connectée à moi depuis
l'incident de la fauconne. Il me semble que tous ces grands arbres,
et ces basses fougères me remercient pour avoir épargné son dernier œuf et l'avoir aidée à s'en sortir quand elle a été attaquée.

Ils savent. Forcément, ils savent ce qu'il s'est passé.

Nous avançons sur des routes défoncées, des chemins tortueux,
des sentiers envahis de végétation. À un moment, nous nous
arrêtons pour observer de loin une scène : une famille de renards

profite d'un rayon de soleil pour réchauffer leur fourrure. La mère se penche pour lécher ses petits.

Je n'ai envie ni de les combattre ni de les fuir. Après tout, les renards font partie d'une espèce à mi-chemin entre les loups et les chats, ils ont une grâce simple qui me donne juste envie de les... comment pourrait-on dire ? De les admirer.

Je repense ensuite à Nathalie.

La plupart des animaux sont tellement parfaits qu'ils n'ont pas eu besoin d'évoluer. Comme par exemple ces renards. Mais ce n'est pas le cas des humains : étant imparfaits et le sachant inconsciemment, ils n'ont pas arrêté de chercher à s'améliorer, et c'est pourquoi ils sont allés si loin, si vite. C'est ainsi qu'ils ont découvert le feu, mais aussi la fameuse triade qui occupe mon esprit ces derniers temps : l'humour, l'art et l'amour. Ils ont réussi parce qu'ils étaient mus par un insatiable besoin de toujours se remettre en question et de ne jamais se contenter de ce qu'ils avaient.

Nathalie, mon humaine préférée, comprenant peut-être que je pense à elle, me caresse sous le cou de sa main droite.

Continue, j'aime bien.

Nous marchons toute la matinée jusqu'à ce que le soleil soit au plus haut.

– Ça va, Pythagore ?

Je pose la question depuis l'épaule de ma servante.

Il ne répond pas et continue de trotter, alors j'enchaîne :

– J'ai eu une révélation en sauvant un faucon, j'ai découvert la compassion.

Mon compagnon ne semble pas du tout impressionné.

– Ce serait bien que tu aies une révélation pas seulement sur la nécessité d'aider les autres, mais déjà de les respecter. Les humains appellent cela la « politesse ».

Il me cherche ?

– Où veux-tu en venir ?

– Je te trouve quelque peu impolie avec moi.

– Je connais déjà cette notion de politesse et je considère qu'elle est subjective.

– Et si on commençait déjà par se dire « bonjour » le matin et « au revoir » le soir ? Ou encore « s'il te plaît » et « merci » ?

Je descends de l'épaule de ma servante et me rapproche de lui. Je frotte ma tête contre son torse tout en marchant.

– On se dit déjà tout cela à notre manière de chats, tu le sais bien, Pythagore.

– Mais ce n'est pas systématique. Et puis tu manques de bonnes manières : tu manges salement, désolé de te le dire, Bastet. Tu engloutis tout trop vite, trop bruyamment et sans mastiquer.

– C'est toi qui me dis ça ! Eh bien, puisqu'on en est aux amabilités, je te rappelle que toi, dès que tu as fini tu lâches des rots, c'est poli, ça ?

– Pour un chat, oui. C'est naturel : ce n'est que de l'air libéré par le fait de se nourrir.

Nous continuons à deviser sur la nécessité d'une politesse de type humain dans un monde de chats.

– Tu crois qu'il faudrait que nous nous disions « bon appétit » avant de manger ?

– Oui, bien sûr. Cela signifie : « Bonne ouverture de ton tuyau digestif. » Et puis il faut aussi demander : « Comment ça va ? »

– Cela signifie quoi ?

– « Comment se passe ta digestion ? » Littéralement : « Comment ça va dans ton corps, as-tu de bonnes selles ou es-tu constipée ? »

– Et ça, c'est de la politesse ?

188

– Forcément, puisque c'est ainsi que les humains s'abordent. Ah oui, et aussi, quand on éternue, il faut dire : « À tes souhaits. »

À force de deviser sur la politesse, la route semble moins longue. Notre humaine semble soulagée de ne plus m'avoir sur l'épaule. Au bout d'un moment, face à nous, apparaissent des maisons.

Nous nous cachons derrière des buissons pour observer. Nathalie me tend les jumelles.

Je mets mes yeux devant les œilletons et je vois à nouveau ce qu'il se passe au loin comme si j'étais tout près.

J'aperçois une dizaine de bâtisses blanches qui forment un hameau. Pas d'humains en vue. Pas de chats. Pas de rats.

– Un village désert ?

– Je sens des chiens, répond Pythagore en humant l'air.

Je renifle à mon tour et en effet je perçois des odeurs canines.

Nous avançons prudemment. Au fur et à mesure que nous approchons des maisons, mon flair m'envoie de nouvelles informations. Selon moi, il y a là une meute de plus d'une centaine d'individus canins. Des empreintes au sol complètent ces informations, nous indiquant que certains boitent.

– Qu'est-ce qu'on fait ?

– Allons-y, me répond Pythagore en surmontant son appréhension.

– C'est que je suis un peu refroidie par nos expériences précédentes. Tu remarqueras qu'on a eu des ennuis chaque fois que nous avons pénétré dans des zones urbaines habitées par des tribus d'animaux étrangers. Si même les chats nous livrent à l'ennemi, il y a de fortes chances pour que les chiens fassent de même. On ne peut pas savoir à quel point ils ont peur des rats.

Le siamois s'arrête et secoue la tête, comme s'il voulait remuer son cerveau dans son crâne.

– J'ai peut-être un plan.

– Seulement peut-être ?

– *J'ai* un plan. Mais je préfère te le révéler au dernier moment. Fais-moi confiance. Il faut que nous utilisions nos atouts. Contre les chiens, nous avons celui de voir dans l'obscurité. Je te propose donc de lancer une expédition nocturne.

– Je ne sais pas. J'ai un mauvais pressentiment. Je crois qu'on ferait mieux de poursuivre notre chemin pour trouver des alliés plus sûrs.

Il ne prête même pas attention à ma remarque.

Évidemment, il suffit que l'idée vienne d'une femelle pour que monsieur « le grand siamois qui sait tout » estime qu'elle est mauvaise. Il ajoute :

– Ça peut difficilement être pire que la façon dont nous ont traités les chats du sphynx.

– Très bien, finis-je par concéder. Mais on y va seulement toi et moi. Nathalie est trop odorante et trop bruyante, et elle ne voit pas dans le noir. Nous nous ferions repérer tout de suite avec elle.

Pythagore discute avec ma servante. Je m'aperçois que, plus je fixe les yeux de mon humaine, plus j'arrive à la décrypter. Comme tous les humains, elle ne connaît pas vraiment les chiens, et elle les voit comme de simples animaux obéissants et aimants, donc comme des alliés automatiques. Elle oublie que l'effondrement de la civilisation humaine a obligé les chiens à réfléchir à leur condition. Ils ont dû affronter les rats et se sont certainement émancipés de la tutelle de l'homme.

Nous attendons que le soleil se couche, que la nuit obscurcisse tout et nous partons donc, Pythagore et moi, en expédition vers ce village de chiens. Au fur et à mesure que nous approchons, je ressens une forte appréhension. Une grande avenue traverse le village, bordée de maisons anciennes à colombages.

Les chiens sont là, bien visibles. Certains sont étendus, endormis dans la rue.

Une abominable odeur d'urine de non-chat empeste l'air. Si l'urine des chats sent l'herbe fraîche, celle des chiens sent le bois pourri. C'est une sensation très désagréable. J'ai l'impression d'être dans un territoire olfactif qui me martèle que je suis une étrangère et qu'il vaudrait mieux que je m'en aille.

Pythagore et moi continuons cependant à avancer à pattes silencieuses jusqu'à ce qui semble être le centre du village. Des étrons nauséabonds jonchent la rue.

Je n'ai jamais compris comment une espèce pouvait être dénuée de pudeur au point de ne pas se donner la peine de dissimuler ses excréments. Nous les chats, nous avons la délicatesse de nous cacher pour déféquer, puis d'enterrer nos déjections, tandis que les chiens semblent avoir renoncé au minimum de décence et d'hygiène.

Je les examine. Ils sont tout frais.

Ces chiens sont arrivés ici hier.

Les émanations de ces détritus empuantissent l'atmosphère et attirent des nuées de mouches qui émettent un bourdonnement lancinant.

Un bruit sec me fait sursauter. J'en détecte l'origine : dans son sommeil, un chien vient d'émettre une flatulence qui, après avoir fait réagir mon système auditif, fait tressaillir mon dispositif olfactif. L'animal aux joues pendantes enchaîne avec un chapelet de petits pets secondaires d'intensité sonore et olfactive moindre.

Je ressens de nouveau une irrépressible envie de rire. Pythagore

191

comprend rapidement le danger, il me pousse brutalement dans un coin.

— Arrête ça tout de suite ! Tu vas nous faire repérer !

Le seul fait que cela soit interdit a un effet paradoxal : j'ai encore plus envie de m'esclaffer. Je parviens pourtant à me retenir.

— Mais que m'arrive-t-il ? En tant que chatte, je ne suis pas censée savoir rire ! lui dis-je, un peu navrée.

— Nous pouvons rire, c'est juste que nous ne le faisions pas jusque-là parce que nous sommes habitués à tout prendre au sérieux. Cela prouve que tu es désormais un peu plus qu'une simple chatte.

— Qu'est-ce que tu veux dire par là ?

— Je crois que tu es en train de t'humaniser de plus en plus vite.

Il a raison. Je suis fière d'avoir des comportements humains, c'est pourquoi je ne les réprime pas ou je les réprime mal. Heureusement mon rire étouffé n'a réveillé personne. Je pense que les chiens ont un sommeil plus difficile à troubler que les chats.

Les molosses autour de nous ronflent. Du coup, je me détends, nous poursuivons notre avancée dans le village des chiens et il me semble que je peux discuter plus aisément avec mon comparse.

— Tu peux me parler un peu de l'histoire des chiens ?

— À l'origine, les chiens et les loups avaient un ancêtre commun, qui devait ressembler davantage à un loup qu'à un chien. C'est au contact des hommes, il y a plus de 15 000 ans, que les chiens ont commencé à changer de forme.

— Pour nous, les chats, c'était plus récent, si je me souviens bien. Il y a 10 000 ans, c'est bien ça ?

– Ce sont ces 5 000 ans d'écart qui ont dû faire la différence dans le rapport qu'ils entretiennent avec les humains : leur complicité est plus ancienne. De plus, durant ce laps de temps, les hommes ont sélectionné les chiens, les ont fait se reproduire pour obtenir des animaux plus faciles à domestiquer. De ce fait, ce ne sont plus des créatures adaptées à la nature, ils sont uniquement faits pour vivre avec les hommes.

Nouveau bruit sec. Pythagore en profite pour illustrer sa démonstration :

– Par exemple, ce bouledogue français est doté d'un système digestif trop court…

– D'où ce son incongru ?

– Il ne pourra jamais s'en empêcher. Et il aura une vie plus courte que celle de ses ancêtres sauvages.

Un autre chien qui dort émet lui aussi un son presque similaire sur ma droite.

– Si le bouledogue français pète en *si* bémol, ce teckel à poil ras le fait en *fa* dièse, précise doctement mon compagnon, toujours avide d'étaler ses connaissances.

Il désigne un autre chien en train de dormir.

– Celui-là, c'est un pékinois. Il a le museau trop court, alors il ronfle.

Plus loin, je vois un autre chien endormi à l'apparence surprenante : il est posé sur la masse de son ventre et ses pattes ne touchent même pas le sol.

– Encore une adaptation à l'homme ?

– En effet : certains chiens deviennent obèses car ils ne chassent pas, ne courent pas assez, passent leurs journées immobiles à manger. Et à la fin ils ressemblent à ça.

De nouveau, je ressens une petite envie de rire. Mais cette fois je ne parviens pas à la contenir. L'effet est immédiat : un chien ouvre les yeux. Il s'approche de nous. Son museau est fin et son corps tout noir est élancé.

– C'est un doberman, me signale Pythagore.

Il grogne et marche lentement vers nous. Aussitôt une dizaine d'autres chiens tous plus grands que nous surgissent de partout. Ils se rapprochent progressivement en montrant les crocs.

– Et maintenant il a prévu quoi, ton plan, Pythagore ?

– Cours !

Dans les secondes qui suivent, moi et le siamois nous retrouvons à galoper de toutes nos pattes dans l'avenue principale du village, poursuivis par le doberman et ses congénères qui aboient furieusement. Finalement, acculés dans une impasse, nous ne pouvons plus avancer. Tous les chiens nous encerclent.

Donc c'est encore à moi d'improviser et de nous sauver la mise. Soyons méthodique, et posons les bonnes questions :

Quels sont nos avantages sur les chiens ? Nous voyons dans le noir, certes. Quoi d'autre ?

Nous savons grimper aux arbres ! J'intime à mon compagnon, en désignant un marronnier :

– Monte dans cet arbre !

Je n'ai pas besoin de le répéter. Grâce à nos griffes, nous nous accrochons à l'écorce tendre tout en sentant des mâchoires canines totalement dépourvues de compassion claquer au ras de nos queues.

Des chiens parviennent cependant à escalader un peu le tronc. Nous montons jusqu'aux branches les plus hautes, donc les plus fines, pour être hors d'atteinte.

En dessous, les aboiements se font de plus en plus furieux. Cela me rappelle la fois où, près du bois de Boulogne, nous avons été sauvés par un réverbère.

La vie n'est qu'un recommencement. Seul le promontoire change.

Pythagore se penche vers moi et murmure :

– Quand même, peux-tu m'expliquer pourquoi tu as couché avec le sphynx ?

– Parce qu'il est beau, dis-je en mentant.

Ce n'est même pas la peine que je lui explique que les individus ne sont pas faits pour se posséder mutuellement, qu'ils sont faits pour être libres... même s'ils sont en couple. Il faudra que j'enseigne cela à Angelo pour qu'il n'exaspère pas ses futures compagnes.

En bas, le vacarme des aboiements ne fait qu'augmenter. Nos vies ne tiennent qu'à la solidité des fines branches sur lesquelles nous sommes juchés.

– Et c'était bien ?

Après tout, s'il me déteste, ma disparition lui sera moins pénible :

– Sans aucun poil, c'est différent. Au début, cela surprend et après on s'y fait.

Il déglutit.

– Ah ? Et c'était mieux qu'avec moi ?

– Peut-être que si tu te rasais, ce serait en effet plus... lisse. Toi qui aimes tant t'humaniser, reconnais que le fait que les mâles humains se rasent leur donne un côté plus propre.

J'ai beau avoir découvert la compassion, à cet instant précis, je reprends goût, pour des raisons mystérieuses, à la méchanceté gratuite. J'ai toujours considéré qu'il vaut mieux être bourreau que victime, et Pythagore m'énerve avec sa jalousie quasi humaine, alors, malgré l'instant un peu délicat, me défouler sur lui me détend et m'aide à relativiser la situation. Il reprend, visiblement affecté :

— Tu ne m'as jamais fait complètement confiance, n'est-ce pas, Bastet ? Pourquoi ? Parce que je suis différent avec mon Troisième Œil, c'est cela ?

J'essaie de penser à une attitude noble malgré le vacarme des aboiements qui résonne en dessous.

— Au lieu de dire des bêtises, réponds-moi : tu penses qu'on peut tenir combien de temps sur ces branches ?

— Au maximum une journée. Passé ce délai, avec la fatigue, on risque de s'endormir et de perdre nos réflexes d'équilibre.

Je frémis. Tous ces chiens furieux en bas m'angoissent.

— Nous en aurons vécu des aventures extraordinaires ensemble, dis-je. Dommage que nous n'arrivions pas à sauver nos amis de l'île de la Cité.

Il cherche lui aussi un sujet pour faire diversion.

— Je crois que nous nous définissons par nos projets personnels.

— Tu as raison, Pythagore. Moi, c'est la communication, toi, c'est la connaissance.

— Esméralda, c'est d'être une bonne mère.

— Wolfgang, c'est de jouir de mets raffinés.

— Hannibal, d'être considéré comme un chat ordinaire.

— Tamerlan, d'envahir le monde et d'installer le règne des rats.

— Le sphynx, d'être tranquille dans son château d'eau.

— Nathalie, de faire renaître le monde d'avant l'Effondrement.

— Patricia veut elle aussi communiquer avec d'autres formes de vie.

— Angelo, c'est de se défouler par la violence.

Et au moment où je prononce ces derniers mots, je repense

précisément à mon chaton. J'aurai vraiment été une mauvaise mère jusqu'au bout. Je vais mourir sans même lui avoir dit que je l'aimais. En fait, je n'ai jamais dit à qui que ce soit que je l'aimais, pour la bonne raison que l'idée ne m'a jusque-là même pas effleurée. Mais découvrir la compassion me fait penser que je dois combler cette lacune.

Je me garde bien d'en informer Pythagore (parce que cela lui ferait trop plaisir et que je trouve qu'à cet instant précis il ne le mérite pas), mais je me dis qu'il va quand même bien falloir que je me lâche un peu, côté sentiments.

Les humains, du peu que j'en ai vu (grâce à Nathalie et à son ex-fiancé, l'ignoble Thomas), ont peut-être une sexualité minable, mais ils ont cette étrange propension à être assaillis de sentiments. Cela se manifeste par des manières de parler, de se caresser, de se regarder dont même moi, en tant que chatte, je perçois l'intensité par tous mes sens. Leurs pupilles se dilatent, leurs bouches sourient et ils ne se quittent plus des yeux.

Nous les chats, nous ne faisons jamais ça.

Parfois, ils se mettent dans cet état et ne font même pas l'amour. Et cela semble les combler malgré tout.

Dire que nous les chats, nous nous croyons plus intelligents qu'eux, alors que peut-être, après tout, nous nous trompons et que ce sont eux qui ont des leçons à nous donner. Des leçons sur la compassion, sur la manière de manifester son amour aux autres.

Bon, je délire parce que j'ai peur.

Le temps passe, et les chiens ne se fatiguent pas. En revanche, moi si. Je crains de m'endormir et de chuter dans leurs gueules baveuses. Alors je me force à ne plus entendre leurs aboiements furieux. Et de nouveau ce sentiment de compassion, cette fois-ci envers Pythagore, est le seul qui me tient éveillée.

197

Je l'aime ?

Ah non ! Il ne manquerait plus que je tombe amoureuse de ce siamois prétentieux.

34. NOS MINUSCULES LOCATAIRES.

Le biologiste américain Richard Dawkins, auteur du livre *Le Gène égoïste*, a proposé une théorie originale : les virus, bactéries, protozoaires ou vers parasites qui vivent dans notre corps influent sur nos comportements sans que nous en ayons conscience. Tapies au fond de nous ou de nos cellules, ces entités de taille infime ont des projets pour nous, que nous écoutons malgré nous. De ce fait, si nous accomplissons parfois des actes incompréhensibles, c'est parce que ces locataires invisibles entendent se servir de nous pour se propager.

Dawkins s'était aperçu, par exemple, que les patients atteints de la syphilis – qui est une bactérie – avaient davantage envie d'avoir des rapports sexuels que des personnes saines. Il en avait déduit que la syphilis avait pour projet de se diffuser au maximum, ce qu'une multiplication des relations sexuelles de ceux qui en étaient porteurs favorisait.

Chez les fourmis, la douve du foie, minuscule ver qu'elles ingèrent accidentellement, prend le contrôle de leur cerveau. La douve du foie, une fois qu'elle est dans le corps de la fourmi, réveille son hôte la nuit et la transforme en zombie, au point que celle-ci se place au sommet des herbes en attendant d'être ingurgitée par les moutons. Grâce à cela, la

douve peut poursuivre son évolution dans le système digestif de l'ovidé, et ainsi se reproduire.

Dans le cas des chats, l'hôte indésirable cherchant à se propager serait la toxoplasmose. Le chat est en effet porteur
de ce protozoaire (*Toxoplasma gondii*) qu'il laisse dans ses
excréments et son urine. Le professeur Jaroslav Flegr, spécialiste des parasites, avait déjà constaté que les rats avaient
une répulsion naturelle envers l'odeur d'urine du chat, mais
que, une fois qu'ils avaient ingurgité le parasite de la toxoplasmose, ils étaient au contraire très attirés par cette odeur,
ce qui permettait aux chats d'attraper les rats infectés beaucoup plus facilement avant de les manger, et donc facilitait
la reproduction du protozoaire.

Pour ce qui est des humains, on sait que la toxoplasmose
est un parasite qui ne présente aucun symptôme apparent,
mais qui peut être dangereux pour la femme enceinte,
puisqu'elle risque de perturber la croissance de son fœtus.
Il n'existe à ce jour aucun vaccin ni aucun remède contre la
toxoplasmose.

Toutefois, d'autres études du professeur Flegr ont prouvé
que ce parasite changeait aussi le comportement de ses
hôtes humains. Tout comme pour les rats, les hommes qui
seraient atteints de toxoplasmose (on estime que ce serait le
cas de plus de 30 % de la population humaine) verraient
leur sensibilité olfactive changer : ils trouveraient l'odeur
d'urine des chats agréable, seraient anormalement attirés
par leur présence et auraient des difficultés à se retenir de
les caresser.

Autre effet curieux : ceux qui ont été contaminés par la
toxoplasmose seraient tentés de prendre plus de risques.

C'est ce que, en 2002, le professeur Flegr a découvert en menant une étude sur le comportement en voiture : les personnes atteintes de toxoplasmose rouleraient plus vite et seraient trois fois plus nombreuses à avoir des accidents.

Encyclopédie du Savoir Relatif et Absolu.
Volume XII.

35. PERCHÉE DANS UN ARBRE.

Il y a des jours où l'on se dit qu'on ferait mieux de rester couché. Si ce n'est que, ce matin, je ne suis pas vraiment couchée, mais plutôt suspendue en équilibre instable en haut d'une branche.

Vous admettrez que ce n'est vraiment pas le meilleur endroit pour se reposer. Sans compter qu'en dessous de nous il y a toujours cette meute de chiens qui aboient stupidement sans le moindre répit.

– Allez, couchés ! À la niche ! miaulé-je.

Pythagore lâche un soupir.

– Économise ta salive, nous avons besoin de conserver toute notre énergie pour tenir le plus longtemps possible. Respire amplement pour ne pas avoir de crampes.

Les aboiements montent d'un ton. Tout en cherchant l'équilibre sur la pointe de la branche du marronnier, je demande :

– Ils ne se fatiguent jamais, ceux-là ?

– Ils se relaient. Regarde bien, ce ne sont pas les mêmes qu'hier soir.

– Il aurait fait quoi, ton homonyme humain dans cette situation ?

– Tu veux dire si le philosophe Pythagore était perché en haut d'une branche d'arbre pour échapper à des chiens qui veulent le déchiqueter en lambeaux ? Eh bien, je pense qu'il aurait appelé au secours.

J'ai l'impression soudaine que quelque chose vient de se craqueler dans mon esprit.

– Mais pourquoi tu ne contactes pas Nathalie ?

Nous sommes stupides. Je suis stupide. Peut-être que la peur et la panique nous ont empêchés de réfléchir sereinement. Les humains, on n'y pense jamais. Nous avions une fois de plus tous les deux oublié ma servante. Dans les secondes qui suivent, Pythagore échange avec Nathalie, puis il se tourne vers moi, rassuré.

– Elle attendait notre appel. Elle s'inquiétait. Elle arrive.

En effet, je vois s'avancer dans la rue enfin éclairée par la lumière du jour montante notre humaine préférée. Splendide apparition. Les chiens, surpris par cette silhouette bipède, cessent leur vacarme et déjà certains viennent la renifler en agitant la queue. Elle est majestueuse avec ses cheveux noirs, se rapproche du marronnier de sa démarche altière. Je perçois à distance son parfum. Tout dans son attitude inspire le respect. Qu'elle est belle.

Les chiens, surpris, hésitent puis s'éloignent sur son passage. Des années de servilité auprès de leurs maîtres ont généré des automatismes.

– Bastet ! crie Nathalie, émue, en me faisant signe de descendre.

Je saute de l'arbre et elle me réceptionne dans ses bras ouverts. Pythagore fait de même. Prudents, nous restons tous les deux juchés sur ses épaules.

Les aboiements et les grognements ont complètement cessé. Nathalie parle dans sa langue aux chiens.

« Couché-allez-couché ! »

Je me doute que, même s'ils ne comprennent pas les mots qu'elle prononce, ils saisissent ses intonations et ses émotions.

Elle parle et prononce d'autres mots. Les chiens écoutent avec attention, ils remuent la queue de manière interrogative. Je demande à Pythagore :

– Qu'est-ce qu'elle leur dit ?

– Je pense qu'elle cherche à identifier le chef de meute.

– Et tu crois qu'ils vont la comprendre ?

– À force de vivre près des humains, beaucoup de chiens perçoivent leur langage à leur manière. Il paraît même que certains chiens arrivent à comprendre plus de deux cent cinquante mots du langage humain.

Maintenant qu'ils m'effraient moins, je les observe mieux. Il y a des chiens de toutes tailles, de tous poids, avec des queues plus ou moins longues, aux couleurs diverses. Beaucoup d'entre eux portent des marques de morsures, souvenirs de combats contre les incisives des rats, je suppose. Quelques-uns ont perdu une patte.

Enfin, un chien aux longs poils blancs et noirs s'avance. Tous s'écartent devant lui. Je chuchote en direction de Pythagore :

– C'est quoi, ça, comme race ?

– Un border collie. C'est un chien d'origine écossaise jadis utilisé comme gardien de troupeaux. Il est censé être (tout du moins selon les critères humains) le chien le plus intelligent, celui qui comprend le plus de mots et aussi celui qui se laisse le plus facilement dresser, notamment pour les spectacles de cirque.

Le border collie s'arrête à petite distance de notre servante. Il retrousse ses babines, dans un signe de possible attaque.

Je l'observe selon mes critères. Sa queue est ramenée sous son ventre pour se protéger, ses oreilles sont dressées pour qu'il puisse détecter le moindre mouvement. Chez nous, ces deux attitudes signifient que nous sommes en confiance, chez eux, qu'ils sont prêts à attaquer.

Nathalie se met à genoux et tend sa main, paume tournée vers le haut. Ma mère me l'a déjà expliqué : « C'est un geste d'accueil. Quand les humains mettent leur main en avant, bien en hauteur, paume tournée vers le bas, c'est qu'ils veulent dominer. Quand ils la mettent au ras du sol, paume tournée vers le haut, c'est pour établir un rapport ou que ce sont eux les dominés. »

Le border collie a un instant d'hésitation, puis relâche sa queue et rabaisse ses oreilles. Tous les chiens alentour changent dès lors complètement d'attitude.

L'un d'entre eux m'apporte même un sac de croquettes tout neuf. Je le renifle et reconnais que ce sont des rations au poulet et aux herbes de Provence. Alors que je déguste ces friandises, l'un des chiens, repérant ma blessure consécutive à la bagarre contre la fauconne, se met même à la lécher. J'ai d'abord un mouvement de recul.

– Laisse-toi faire, murmure Pythagore, la salive de chien est désinfectante.

Le border collie et Nathalie continuent de dialoguer à leur manière et ce dernier semble comprendre, puisque, au bout d'un moment, il aboie différemment et se met à trotter vers le fond du village. Il s'excite tout seul, respire en sortant sa longue langue rose et lâche des petits jappements. Il semble impatient.

– Il veut qu'on le suive, dit Pythagore.

Nous quittons donc le village des chiens après avoir traversé une double rangée de nos admirateurs canins. Tous se mettent à aboyer, comme s'ils nous souhaitaient bonne route.

– Finalement les chiens sont plus amicaux envers nous que les chats, je dois bien le reconnaître. Je les ai peut-être mal jugés.

– Il y a un proverbe humain qui dit : « Il n'y a que les imbéciles qui ne changent pas d'avis. » C'est tout à ton honneur d'avoir revu tes préjugés sur les chiens, Bastet.

Au moment de quitter nos compagnons canins, je tente d'aboyer l'idée suivante : *Vous êtes des chiens mais pourtant je vous estime.* Certains aboient en retour, certainement pour signifier la même chose.

Nous marchons avec pour unique guide le border collie. Quelque chose me le rend sympathique, mais je n'arrive pas à trouver quoi. Peu après, nous arrivons à l'endroit où il voulait nous amener. Le lieu en question est entouré de barrières de fils de fer barbelés entrecoupées de tourelles. Et derrière, on aperçoit des habitations. Une odeur de pieds humains flotte.

Après Versailles, le palais occupé par les rats, le château d'eau des chats, le village des chiens, voilà enfin un regroupement de maisons occupées par des… hommes.

Le border collie aboie en agitant la tête. Nathalie s'adresse à Pythagore, qui m'explique :

– Elle reconnaît l'endroit. Elle dit que c'est l'université d'Orsay, qui rassemble les plus experts en sciences.

– Parfait. Je commençais à en avoir marre de tomber sur des êtres qui ne réfléchissent pas.

Et au moment même où je prononce ces mots, je me dis que je suis injuste. En réalité, j'ai rencontré récemment beaucoup d'animaux remarquablement intelligents, à commencer par ce chien qui nous a conduits ici.

36. L'INTELLIGENCE DES ANIMAUX.

Selon les critères humains, les animaux les plus intelligents sont dans l'ordre :

1. Le chimpanzé. Il sait utiliser des outils, par exemple un bâton pour chercher des insectes dans l'écorce d'un arbre. Il peut même créer des outils, communiquer par le langage des signes. Il sait associer des dessins à des personnes ou à des objets. Il sait s'organiser en groupe pour former une sorte de tribu. Le chimpanzé bonobo a recours à la sexualité pour apaiser les tensions diplomatiques.

2. Le dauphin. Il a une vie sociale, il peut mettre au point une stratégie avec d'autres dauphins pour encercler un banc de poissons de la manière la plus efficace. Il aime jouer. Il utilise un langage très complexe dans lequel il peut nommer chaque individu spécifiquement, selon qu'il estime que l'autre est supérieur ou inférieur à lui. Il peut comprendre des notions comme « toucher », « intérieur », « extérieur », « gauche », « droite ». Il peut inventer ses propres jeux et apprendre aux humains à y jouer.

3. Le porc. Il sociabilise facilement. Il sait ce qu'est un miroir et a une conscience de lui-même en tant qu'individu. Il apprend vite, corrige ses erreurs. Il sait inventer et se détendre par des jeux. Il peut s'organiser en groupe. Il aime et protège sa famille, éduque ses petits. Il peut saisir avec son groin une branche pour s'en servir comme d'un outil, pour exercer par exemple un effet de levier.

4. L'éléphant. C'est un animal sociable, intégré dans une société hiérarchisée autour d'une femelle âgée dominante. L'éléphant est altruiste, il peut aider les plus faibles. Il sait

aussi se reconnaître dans un miroir et utiliser une branche comme outil. Un rituel complexe est mis en place par le groupe lorsque l'un de ses membres meurt.

5. Le corbeau. Jeune, il vit en bande, constituée de congénères du même âge. Chacun y occupe une place déterminée. Arrivé à l'âge adulte, le corbeau s'installe en couple et construit une famille. Il sait compter jusqu'à 8. Il peut accéder à de la nourriture hors d'atteinte en résolvant toute une série de petites épreuves. Il se reconnaît dans un miroir. Il peut prendre une pierre dans son bec pour briser un œuf.

6. Le poulpe. C'est un animal courageux, curieux de tout, il apprend vite, trouve des solutions pour résoudre ses problèmes, met au point des stratégies de chasse. Il sait utiliser des outils et va même jusqu'à manipuler des noix de coco pour se construire des casques protecteurs. Dans un labyrinthe, il est l'animal le plus rapide pour trouver la sortie.

7. Le rat. Il bénéficie d'une mémoire exceptionnelle lui permettant de retenir les meilleurs chemins et les moyens de franchir des passages dangereux. Il sait vivre en groupe parfois très large et intègre une hiérarchie où il respecte ses supérieurs et domine ses subalternes. Le groupe possède des rituels de mise en quarantaine lorsque l'un de ses membres a absorbé des aliments inconnus, afin d'éviter la contamination. Il sait tirer des leçons de ses réussites et de ses échecs passés.

8. Le chat. Il a une grande capacité d'apprentissage, il sait vivre seul ou en groupe. Il est curieux de tout ce qui est nouveau, il est joueur. Il a une activité onirique très riche, qui a inspiré les chercheurs pour comprendre les méca-

nismes du rêve. C'est un animal qui sait s'adapter à toutes les situations nouvelles.

9. Le chien. Il a une intelligence émotionnelle qui lui permet de percevoir parfaitement ce que ressentent ses maîtres. Il est fidèle et a su tisser une relation privilégiée avec les humains. Il est capable de manifester son amour pour son humain de référence de multiples manières.

10. Les fourmis. Même si elles n'ont pas une intelligence de type « humain », elles sont au sommet de la sociabilité, puisqu'elles sont capables de construire des cités de plus de 50 millions d'individus qui fonctionnent en parfaite harmonie (par exemple les fourmis rousses des bois qu'on trouve dans les forêts européennes). Elles connaissent l'agriculture (elles font pousser des cultures de champignons dans leurs sous-sols), la guerre, l'élevage (de pucerons dont elles extraient le miellat), l'architecture (elles construisent des cités pyramidales équipées de solariums et d'un système de ventilation efficace).

> Encyclopédie du Savoir Relatif et Absolu.
> Volume XII.

37. L'UNIVERSITÉ D'ORSAY.

Nathalie lance un caillou en direction de la clôture de barbelés. Cela provoque un craquement et un jaillissement d'étincelles.

– C'est bien ce que je pensais, ce sont des barrières électrifiées à haute tension, dit-elle au siamois qui me le traduit aussitôt.

– Cela veut dire quoi ?

– Cela signifie que si on touche à ces fils, on reçoit une décharge d'énergie qui nous tue sur le coup.

Nous nous approchons et constatons que cette barrière est constellée de centaines de cadavres de rats noirs carbonisés qui ont appris à leurs dépens qu'il existait une technique pour résister à leur invasion.

Enfin une parade contre les rats qui semble efficace...

Nathalie repère l'entrée principale. C'est une porte épaisse flanquée de deux tourelles de bois. Tout cela semble avoir été ajouté récemment, probablement après l'Effondrement.

Au moment où nous arrivons devant, au sommet du poste de guet apparaît un humain qui lâche une rafale de projectiles aux pieds de ma servante. Nous nous arrêtons net. Le border collie aboie en guise d'adieu et s'en va en remuant la queue, satisfait d'avoir rempli ce qu'il estimait être sa mission de chien.

Un dialogue s'instaure entre ma servante et l'homme sur la tourelle. Ils parlent en humain donc je ne comprends rien (ça m'énerve tous ces clappements de bouche dont je ne saisis pas le sens). Mais elle doit déployer de bons arguments puisque la porte finit par s'entrouvrir sur un humain à l'étrange combinaison argentée qui le rend volumineux.

Un casque sphérique entoure sa tête et un vêtement large lui recouvre tout le corps. Il tient une valise.

Pythagore m'explique.

– C'est un costume de cosmonaute : c'est ce qui leur permet d'aller sur la Lune. Je crois qu'on appelle cela un scaphandre.

– Pourquoi porte-t-il cette tenue ?

– Cela évite tout contact avec l'air, donc avec les microbes. Ils doivent encore avoir peur de la peste.

L'homme dans le scaphandre brandit une raquette. Après avoir examiné Nathalie avec cet ustensile qui produit des lumières et des grésillements, il procède à un examen minutieux de ma fourrure et de celle de Pythagore. Puis il prélève un peu de ma salive avec un bâtonnet, me pique avec une seringue pour aspirer mon sang et nous fait signe d'attendre. Il ouvre sa valise, en sort plusieurs appareils. Il se livre à diverses manipulations avec des éprouvettes. Il nous asperge ensuite d'un produit qui sent très fort.

– C'est du désinfectant. Ça tue les bactéries, explique le siamois.

L'homme nous recouvre avec une poudre jaune.

– Ça, c'est pour tuer les poux ou les puces, vecteurs de la peste.

Enfin, l'homme en scaphandre fait un signe du pouce à son collègue en haut de la tourelle, qui déclenche l'ouverture des portes.

Nathalie nous prend tous les deux sur ses épaules pour bien montrer que nous sommes indissociables. Nous entrons dans l'université d'Orsay.

En fait, c'est plus grand qu'un village, c'est comme une petite agglomération aux maisons de styles différents. De nombreux arbres donnent à ce lieu des allures de grand jardin parsemé d'habitations. Tout semble intact, comme s'il n'y avait pas eu de crise, de peste ou de guerre. Les humains qui circulent ont en commun de porter des blouses blanches.

Ma servante et l'homme en scaphandre (qui a maintenant enlevé son casque) discutent en marchant. Pythagore me traduit :

– C'est bien l'université d'Orsay, une université très prestigieuse. Ici sont développées les technologies les plus avancées dans plusieurs domaines scientifiques. Lors de l'Effondrement, les professeurs et les étudiants s'y sont retranchés comme dans un sanctuaire. Ils ont tout fait pour se protéger des dangers du monde extérieur.

– Et ils consentent à nous laisser entrer? je demande, incrédule.

– Si nous faisons bien attention à ne pas mettre leur sécurité en danger et à ne pas troubler leur communauté, ils nous offrent l'hospitalité.

– Ils ne seraient pas un peu… Il n'existe pas un mot pour désigner ceux qui ont peur de tout?

– « Paranoïaques ».

Encore un joli mot de vocabulaire que je peux ajouter à ma collection.

– Dans ce cas, il faut bien admettre que les plus paranoïaques survivent quand les optimistes sont déjà morts, ironise Pythagore.

Optimiste. Oui, je connais ce mot. Ma mère disait que « les optimistes sont des gens mal informés ». Elle avait le sens de la formule.

Nous sommes guidés vers un bâtiment d'allure plus ancienne, aux murs rose clair. Nous montons un escalier de marbre pour arriver devant une porte noire.

Je découvre une pièce remplie d'écrans et de machines. Au milieu, un bureau derrière lequel trône un vieil humain aux longs cheveux blancs, équipé de grosses lunettes épaisses. Il est lui aussi vêtu d'une blouse blanche, et de nombreux stylos dépassent de la poche de son poitrail; c'est peut-être un signe de mérite.

Une cicatrice lui barre le front, qui ressemble fort à la trace que laissent des incisives de rat.

L'homme aux poils blancs discute avec celui qui nous a accueillis, puis il fait signe à Nathalie de s'asseoir dans le grand fauteuil en face de lui.

De nouveau les humains dialoguent en produisant avec leur bouche des sons et des clappements de langue. Pythagore me traduit :

— Cet homme s'appelle Philippe Sarfati et c'est le directeur de l'université. Quand la situation a tourné à la guerre civile, les étudiants et les professeurs d'université se sont installés là, se sont armés et ont repoussé les attaques des groupes violents. En tant que lieu d'éducation, l'université était une cible privilégiée des fanatiques religieux, d'autant plus qu'ici les femmes ont le droit de recevoir un enseignement au même titre que les hommes. Les Orsayens ont connu beaucoup de pertes durant l'Effondrement, mais ils ont appris à se défendre. Après avoir survécu au terrorisme et aux épidémies, ils ont installé ce haut mur de barbelés pour éloigner les rats, et des tourelles dotées de mitrailleuses pour se protéger des fanatiques religieux. Ils se sont complètement coupés de tout contact extérieur. Ils ont établi un protocole afin d'éviter les risques de contamination. Puis, quand les rats ont commencé à attaquer, les Orsayens ont électrifié les barbelés. Beaucoup de rats sont venus y griller. Ils sont de plus en plus nombreux à mourir contre la barrière, comme s'ils voulaient vérifier qu'elle marche toujours.

Toutes ces informations me passionnent.

— Je crois vraiment que nous sommes arrivés au bon endroit, dis-je.

— Ici, poursuit Pythagore, tout est conçu pour fonctionner avec le minimum d'apport extérieur, en écosystème clos. C'est un peu ce que nous voulions faire sur l'île aux Cygnes puis sur l'île de la Cité, mais en mieux organisé. Les humains ont leurs propres cultures de fruits et de légumes. Avant l'Effondrement, il y avait en permanence 30 000 étudiants, 2 000 professeurs et 1 000 chercheurs travaillant dans 82 laboratoires, le tout sur 200 hectares.

Je ne sais pas bien à quoi tout cela correspond, mais je pressens que c'est encore plus grand que tout ce que je pensais.

– D'ici sont sortis deux prix Nobel de physique et quatre médailles Fields, ce sont des récompenses pour les humains qui font des recherches scientifiques. Cela signifie que ces humains sont vraiment très intelligents.

Je lâche un soupir de satisfaction. Quel plaisir de me trouver avec les plus dégourdis de leur espèce. Ils pourront probablement plus facilement me comprendre.

Nathalie dialogue encore avec l'homme aux longs cheveux blancs. Ils hochent la tête en alternance, pour se signifier qu'ils sont d'accord. J'espère qu'elle n'oublie pas de lui expliquer que nous avons besoin d'aide pour secourir les nôtres. Pythagore me livre un compte rendu en temps réel.

Le dénommé Philippe signale qu'actuellement les Orsayens ne souhaitent surtout pas sortir de leur zone sécurisée. Ils considèrent qu'il y a encore trop de travaux importants à accomplir dans ce lieu stratégique pour prendre le moindre risque à l'extérieur. Pour illustrer ce qu'il dit, l'homme aux cheveux blancs saisit une télécommande et allume un écran qu'il commente. Pythagore me traduit ce qu'il dit :

– On peut voir sur cette carte du monde l'emplacement de toutes les communautés humaines qui ont survécu à la peste. Sur 8 milliards d'humains avant la crise, il ne reste, à son sens, tout au plus que un seul milliard de survivants. Ce sont surtout les grandes capitales qui ont subi le plus de ravages à cause des densités de population et de la promiscuité des individus qui n'ont fait qu'exacerber les tensions communautaires et diffuser les épidémies. Les humains vivant dans des agglomérations isolées n'ont en revanche connu que peu d'invasions de rats. Certains humains se sont aussi réfugiés sur des îles ou en haute montagne, ce qui leur a permis d'échapper au pire.

Philippe poursuit :

— Toutefois, même si les humains ne sont plus les maîtres absolus de la planète, tant que l'électricité et Internet fonctionnent (grâce aux centrales nucléaires entièrement automatisées qui tournent toujours), ils pourront survivre et conserver leurs connaissances. La faculté d'Orsay entend bien jouer ce rôle de sanctuaire et de diffuseur de la connaissance, non seulement en France mais dans le monde.

L'homme aux cheveux blancs fait apparaître des images de bâtiments beaucoup plus imposants. Pythagore me traduit la suite de son propos :

— L'université d'Orsay entretient des liens privilégiés avec celle de New York. Là-bas, les humains de l'île de Manhattan ont trouvé un raticide efficace. Ainsi, ils ont pu se débarrasser de tous les rats de Manhattan qui est devenue à son tour un sanctuaire.

Ai-je bien entendu ? Un raticide efficace !

— S'ils ont trouvé une solution, pourquoi ils ne nous la donnent pas ?

— Certains produits qui entrent dans la composition de ce raticide n'existent malheureusement que là-bas et il n'y a plus d'avions qui fonctionnent pour nous les apporter. Un bateau est parti de New York, avec à son bord ce précieux produit, mais il n'est jamais arrivé. Soit il a coulé, soit ses occupants ont été attaqués lorsqu'ils ont débarqué.

J'intègre cette nouvelle information passionnante.

Donc il existe une parade, c'est juste que nous n'y avons pas encore accès !

– D'autres bateaux sont partis après ce premier échec. S'ils parviennent à destination, nous pourrions bien être débarrassés des rats.

– Encore faut-il qu'ils ne se fassent ni couler ni intercepter…

– Ne sois pas négative, Bastet.

Les humains parlent encore, Pythagore me traduit :

– Pour la reconstruction du monde futur, les Orsayens ont un atout : un centre informatique qui stocke le maximum d'informations. Le directeur veut nous le faire visiter.

Philippe nous guide vers un bâtiment hémisphérique de couleur gris clair.

À l'intérieur, d'énormes armoires sont remplies de petites lumières qui clignotent. Dans un box en verre, je distingue un bureau recouvert de plusieurs écrans et claviers, devant lesquels se trouve un homme assis qui nous tourne le dos. Il se retourne. Il porte lui aussi une blouse blanche. Il a des cheveux bruns, des yeux noirs, des lèvres charnues, des lunettes bleues.

Comme à leur habitude, les deux humains se serrent la patte (de la même manière que nous nous touchons la truffe pour nous saluer), puis se mettent à parler. Philippe prend la parole et explique :

– Ce lieu est surnommé le cerveau de l'université. Quant à cet homme, c'est le professeur Roman Wells, le « gardien de la mémoire ». En fait, Roman a développé ici un projet personnel ambitieux : réunir toutes les connaissances de l'humanité pour qu'elles ne risquent plus d'être perdues.

L'homme aux lunettes bleues a l'air timide, il discute avec ma servante Nathalie mais n'arrive pas à fixer son regard. Il semble même impressionné par elle au point de bafouiller. Je sens qu'il se passe quelque chose entre eux. Nous les chats nous percevons très bien les énergies qui passent entre les mâles et les femelles, quelle que soit leur espèce.

Philippe présente un peu plus ce jeune homme :

– Roman est celui qui a conçu le système de protection électrifié autour du campus. Mais c'est aussi le plus innovant des chercheurs de notre université. Il est obsédé par la conservation des connaissances. Il considère que tout ce qui n'est pas fixé dans un livre ou dans une mémoire est oublié et que ce qui est oublié est comme ce qui n'a jamais existé.

J'aime cette idée. Pythagore continue de traduire la conversation, en ajoutant des commentaires de son cru :

– C'est pourquoi il est devenu encyclopédiste. Et tu ne sais pas le plus étonnant ? C'est lui qui diffuse l'ESRA sur Internet.

– L'ESRA, c'est quoi déjà ?

– L'Encyclopédie du Savoir Relatif et Absolu. Tu sais, le site informatique dont je te parle si souvent, celui qui contient des informations aussi bien sur l'histoire, la biologie, la physique, la psychologie.

– Comment se fait-il qu'une seule personne s'occupe de quelque chose d'aussi important ?

– Je crois que Roman est le descendant du créateur du concept. Et ce n'est pas tout, outre l'ESRA, Roman a réuni d'autres encyclopédies : Universalis, Britannica, Diderot, une sélection de plusieurs millions de textes de Wikipédia. À quoi il a ajouté des centaines de milliers de films, de musiques, de livres de toutes les époques et de tous les pays. Il a appelé cela l'ESRAE, « E » signifiant « étendue ». C'est une sorte de réserve de tout ce qu'il estime être le plus intéressant et le plus complet dans le savoir humain.

J'adore cette idée. Pythagore surenchérit :

– Il prétend l'avoir réuni dans un seul objet transportable qui peut tenir dans la main.

– Dans une main d'humain ? On peut la voir, cette mémoire ESRAE portable ?

– Justement, Nathalie vient de lui poser la question.

Roman Wells hésite. On dirait qu'il a plutôt envie de répondre non. Cependant, comme il ressent des giclées d'émotions fortes devant cette femelle humaine, il passe outre à ses principes.

Il ouvre un coffre-fort d'où il extrait une clef USB pas plus grande que ma langue. L'objet est de couleur bleu foncé, orné d'une étoile blanche. Vaguement déçue, je ne peux m'empêcher de demander :

– C'est ça, tout le savoir des hommes ?

Pythagore écoute ce que le gardien de la mémoire exprime puis me traduit :

– Roman signale que c'est une performance de miniaturisation qu'ils ont réussie en exclusivité dans cette université. Cette clef contient 1 zettaoctet d'informations.

– C'est quoi un zetta ?

– C'est une unité de mesure. Si tu te souviens bien de ce que je t'ai signalé à propos des clefs USB : 1 méga contient un million d'octets, 1 giga un milliard. Or, un zetta, c'est… un milliard de gigas. Donc un milliard de milliards d'octets.

Donc c'est beaucoup-beaucoup-beaucoup.

– Il dit qu'elle est protégée par une coque en titane, qui la rend très solide, blindée, étanche, capable de résister aux balles, à l'eau, à la pression, mais aussi aux rayonnements et aux radiations d'une déflagration nucléaire.

L'homme aux lunettes bleues ne laisse pas longtemps l'objet

précieux entre les mains de Nathalie, et le range rapidement dans le coffre-fort dont il déclenche aussitôt la fermeture.

Nous ressortons. L'université sent bon. Il n'y a plus ces relents d'odeurs de pourriture, de cadavre, ou de bois brûlé qu'empestait le village investi par les chiens. Ici, cela sent plutôt le pin et la lavande. Partout des bosquets fleuris attirent les abeilles. Il n'y a pas la moindre mouche.

Les humains sont souriants, presque tranquilles, comme s'ils ignoraient les horreurs qui se passent en dehors de leur enceinte. *Ils ont créé leur paradis, un jardin entouré d'un mur, même si ce mur, ce sont des barbelés électrifiés.*

Je repère des arbres fruitiers que j'identifie par leur seule fragrance : citronniers, poiriers, cerisiers, figuiers. On aperçoit aussi des vignes, des champs remplis de tomates ou d'aubergines.

Nous nous retrouvons ensuite pour déjeuner dans leur cantine. Nous sommes les seuls chats. Ma servante est en face de Roman Wells.

Pythagore écoute et me traduit :

– Roman parle de son ancêtre, le professeur Edmond Wells. C'était un biologiste spécialisé dans l'étude des fourmis. Comme il avait la hantise de perdre la mémoire, il notait tout ce qu'il découvrait, à l'origine sur du papier, puis dans un livre, puis dans un fichier informatique. Ce fichier est devenu l'héritage familial et ses descendants se le sont transmis sur trois générations, apportant chaque fois leur touche personnelle. Roman Wells, qui a reçu une formation de physicien et d'informaticien, a ainsi décidé d'inventer une nouvelle science, la science des encyclopédies, qu'il a appelée « encyclopédologie ». Il a appris aux étudiants d'Orsay comment réunir en un minimum de place un maximum d'informations. Lorsque la guerre civile a commencé, il a tout de suite compris le danger et accéléré sa mission, craignant que les humains perdent leur mémoire. D'où son ESRAE.

— En d'autres termes, tant qu'ils auront cette clef USB, le savoir que les hommes ont accumulé depuis plusieurs milliers d'années ne sera pas complètement perdu.

— Il suffira de la brancher à un ordinateur pour que l'humanité puisse se rappeler tout ce qu'elle a découvert autrefois.

— L'humanité, voire… comment on pourrait dire ? C'est quoi le mot latin pour les « chats » ?

— La racine du mot est *felis*.

— Alors, au lieu de l'humanité, adviendra bientôt la « félicité » ? Ma trouvaille impressionne Pythagore.

— La félicité ? C'est drôle que tu inventes ce mot précis, car il a un autre sens pour les humains : il désigne un état de bien-être total.

J'aspire à établir la félicité dans l'univers.

— Ils ont parlé d'un milliard d'humains survivants actuellement, mais à combien penses-tu que la félicité est estimée ?

— Selon la dernière estimation que j'ai trouvée sur Internet, nous sommes 500 millions de chats, qui nous répartissons à peu près en 450 millions de chats domestiques contre 50 millions de chats sauvages.

— Donc la course à la suprématie se fait entre 1 milliard d'humains, 500 millions de chats et combien de rats ?

— Avant la crise, on pense qu'ils étaient environ 30 milliards ; mais depuis que les humains ont perdu le contrôle, ce chiffre a dû doubler.

Cette réponse me fait mesurer l'ampleur de la menace. Une humanité et une félicité qui diminuent, face à une « raticité » en pleine explosion démographique.

Je regrette presque d'avoir posé cette question. J'essaie de trouver rapidement un autre sujet pour ne plus y penser. J'observe les deux humains parler près de nous. Lui a toujours l'air timide, elle méfiante, mais au moins ils dialoguent. J'interroge Pythagore :

– Tu crois que ces deux humains vont avoir une saillie ?

– Tu plaisantes ? La parade nuptiale chez les humains est très longue et très compliquée ; cela peut durer des jours, voire des semaines ou des mois avant que le mâle ose déclarer son désir et que la femelle lui accorde ses faveurs.

Je pense que mon collègue exagère. Il a toujours voulu m'impressionner en caricaturant les traits du monde humain.

– Et, selon toi, ce professeur Roman Wells peut réussir ?

– Bien sûr.

– Et comment va-t-il la convaincre ?

– En discutant avec elle. La difficulté, vois-tu, c'est de ne pas avoir l'air de vouloir la saillie. C'est cela qui est compliqué, et même paradoxal : dès que la femelle sent le désir de l'homme, son propre désir s'éteint et elle le repousse.

– C'est stupide.

– Mais nécessaire. Elle ne veut pas avoir l'air d'une femelle facile qui se donne au premier venu.

Ils sont quand même bien compliqués, ces humains. Je comprends que leur reproduction prenne tant de temps.

– Cela rassure aussi le mâle, qui considère que plus une femelle est difficile à conquérir, plus elle doit avoir de valeur, ajoute mon compagnon, en grand expert de la reproduction humaine.

Je me gratte l'oreille avec ma patte droite.

– Ah ? Mais alors, comment ils font pour gérer leurs pulsions sexuelles ?

Pythagore me répond en chuchotant.

– Ils ont des films pornographiques…

– Hein ? C'est quoi, ça ?

– Des humains, mâles et femelles, se filment en train d'avoir des rapports sexuels ; quand les autres humains voient ces films cela les excite comme si c'était la réalité.

– Impossible !

– Si, parce qu'ils ont dans le cerveau des « neurones miroirs », qui font que ce qu'il se passe à l'écran les touche comme s'ils le vivaient en direct.

Alors ils ressentent l'excitation des autres comme j'ai ressenti la douleur d'un autre être avec la compassion ?

Je me dis que, décidément, je ne comprendrai jamais les mœurs humaines. Il ne me viendrait jamais à l'esprit de m'exciter en regardant d'autres chats faire l'amour, qui plus est dans un film.

En même temps, je me dis que pouvoir faire l'amour sans partenaire est finalement une forme d'autonomie. Et puis, si la limite n'est que l'imagination, cela m'ouvre des perspectives nouvelles.

Pour un peu, je les envierais presque.

Après le déjeuner, le directeur, Philippe, nous montre la chambre d'étudiant qui nous accueillera au sein de l'université. Ma servante s'y installe, et nous passons le reste de la journée à explorer ce lieu extraordinaire préservé des vicissitudes de l'Effondrement.

Les bâtiments font rarement plus de deux étages et donc ne dépassent pas la hauteur des arbres. La nature se mêle harmonieusement à l'université. J'y vois pour la première fois depuis longtemps une communauté d'humains adultes qui sourient, qui chantonnent, qui ont l'air heureux. Je crois que j'avais perdu de vue l'idée qu'ils pouvaient aussi être tranquilles et joyeux. Pour moi, les humains n'étaient que des animaux qui géraient un stress permanent.

Je vois des couples qui s'embrassent ou qui se roulent dans l'herbe (tous ne sont pas aussi timides que Nathalie et Roman), des enfants qui jouent au ballon, des personnes âgées qui rient comme cela m'est arrivé récemment.

Enfin un monde humain positif.

Il semblerait qu'ils aient oublié les rats, la peste et l'Effondrement. Ils vivent dans la joie d'être ensemble, entourés de gens qui pensent comme eux.

Après le dîner nous nous couchons. Lorsque Nathalie est étendue sur le lit, comme à mon habitude je vais lui piétiner le ventre les griffes à moitié sorties pour l'aider à digérer son repas puis je me pose sur sa poitrine et me mets à ronronner à 24 hertz. Alors que Nathalie s'assoupit, je sens que quelque chose a légèrement changé dans l'odeur de sa sueur.

Je l'observe et me rends compte qu'elle s'échappe vite dans la zone des rêves, car ses yeux s'agitent sous ses paupières. Sa respiration se fait plus ample, plus sensuelle aussi.

Est-ce qu'elle n'est pas en train de rêver qu'elle fait l'amour avec Roman ? Et pourtant, si j'ai bien compris ce que dit Pythagore, s'il lui propose de transformer ce rêve en réalité, à ce stade elle répondra par un non catégorique.

Je ferme à mon tour les yeux. Et je rêve d'un monde où les chats n'ont plus aucun complexe devant ces humains qui se prennent encore pour les maîtres du monde.

38. LES CHATS MANGEURS D'HOMMES DU TSAVO.

Il y a des instants où l'intelligence de l'homme se révèle incapable de surpasser celle des félins.

Par exemple dans cette histoire étonnante qui se déroula en 1898 au Kenya dans la région du Tsavo, entre Mombasa et Nairobi. Là-bas une équipe d'ingénieurs anglais dirigeait des ouvriers essentiellement hindous et africains pour construire un pont sur la rivière du même nom, Tsavo, afin de permettre le passage d'une voie de chemin de fer. Un matin, on retrouva une tente déchirée. Deux ouvriers avaient disparu. Il y avait des marques de sang et des traces de pattes de deux félins. Les empreintes avaient l'air de montrer que les deux visiteurs étaient d'une taille et d'un poids anormaux, plus grands et plus lourds même que des lions. Les Anglais tentèrent d'installer des feux de protection, mais les jours suivants d'autres ouvriers disparurent, avec, toujours, les traces des deux mêmes félins géants. On aurait dit que les deux prédateurs venaient se servir comme dans un supermarché de viande humaine. Après les feux, on tenta de protéger les tentes de repos par des murs de ronces. Cela ne suffit pas non plus et, de nouveau, deux ouvriers manquèrent à l'appel.

En quelques jours à peine, le nombre de victimes s'éleva à trente et, malgré les sentinelles, le feu, les ronces, rien ne semblait pouvoir arrêter les deux mangeurs d'hommes. Les journaux locaux firent état de la peur panique des ouvriers. Ceux-ci refusaient de reprendre le travail tant qu'on ne les aurait pas débarrassés de cette menace mortelle.

On fit venir un célèbre chasseur de fauves. Il se mit en

embuscade et… on ne retrouva le lendemain que ses vêtements maculés de sang. Il semblait qu'en plus de leur taille,
ces deux tueurs arrivaient sans difficulté à déjouer toutes les
ruses humaines. Et le nombre de leurs victimes ne cessait
d'augmenter nuit après nuit. Déjà soixante disparus sans
que rien ne parvînt à les empêcher d'agir.

Les ouvriers se révoltèrent, puis se mirent en grève. Ils considéraient que ce n'étaient pas des lions, mais des démons car
le lieu était considéré comme maudit (*tsavo* signifie en swa-
hili « lieu de massacre »). La compagnie britannique fit donc
appel à l'armée. On disposa des soldats dans une cage et on
installa un grand piège, tandis que les tireurs attendaient.
Les deux fauves surgirent, parvinrent à contourner le piège
et à briser la cage, les soldats s'enfuirent, effrayés. Deux
ouvriers furent de nouveau portés disparus. Les désertions
se multiplièrent et, dans les semaines qui suivirent, on passa
à 100, puis 120, 130, 140 victimes.

Ce fut finalement le lieutenant-colonel John Henry
Patterson, de la Compagnie britannique impériale d'Afrique
de l'Est, qui parvint à tuer l'un des deux lions venus l'attaquer en pleine nuit dans sa propre chambre. Patterson sui-
vit ensuite les traces pour retrouver le second mangeur
d'hommes. Ce dernier, placé en embuscade, surgit des
fourrés et le força à grimper dans un arbre à partir duquel il
lui fallut tirer cinq balles pour l'achever.

Après examen des dépouilles, il s'avéra que ce n'étaient pas
des lions à proprement parler (ils n'avaient par exemple pas
de crinière), mais de très gros chats de 2,60 mètres de long
pour une hauteur d'épaule de 1,20 mètre. On découvrit par
la suite la tanière qui leur servait de garde-manger et où ils

avaient accumulé les cadavres humains. Patterson offrit la dépouille des deux fauves au président américain Theodore Roosevelt (qui adorait la chasse et s'était passionné pour cette histoire), qui lui-même les offrit au Field Museum de Chicago, où on peut encore les voir.

**Encyclopédie du Savoir Relatif et Absolu.
Volume XII.**

39. SORTIE DU SOIR.

Le sommeil ne vient pas. J'attends en somnolant, quand soudain je perçois un bruit. Je soulève à moitié une paupière.

Non seulement Pythagore ne dort pas, mais il quitte la pièce à pas feutrés. J'attends qu'il se soit un peu éloigné pour le suivre à distance.

Serait-il devenu somnambule ?

Le siamois trotte à bonne vitesse. À son comportement, je déduis qu'il ne veut pas être repéré : il rase les murs, il se dissimule par moments, avant de reprendre sa route.

Qu'est-ce que tu me caches, Pythagore ?

Il entre dans un bâtiment blanc cubique. *Il a forcément vu quelque chose ou il sait quelque chose que j'ignore.* Il prend un escalier et descend au sous-sol. Là, il s'arrête.

Je suis trop curieuse pour attendre plus longtemps sans agir. Alors je le rejoins et vois dans la semi-obscurité des cages, des dizaines de cages remplies d'animaux.

Pythagore se tourne vers moi et miaule :

– C'est ici que « cela » s'est passé.

– « Cela » quoi ?

– C'est une « animalerie ». C'est ici que je suis né et que j'ai vécu.

– C'est quoi, une animalerie ?

– C'est l'endroit où les humains mettent les animaux qui servent pour les expériences scientifiques.

Pythagore saute sur un meuble élevé. Je le suis et grâce à mon excellente vision nocturne, je peux discerner les détails.

Les cages contiennent des chats, des rats, mais aussi des singes, des lapins, des chiens et des porcs. Je m'approche d'une cage et je vois quelque chose d'incroyable.

– Mais ils ont tous des…

Pythagore m'interrompt.

– Oui, Bastet, c'est à cet endroit précis que les expériences ont été faites sur moi, qu'on a creusé mon crâne pour que je puisse brancher mon cerveau sur leurs ordinateurs.

Soudain la lumière du plafonnier s'éclaire. Le directeur aux cheveux blancs, Philippe, est là et pointe un revolver dans notre direction.

Il dirige l'arme alternativement vers moi puis vers Pythagore. Il hésite, lâche un long soupir, puis range le revolver dans sa poche et sort l'oreillette-traductrice de Nathalie. Il communique ainsi avec Pythagore, qui me traduit en simultané :

– Il dit qu'il m'a évidemment tout de suite reconnu, j'étais le premier à avoir été opéré. Quand il a vu grâce aux caméras à infrarouge que je venais dans le laboratoire, il nous a rejoints.

Philippe s'assoit en soupirant encore.

Il parle de nouveau et Pythagore me traduit.

– Après m'avoir opéré, ils ont continué à fabriquer des animaux connectables : d'autres chats à Troisième Œil, mais aussi des singes, des rats, des lapins, des porcs, des chiens et même un cheval.

Il secoue la tête.

– Mais l'expérience a mal tourné. La découverte des connaissances humaines a bouleversé les animaux.

– Ils sont devenus fous?

– Ils n'ont plus supporté leur statut d'animaux de laboratoire. Dans un premier temps, ils ont commencé par se montrer plus agressifs. Certains sont même parvenus à s'évader. Mais maintenant, les scientifiques ont sécurisé la zone, et les cages ont des barreaux et des serrures plus solides.

En nous entendant parler, les animaux en cage s'énervent et se mettent à crier. Peut-être que certains nous comprennent.

– Tamerlan pourrait être un de ces évadés?

Pythagore traduit et Philippe approuve par un hochement de tête.

Ainsi, c'est d'ici que tout est parti. Une animalerie où l'on a fait des expériences extraordinaires sur les animaux.

Je digère ces informations, mais je n'ose pas encore exprimer l'idée qui m'obnubile. Et puis soudain, sans que je le contrôle, les mots miaulés sortent de ma bouche, presque malgré moi.

– Pourrais-je avoir un Troisième Œil?

– Tu plaisantes, j'espère.

– Non, je suis très sérieuse. Demande à Philippe s'il pourrait me creuser à moi aussi un trou dans le crâne pour me mettre une prise électronique.

Pythagore dresse les oreilles de surprise.

– Tu es sûre? C'est quand même un peu spécial comme expérience, je préfère te prévenir.

– Oui, je veux être comme toi et accéder à toute la connaissance des hommes. Et puis peut-être que nous pourrons brancher nos deux esprits directement par un câble USB et mieux nous comprendre.

Pythagore plaide ma cause auprès du vieil humain en blouse blanche. Après un âpre débat entre eux, Philippe Sarfati me fixe et soupire d'un air qui ressemble à une approbation.

– Il veut bien le faire, mais il veut être sûr que tu ne le lui reprocheras pas quand tu pourras t'exprimer.

Pour qui il me prend! Un être versatile? Ce n'est pas parce que je suis un chat et une femelle que je suis susceptible d'adopter ce genre de comportement. Je sais ce que je veux. Et lorsque je demande quelque chose, je suis prête à en assumer toutes les conséquences.

Je miaule, d'un ton décidé :

– JE VEUX MON TROISIÈME ŒIL !

L'opération se passe le lendemain après-midi.

Philippe est le chirurgien principal. Il est aidé de Roman et de Nathalie qui, me connaissant, ont tenu à intervenir directement sur la pose de cette prothèse.

Philippe Sarfati leur demande de surveiller les appareils et de lui fournir les instruments au moment où il les réclame. Il semble connaître parfaitement chaque geste à accomplir, comme s'il avait déjà effectué des dizaines de fois cette opération.

Je suis attachée à une plaque de liège, la tête coincée dans un support en plastique. Roman utilise une petite tondeuse pour raser la zone de poils de mon front où il va opérer. Philippe m'enfonce dans la bouche un tuyau et, dans la peau fine de l'intérieur de ma patte il plante une grosse aiguille de métal. C'est un peu douloureux.

Je me sens très nerveuse.

Je vais enfin avoir un Troisième Œil !!!

– Calme-toi, me chuchote Pythagore.

C'est drôle comme cette phrase produit systématiquement l'effet inverse de celui qui est recherché.

J'ai un petit réflexe incontrôlable à l'oreille droite : elle est agitée de mouvements saccadés, tandis que ma patte postérieure droite tremble.

Pythagore me touche la truffe avec la sienne et me lèche le front :

– Les humains ont un mot pour qualifier cette nervosité avant les moments importants, ils appellent cela le « trac ».

Philippe manipule une bouteille dont l'odeur piquante et alcoolisée agresse mes narines.

– Je n'ai pas le trac.

De nouveau, mon corps révèle que je mens par un léger tressaillement.

Nathalie me caresse avec un doigt sous le menton en remontant à contre-poil. Je sais qu'elle fait ce geste pour me détendre, mais je reste anxieuse. J'ai hâte de vivre l'expérience de l'ouverture de mon esprit.

– N'aie pas peur, dit le siamois.

Il commence à m'énerver avec ses phrases contre-productives. Je n'avais pas songé à avoir peur, et maintenant il m'a instillé l'idée d'un danger...

La phrase « N'aie pas peur » est encore plus efficace que « Calme-toi » pour créer une réelle panique.

Philippe, équipé de gants en caoutchouc, met en place plusieurs appareils qui semblent destinés à scier, à couper et à trouer.

Bon, je dois me rappeler que Pythagore l'a déjà fait et que lui, ce n'est qu'un mâle douillet.

Il presse la seringue, un liquide rose coule dans un tube transparent qui entre dans ma patte.

Tout va bien. Ça va bien se passer. Tout cela n'est qu'un peu inconfortable au début, mais ça va aller et ma vie va changer pour le mieux ensuite.

Je me sens un pion important dans la recherche scientifique en acceptant de tester moi-même une technique qui n'est pas encore complètement maîtrisée. Même si j'arrive après Pythagore, je suis une pionnière. Je suis impatiente et fière de moi. Je vais pouvoir mieux comprendre le monde qui m'entoure. Je vais pouvoir parler à ma servante.

Je suis comme Félicette dans sa fusée.

La différence, c'est que, dans mon cas, l'expérience sera définitive. J'espère perdre progressivement connaissance, mais l'anesthésiant doit être mal dosé ou alors Philippe agit trop tôt, car je vois, j'entends et je sens la perceuse qui approche de mon front.

Au moment où le métal touche ma peau, cela vibre dans tout mon crâne. Il y a une odeur d'os brûlé, j'ai envie de hurler mais je serre les mâchoires.

Je n'ai pas peur. Je suis une éclaireuse.

Et puis comme disait ma mère : « Pas de grand bénéfice sans grand risque. »

L'anesthésiant agit et je perds enfin connaissance.

40. CES SCIENTIFIQUES QUI ONT PRATIQUÉ DES EXPÉRIENCES SUR EUX-MÊMES.

Qui dit scientifique ne dit pas forcément prudent ou visionnaire. Certains savants, peinant à trouver des cobayes

suffisamment courageux ou insensibles à la douleur, ont fait leurs expériences sur eux-mêmes. En voici quelques exemples. Âmes sensibles s'abstenir !

En 1672, le physicien anglais Isaac Newton, célèbre pour avoir découvert la loi de la gravitation universelle, voulut comprendre comment fonctionnait l'œil humain. À cette fin, il s'enfonça une fine aiguille de bois sous le globe oculaire jusqu'à ce qu'elle touche l'arrière de l'orbite. Il se mit ensuite à la bouger dans plusieurs directions, et nota que cela produisait des apparitions de cercles colorés.

En 1800, le physicien allemand Johann Wilhelm Ritter, qui a découvert les ultraviolets, voulut comprendre les effets de l'électricité sur le corps. Pour ce faire, il électrifia sa langue et annonça qu'il ressentait un goût acide ; il électrifia ses yeux et nota que cela produisait des nuages de couleur ; il fit de même sur son sexe et cela sembla lui plaire suffisamment pour qu'il dise vouloir « épouser sa pile électrique ». Il ne cessa d'augmenter l'intensité et la durée du contact avec l'électricité pour pousser ses expériences, jusqu'à ressentir des migraines, des nausées et à paralyser ses membres. Il mourut à trente-trois ans.

Vers 1802, alors qu'une épidémie de fièvre jaune avait fait 5 000 morts à Philadelphie en 1793, l'Américain Stubbins Ffirth, étudiant en médecine, voulut démontrer que ce n'était pas une maladie contagieuse. Pour le prouver, non seulement il se fit des incisions sur les bras dans lesquelles il versa du vomi d'un patient infecté par la fièvre jaune, mais il l'inhala et en but de surcroît. Son expérience lui donna raison, puisqu'il survécut et que, quatre-vingts ans plus tard, on découvrit que cette maladie était transmise par les moustiques.

En 1921, le chirurgien américain Evan O'Neill Kane s'opéra lui-même de l'appendicite : il s'injecta un anesthésiant local puis il s'ouvrit le ventre avec un scalpel devant ses assistants médusés. Ses intestins sortirent et certaines infirmières commencèrent à paniquer, mais il replaça lui-même ses viscères et pratiqua calmement l'opération, arrivant même à rassurer les spectateurs qui s'inquiétaient. Kane devint célèbre pour cet exploit d'autochirurgie. En 1932, alors qu'il était âgé de soixante et onze ans, il décida de reproduire la performance et de s'opérer lui-même d'une hernie inguinale. Cette fois-ci, l'opération était beaucoup plus délicate et présentait plus de risques. Durant l'intervention, il arriva pourtant à plaisanter avec les infirmières. Il mourut trois mois plus tard, d'une pneumonie.

Encyclopédie du Savoir Relatif et Absolu.
Volume XII.

41. UN TROU DANS LE CRÂNE.

Cela pique.

Quand je me réveille, j'ai l'impression qu'un gros rat me mord le front.

J'ai mal au crâne.

Au fur et à mesure que l'effet de l'anesthésie s'évanouit, je ressens une douleur plus aiguë qui irradie jusqu'à la pointe de mes griffes postérieures. C'est comme si mes veines étaient parcourues de lave bouillante.

Qu'est-ce qui m'a pris de vouloir faire ça ?

Je veux toujours faire le truc de trop qui va créer des problèmes dont je n'ai pas besoin. C'est tout moi.

Il serait peut-être temps que je me laisse guider par ma raison et non par des pulsions irrationnelles.

Pythagore s'approche de moi et chuchote :

– Ça va ?

– Non.

– J'aurais peut-être dû te prévenir que ça faisait mal. Mais je voulais que nous partagions cette expérience.

Le pansement me gratte, je tente de l'arracher avec mes griffes. Pythagore me le défend :

– Non, il ne faut pas faire ça.

– Je ne supporte pas d'avoir un corps étranger collé à ma peau.

Je me vois alors dans le miroir. C'est affreux, Roman m'a rasé trop largement les poils tout autour de la zone d'opération ! Ma tête ressemble à moitié à celle d'un sphynx !

D'un coup sec, j'arrache le pansement et ce que je vois m'effraie. J'ai entre mes yeux un trou parfaitement rectangulaire, plus petit toutefois que celui de Pythagore, car c'est une prise micro USB.

Tout, autour, n'est que croûtes et suppuration. Roman m'applique de la pommade sur la plaie, puis me remet un pansement propre et me tend des pilules que je gobe sans discuter.

Nathalie me regarde et me caresse en murmurant des phrases humaines probablement à ma louange, car je reconnais mon nom prononcé plusieurs fois.

À partir de là commence ma convalescence. Je suis impatiente de tester les possibilités de ce si douloureux Troisième Œil. Les heures passent, puis une journée, puis plusieurs jours.

J'arrive bientôt à manger de la bouillie, ensuite à me tenir debout sur mes quatre pattes et enfin à marcher. La douleur lancinante qui part de mon front finit par être supportable sans pilules analgésiques.

Encore une journée de repos et je devrais être rétablie.

Je me promène dans le campus de l'université avec un bandage sur le crâne. J'adore ce village.

Parfois, les hommes en blouse blanche me caressent sous le menton (Nathalie a dû les avertir que c'était ce que je préférais) pour me féliciter. Normalement, je répondrais en frottant le sommet de mon crâne pour les imprégner de mon odeur, mais cette zone est si sensible que je n'y songe même plus.

Et puis arrive enfin grand le jour. Celui du test de l'efficacité de mon Troisième Œil.

L'essai se déroule dans le bureau du directeur Philippe Sarfati. Je suis assise comme un humain dans un fauteuil à ma taille. Au cas où j'aie des convulsions, on me fixe au siège par des courroies.

La main de Philippe s'approche. Il tient la fiche mâle qu'il va enfoncer dans la prise femelle de mon front.

– Tu vas voir, cela ne fait pas mal, me rassure Pythagore.

C'est étrange, mais ce moment me rappelle la première fois où j'ai fait l'amour. J'ai senti quelque chose d'extérieur entrer en moi. Au début, j'étais effrayée et puis après, quand j'ai surmonté mon inquiétude, j'ai pu prendre conscience que ce n'était juste qu'une sensation différente de celles que j'avais connues jusque-là.

L'homme aux longs cheveux blancs branche ensuite l'autre fiche du câble sur l'ordinateur et commence à pianoter sur le clavier.

– Ferme les yeux, me conseille le siamois.

J'obtempère. Il ne se passe d'abord rien de spécial : je vois seulement une lumière rouge à travers la peau de mes paupières. Et puis soudain apparaît un rectangle blanc dans tout mon espace visuel. Au centre, se trouve un mot écrit avec ce que je reconnais être l'alphabet humain.

Surprise, j'ouvre d'un coup les yeux.

Philippe dépose deux sparadraps sur mes paupières pour me forcer à les garder fermées.

Je reste face à la page blanche. J'entends la voix de Pythagore.

– C'est le logo du moteur de recherche. Le système se met par défaut sur « Google » car c'est le plus répandu. Il faut maintenant que tu repères la petite flèche noire.

– Je la vois.

– Parfait. Sache que nous arrivons à suivre ce que tu vois grâce à un écran de contrôle externe.

– Je dois faire quoi ?

– Par ta pensée, essaie de la déplacer de bas en haut.

Je me concentre et je tente plusieurs fois de le faire, mais la flèche ne bouge pas.

– Déplace tes yeux derrière tes paupières comme si tu suivais la flèche, me suggère Pythagore.

Cela marche. Enfin, le triangle glisse vers la gauche selon ma volonté.

– Bravo ! s'exclame Pythagore. Tu viens d'effectuer un superbe balayage transversal. Essaie maintenant de faire de même de bas en haut.

Une fois que je sais que c'est possible, le déplacement devient plus aisé. Je remarque que, par moments, quand la flèche passe sur certaines zones de l'écran, elle se transforme en petite main humaine avec un doigt tendu.

– Voilà, à présent je vais te montrer comment je m'y prends, dit mon mentor.

Il fait apparaître dans mon champ visuel une deuxième flèche de couleur rouge.

– Cette flèche, c'est moi. Je suis branché sur le même ordinateur que toi. Regarde ce que je fais.

Alors la flèche rouge va directement sur un programme où est inscrit « HUMAN/CAT-TRANSLATOR ».

Apparaissent deux cadres. Sur celui du dessus est dessinée une tête de chat. Sur celui du dessous une tête d'humain.

– Vas-y, miaule, me suggère-t-il.

Alors, je repère que la ligne ondule au même rythme que mon miaulement. En dessous, la ligne du deuxième cadre se met à bouger elle aussi. Puis j'entends miauler directement dans mon crâne.

– Bonjour, Bastet, c'est moi, Nathalie.

SE POURRAIT-IL QUE CE SOIT ELLE ?

– Oui, Bastet, c'est moi, Nathalie.

Elle a « entendu » ma pensée ?

Émue, je me mets à bafouiller :

– B… bonjour…

Je prends conscience que je vis un instant historique pour moi.

JE SUIS EN TRAIN DE PARLER À UNE HUMAINE COMME S'IL S'AGISSAIT D'UN CHAT. ET ELLE ME COMPREND PARFAITEMENT EN RETOUR, COMME SI J'ÉTAIS UNE HUMAINE.

Une émotion nouvelle (qui doit être la pure exaltation de tout pionnier ou inventeur face à une expérimentation réussie) me gagne.

JE DIALOGUE AVEC MON HUMAINE!

Elle me dit doucement :

– Depuis le temps que nous nous fréquentons, j'ai pensé que ce serait intéressant que tu utilises pour la première fois ton Troisième Œil pour me parler...

Elle me tutoie? Bon, il faut que je surmonte mon émotion et que je réponde quelque chose pour créer un échange :

– Je suis très impressionnée, c'est comme si vous miauliez comme une chatte directement dans mon esprit, Nathalie.

– Je suis moi-même émue, Bastet, il me semble que tu parles comme un être humain.

Elle continue de me tutoyer. Je ne veux pas qu'elle devienne trop familière. Ce n'est quand même « que » ma servante.

– C'est un vieux rêve qui se réalise. Vous ne pouvez pas savoir le nombre de fois que vous m'apportiez mon repas en retard que vous fermiez la porte et où j'ai souhaité pouvoir communiquer avec vous pour vous donner plus clairement mes instructions.

– Je suis contente que tu aies eu le courage de te faire poser ce Troisième Œil. Cela doit être un peu inconfortable, non ?

– Je me demande comment j'ai pu vivre sans. Il me manquait un sens. Une porte s'ouvre dans mon esprit.

– Bastet, je dois te dire que depuis que j'apprends à mieux te connaître ces derniers temps, je te découvre et tu m'étonnes beaucoup.

– Je dois vous avouer, Nathalie, que depuis que nous vivons des aventures ensemble je commence à vous apprécier. Pour moi vous n'êtes pas n'importe quelle humaine, vous êtes une femelle d'exception.

– Nous n'avons plus de temps à perdre. Il faut te rétablir vite, pour aller aider nos camarades de l'île de la Cité.

– Vous pensez à quoi ?

– Je n'ai pas de solution toute prête, mais peut-être qu'avec ton Troisième Œil, c'est toi qui vas trouver comment nous sauver. Il faut déjà que tu explores un peu toutes les possibilités de ton nouvel instrument de pensée.

– Ça se passe comment, Nathalie ? demande un autre humain.

– Très bien, Roman. Je parle en direct à Bastet et elle me comprend.

Je m'aperçois que lorsque d'autres humains s'expriment, la traduction miaulée se fait automatiquement et me parvient de manière compréhensible. Ma servante reprend la parole.

– Y a-t-il des choses que tu veux apprendre, Bastet ?

– Vous m'aviez dit que, pour être au niveau des humains, il fallait que nous les chats intégrions trois concepts : l'humour, l'amour et l'art, n'est-ce pas ?

– En effet. C'est selon moi ce qui différencie les humains des autres animaux.

– Eh bien, je crois que j'ai déjà compris l'humour, et il me semble que j'ai progressé dans la notion d'amour, donc je veux maintenant mieux comprendre l'art.

À partir de l'ordinateur, Nathalie déclenche alors l'apparition dans mon esprit de tableaux, de musiques ou de films.

Elle affirme que ce sont des chefs-d'œuvre de la culture humaine. Cependant, rien ne me touche vraiment.

Ce qui me plaît reste ce que je connais déjà : la Callas, Vivaldi et surtout Jean-Sébastien Bach.

– Il faut que je trouve un moyen de t'émouvoir, dit ma servante, un peu déçue de mon manque d'attrait pour la nouveauté.

Elle réfléchit et, soudain, fait apparaître une nouvelle image.

– Que vois-tu ?

– Un rond bleu sur fond noir.

– Ce n'est pas que ça. C'est une œuvre qui s'appelle *Big Blue*.

– C'est un tableau ?

– En fait, c'est une photographie de la planète où l'on vit, la Terre.

Quand je saisis ce dont il s'agit, je ressens un trouble. Nathalie commente :

– Tu vois, ce qui semble n'être qu'une image peut prendre une dimension autre quand on en comprend les implications. C'est cela l'Art.

Plus j'observe cette photo, plus elle provoque chez moi une sensation qui n'a rien à voir avec la peur, la colère, le désir sexuel ou le rire. C'est autre chose. Est-ce cela, une émotion artistique ? Je miaule, éblouie :

– C'est beau…

– C'est notre planète. À mon avis, c'est la plus belle de toutes les œuvres d'art. Je suis heureuse de pouvoir te la présenter enfin.

Je me sens brusquement plus forte. Il me semble que la puissance de l'art est de nourrir la pensée afin de l'élargir. J'ai intégré grâce à cette représentation extraordinaire une perception globale de ma planète, comme si je pouvais la survoler. Je suis un minuscule être sur cette grosse boule bleue qui flotte dans l'univers.

Je vacille. En fait, je suis un simple petit être ignorant dans un univers merveilleux et infiniment complexe.

Comme quoi parfois il faut utiliser les technologies les plus avancées pour accéder à d'autres niveaux de conscience.

42. L'OPÉRATION CHATON ACOUSTIQUE.

Les animaux ont souvent été utilisés par l'armée, que ce soit des chevaux pour tirer des broussailles enflammées destinées à incendier les maisons ennemies chez les Grecs, des pigeons voyageurs pour transmettre des messages secrets au cours de la Première Guerre mondiale, des chiens renifleurs dont le rôle était de détecter des explosifs durant la Seconde Guerre mondiale et même des dauphins dressés pour poser des mines sur les navires ennemis... On sait moins que les chats aussi ont été utilisés à des fins militaires.

1961, en pleine guerre froide. Le patron de la CIA, Richard Helms, approuve une initiative originale baptisée « Acoustic Kitty », qu'on pourrait traduire par « Chaton acoustique ».

Un chat fut opéré chirurgicalement, de façon que soit implanté dans le canal de ses oreilles un microphone, le long de sa colonne vertébrale, une antenne allant jusqu'à la queue et, dans le ventre, une batterie.

L'objectif était d'aller espionner les conversations à l'intérieur de l'ambassade de Russie.

Si le chat survécut à sa transformation en espion d'élite, toutefois, les tests montrèrent que, lorsque l'animal avait faim, il devenait incontrôlable. Alors, les vétérinaires de la CIA l'opérèrent du cerveau pour supprimer la zone qu'ils attribuaient à l'appétit. S'ensuivit tout un programme de dressage censé transformer « Acoustic Kitty » en chat obéissant.

L'opération coûta 10 millions de dollars.

Bob Bailey, considéré comme le meilleur dresseur d'animaux de l'époque (il s'occupera aussi des dauphins de la

CIA), prit en charge la mission. Plus tard, il expliqua : « Nous avions dressé le chat pour qu'il ait envie d'écouter les conversations entre humains. »

Après cinq ans de travail et de tests, le félin bardé de haute technologie fut placé dans un parc proche de l'ambassade de Russie à Washington. Mais, à peine lâché, Acoustic Kitty sembla désorienté : au lieu de pénétrer dans l'ambassade, il alla se promener sur la route où il fut aussitôt écrasé par un taxi.

Distance totale parcourue : 300 mètres.

Selon les archives déclassifiées en 2001, les scientifiques de la CIA ne renoncèrent pas pour autant. Il y eut encore de nombreux essais qui aboutirent tous à des échecs. Ce n'est qu'en 1967, une fois que 20 millions de dollars eurent été alloués sans le moindre résultat à l'opération « Acoustic Kitty », qu'elle fut finalement abandonnée.

Encyclopédie du Savoir Relatif et Absolu.
Volume XII.

43. PETIT PROBLÈME.

Comprendre ce qu'est vraiment le monde qui vous entoure est une expérience déstabilisante. Je ne suis pas certaine que vous la supporteriez. C'est pourquoi il vaut mieux y aller par étapes. Pour ma part, je dois avouer qu'après l'ouverture de mon Troisième Œil, je découvre que je ne savais rien. Je peux enfin mesurer mon ignorance et l'immensité des données que je dois intégrer pour saisir qui je suis, où et à quelle époque je vis.

J'ai l'impression que j'étais aveugle et qu'on me met progressivement face à la lumière. Je vivais dans l'illusion et les mensonges que je me racontais à moi-même, dont j'avais fini par me convaincre.

Je ne savais rien.

Voilà que je commence à voir et à comprendre la réalité. Cela fait un peu mal, mais c'est surtout exaltant.

Franchement, si on vous propose de pratiquer sur vous une expérience qui vous rendra plus intelligent, n'hésitez pas, acceptez, cela vaut le coup. Pour ma part je ne regrette vraiment pas.

Dans les heures qui suivent mon premier branchement, je découvre non seulement sur quelle planète je vis mais aussi avec quelle humaine formidable j'ai passé mon existence.

Nathalie, au fur et à mesure que nous dialoguons, se révèle être une femelle particulièrement sensible et subtile. Son esprit est si complexe que, par moments, je me dis que si la théorie des réincarnations de Pythagore est juste, il y a de fortes chances qu'à sa prochaine vie elle obtienne d'être transformée en chatte.

Comment vous décrire encore ce que j'apprends grâce à mon Troisième Œil ?

J'étais intimement convaincue que le monde avait commencé à l'époque de ma naissance. Eh bien, figurez-vous que c'est faux et que tout a commencé bien avant. Je n'étais pas encore chatonne que beaucoup de choses importantes s'étaient déjà accomplies. Pour les chats, pour les hommes, mais même pour d'autres espèces, par exemple les dinosaures qui ont désormais disparu.

Je remarque que le monde qui m'entoure est plus ancien que ce que je croyais. Il est aussi plus vaste que tout ce que j'imaginais : il comporte des montagnes, des océans, des plages, des déserts chauds, de la glace à perte de vue au pôle Nord.

Saviez-vous qu'il y a des endroits si chauds que l'on n'y trouve pas la moindre trace de végétation ou d'humidité ? Et d'autres si froids que tout gèle instantanément ?

Mais ce n'est pas tout : grâce à Internet, je m'aperçois que la Terre n'est pas la seule planète du cosmos, il y en a des multitudes !

Chaque découverte est pour moi comme une gourmandise, et mon esprit devient affamé d'informations nouvelles.

Je comprends la joie qu'a connue Pythagore avant moi. Je vivais dans un monde plat à deux dimensions ; je passe à un univers en relief à trois dimensions. Mon territoire était limité dans le temps et l'espace, c'est maintenant un espace infini qui prend ses racines dans des temps immémoriaux.

Que vous dire encore de mes découvertes ?

J'apprends que, jadis, il existait des gros chats qui terrorisaient les hommes. Je trouve notamment dans l'Encyclopédie du Savoir Relatif et Absolu toutes sortes d'anecdotes savoureuses. Par exemple l'histoire des « mangeurs d'hommes du Tsavo ».

Autres petites trouvailles de l'ESRA : il existe des maladies spécifiques aux chats, par exemple le « syndrome de Tom et Jerry », où le sujet – un chat – est pris de convulsions s'il entend des bruits de paquets de chips, d'ongles qui tapotent, ou de clics de souris d'ordinateur. Ou encore le « syndrome des gratte-ciel », dont sont atteints certains chats vivant à des étages très élevés et que l'on voit se jeter dans le vide sans raison. Et enfin, celui qui m'effraie le plus, le « syndrome de Pandore », où le chat se met à uriner systématiquement en dehors de sa litière.

Mais bon, comme vous raconter tout ce qui m'émerveille prendrait beaucoup de temps, revenons à ma servante. Aidée du professeur Roman Wells, elle ne cesse de travailler pour améliorer l'interface homme/chat afin que les dialogues entre nous deviennent complètement fluides et instantanés. Grâce à leur travail, il n'y a plus, dans notre communication, la petite seconde de retard qu'il y avait avant.

Je parle et elle comprend. Elle parle et je comprends.

La petite boule noire recouverte d'une surface photosensible fichée dans ma prise USB frontale me permet, tout comme Pythagore, de discuter à distance sans fil et d'entendre directement ses phrases traduites en miaulements dans ma tête. Plus je discute avec Nathalie, plus j'ai l'impression d'avoir été ingrate. Peut-être parce que je lui en voulais de sa complicité dans le meurtre de mes enfants, je ne l'aimais pas vraiment avant. J'avais tort.

Elle, elle m'aime sans la moindre retenue. Plus je dialogue avec elle, plus elle me manifeste clairement son affection sincère. Je me rends compte qu'elle n'a fait que se comporter comme les autres humains (et que par exemple elle n'avait pas conscience du mal qu'elle me ferait en tuant mes enfants. De la même manière qu'elle aimait Félix et n'imaginait pas que lui couper les testicules sans lui demander son avis pourrait l'affecter !).

Avec ma servante, nous reparlons des trois concepts qu'elle m'a mise au défi de découvrir : l'amour, l'humour et l'art.

Pour ce qui est de l'amour, je comprends que dans sa forme humaine, il comporte une dimension abstraite non sexuelle (et donc étrangère aux chats) que je n'avais pas mesurée. Pour Nathalie, par exemple on peut aimer un mâle sans faire l'amour avec lui (ce qui me semble nul). Et dire que je pensais que c'était nous, les chats, qui étions sentimentaux et eux, les humains, qui voulaient juste assouvir des pulsions animales... Pour l'humour, elle m'encourage à prendre l'habitude de rire de toutes les situations qui me semblent gênantes. Enfin, en ce qui concerne l'art, après la photo de ma planète vue de l'espace, elle me montre des images de nébuleuses qui m'apparaissent là encore comme des œuvres d'art remarquables.

Je lui parle de ma découverte de la compassion et elle me dit que, chez les humains, ce sentiment n'est pas systématique. Certains de ses congénères n'ont jamais ressenti la moindre compassion pour les autres, de même que certains humains sont cruels sans raison et prennent plaisir à voir les autres souffrir.

Nathalie m'entretient aussi de la notion d'amitié. Elle me dit que maintenant que nous pouvons discuter d'égale à égale nous pourrions devenir amies. Je lui dis que, pour l'instant, je préfère ne pas aller trop vite, et que je continuerai à la considérer comme ma « servante préférée ». Elle rit et me dit qu'une amitié peut prendre du temps à se construire, et qu'elle respectera les étapes nécessaires. Je lui signale qu'elle ne doit pas désespérer et qu'un jour probablement je finirai par lui accorder mon amitié mais que cela me semble juste un peu prématuré.

Nos conversations prennent par moments un tour que je qualifierais, maintenant que je connais le mot, de « psychologique ». Je lui demande pourquoi elle n'a pas de relations sexuelles avec Roman et là encore elle éclate de rire – pour gagner du temps, j'imagine – et me répond que chez les humains c'est plus compliqué que chez les chats.

Je l'interroge là-dessus, et elle me parle de son passé. Elle aimait beaucoup son père et, depuis qu'il est mort, il lui manque énormément. Quand elle passe du temps avec un homme, elle ne peut s'empêcher de chercher en lui un père de substitution, mais ne trouve jamais quelqu'un d'assez bien.

Je lui dis que, pour ma part, je ne sais même pas qui est mon père et que je m'en fiche.

Ma réponse la fait encore sourire.

Elle me dit qu'elle est timide et méfiante, et qu'elle pense que si une vraie amitié prend du temps, un vrai amour en exige encore plus. Elle admet qu'elle trouve Roman très sympathique, mais ajoute qu'elle n'est pas pressée et qu'elle attend de voir comment leur relation va naturellement évoluer.

Je lui donne le conseil d'exhiber son corps pour exciter les mâles et elle me répond que les humains en sont empêchés par ce qu'ils appellent la « pudeur », une sorte d'interdit qui n'autorise pas la femelle à signaler qu'elle a envie de faire l'amour avec un mâle.

C'est à mon tour de me moquer. Je me dis que les femelles humaines qui ont accepté cette idée se sont bien fait avoir.

– Donc, vous vous contentez d'attendre que votre partenaire exprime son désir, sans prendre aucune initiative de séduction ?

Elle me parle du statut général des femelles humaines, qui se retrouvent à devoir s'occuper des enfants, de l'entretien de leur foyer, de la préparation des repas et qui en plus travaillent. Nathalie me raconte que dans certains pays on vend les petites filles à des vieux riches, ou bien qu'on les force à se marier contre leur volonté. Dans d'autres, elles n'ont pas le droit d'aller à l'école, elles doivent rester enfermées et ne peuvent voyager qu'avec l'autorisation de leur mari, ou encore ne peuvent sortir que recouvertes d'un tissu qui dissimule leur peau.

C'est étrange comme l'humanité me semble un univers paradoxal où la plus grande intelligence côtoie la plus navrante bêtise. On dirait par moments que les humains utilisent leurs facultés contre eux-mêmes. Ou tout du moins contre leurs femelles.

Un soir, alors que Nathalie et moi imaginons un nouveau féminisme typiquement chat qui pourrait apporter un peu de félicité au genre humain, il se produit un phénomène bizarre. Un message apparaît devant mes yeux en alphabet humain :

« DIEU EST PLUS FORT QUE LA SCIENCE. »

Puis je vois défiler des nombres :

« 5... 4... 3... 2... 1... »

Et l'écran s'éteint complètement. J'ouvre les yeux. Nathalie est affolée. Je demande :

– C'est une petite panne ?

– Non, ce n'est pas une petite panne, me répond le siamois. C'est une grande panne mondiale. Il n'y a plus d'Internet !

Ma servante est déjà partie et d'autres humains courent dans tous les sens. Dans l'université d'Orsay, tous les scientifiques semblent épouvantés. Après s'être enquis de la situation, Pythagore revient vers moi la queue basse.

– Nous avons affaire à un virus lancé par des fanatiques religieux, appelé « DIEU EST PLUS FORT QUE LA SCIENCE ». Ils veulent profiter de l'affaiblissement humain mondial pour imposer leurs lois aux derniers survivants. Ils sont viscéralement opposés à la science et au progrès, préférant que les hommes vivent privés de liberté, soumis au pouvoir de leurs prêtres eux-mêmes censés obéir à une entité divine qu'ils ont inventée pour légitimer tous leurs actes sans devoir se justifier.

– Et Internet les gênait dans leurs projets ?

– Communiquer et apprendre rend les gens moins facilement manipulables. Les fanatiques ont donc saboté Internet et l'ont détruit grâce à ce virus.

Alors que je commence à entrevoir l'étendue de cette catastrophe, une deuxième se produit. Une explosion résonne en provenance de la salle des ordinateurs. La panique augmente d'un cran parmi nous tous. Pythagore est encore aux premières loges et m'explique :

– Dans la confusion qui a résulté de la panne mondiale, un homme présent dans l'université a fait exploser tout le système informatique d'Orsay puis s'est enfui.

Nous fonçons vers la zone sinistrée et croisons en chemin Roman Wells qui court dans la même direction. Il s'arrête, hébété, devant le coffre-fort, ouvert et vide.

– Voilà ce que je craignais, dit Pythagore.

– Explique-moi, s'il te plaît.

– Je pense que quelqu'un a profité de la confusion générale pour dérober la clef USB contenant l'ESRAE.

Roman Wells semble effondré. Nathalie le rejoint. J'entends leur conversation.

– C'est forcément Christophe ! Mon assistant s'est récemment converti. Je l'entendais faire ses prières en se prosternant au sol et en se tournant vers l'Orient. Je n'aurais jamais pu imaginer qu'il irait jusqu'à nous voler notre mémoire !

– Mais pourquoi a-t-il fait ça ? demande Nathalie.

– Pour que seuls les religieux doivent détenir la connaissance. Et puis il y a dans l'ESRAE des tutoriels pour fabriquer des armes, dont certaines sont très destructrices. C'est cette partie de la science qui intéresse les religieux.

Philippe nous rejoint et lance :

– Je crois savoir où est Christophe.

– Dis-nous-le vite, répond Roman, une lueur d'espoir dans les yeux.

– Certains de nos éclaireurs ont repéré vers le sud une usine chimique de produits industriels de nettoyage où se sont regroupés les fanatiques, à l'abri des rats. C'est à dix kilomètres d'ici. Pas loin de la prison de Fleury-Mérogis.

Roman réagit immédiatement :

— Il faut y aller tout de suite !

— Nous n'arriverons pas avant Christophe.

— Alors, nous agirons une fois sur place. Enfin, Philippe, est-ce qu'on a vraiment un autre choix ? On ne peut pas laisser l'unique réservoir de connaissances aux religieux ! Si nous les laissons faire, le fanatisme régnera sur ce qu'il reste d'humanité et nous retournerons dans l'obscurantisme. Qui m'accompagne ?

Roman se tourne vers les autres hommes en blouse blanche.

— Je répète ma question : QUI M'ACCOMPAGNE ?

Tous baissent le regard.

— Personne ?

— Désolé, Roman. Les fanatiques sont armés de kalachnikovs, c'est une mission suicide, répond l'un d'eux.

— Eh bien, nous prendrons des armes, nous aussi.

— Il y a parmi eux beaucoup de criminels échappés de la prison toute proche qui ont trouvé dans le fanatisme religieux un exutoire. Ce ne sont pas des enfants de chœur, ils ont déjà dû tuer pas mal de gens. Ils ont l'expérience du combat, pas nous. Il faut être réalistes, nous n'aurons jamais le dessus contre ces brutes.

— L'intelligence est de notre côté.

— L'intelligence n'est d'aucun secours quand il s'agit d'arrêter des balles. Des primitifs armés en grand nombre viendront toujours à bout d'une petite escouade d'intellectuels, si bons stratèges soient-ils.

Je murmure à Pythagore :

— Ils ont peur, n'est-ce pas ?

— Oui, je le sens moi aussi.

248

Roman est affolé.

Cependant, moi, vous me connaissez, je ne suis pas du style à me résigner aussi facilement, alors j'interviens. Je demande à Nathalie de traduire ce que je vais dire à ses congénères :

— Puisqu'il faut faire quelque chose et que personne ne veut s'y risquer, je me dévoue. Moi, Bastet, chatte, je suis prête à vous aider à récupérer l'ESRAE, mais à une condition : que Roman vienne ensuite installer un système de protection fait de barbelés électriques autour de l'île de la Cité.

Ma proposition ne provoque pas l'enthousiasme que j'escomptais. Le directeur Philippe Sarfati prend la parole :

— Vous n'êtes qu'une chatte…

— Justement ! Ils ne s'attendent pas à ce qu'une simple chatte parte en croisade. Je suis la meilleure espionne parce que je peux agir en toute discrétion dans le noir. Là où un humain ne passe pas, un chat peut réussir.

Tous semblent partagés quant à ma proposition, mais comme il n'y en a aucune autre, Roman finit par répondre :

— J'accepte, Bastet. Si tu viens avec moi récupérer l'ESRAE, je t'aiderai à protéger ton île.

Pythagore ne souhaite pas se joindre à notre commando ; pour se justifier, il invoque comme prétexte que, si je meurs, il faudra bien qu'il cherche des soutiens pour notre communauté en péril.

Il a peur.

Alors, nous partons, juste moi et Roman, à vélo. Je suis installée dans son sac à dos, avec divers instruments et outils qui pourront nous être utiles dans notre mission. Nous roulons sur des chemins étroits qui serpentent dans la prairie. Nous gravissons des collines et traversons des zones plus boisées. Enfin, Roman s'arrête et appuie son vélo contre un arbre.

– C'est là, dit-il dans l'oreillette traductrice.

Il sort ses jumelles.

– C'est bien une usine chimique de produits industriels de nettoyage.

J'aperçois un bâtiment avec un toit ondulé d'où part une grande cheminée. Une inscription signale le nom de l'endroit.

– Pourquoi les fanatiques religieux se sont-ils installés précisément ici ?

– Parce qu'ils ont trouvé dans cette usine un moyen de se défendre contre les rats. Regarde.

Il me montre du doigt un fossé qui entoure l'usine, rempli d'un liquide verdâtre. Roman m'explique :

– Ce n'est pas de l'eau, c'est de l'acide chlorhydrique. Cette substance a pour effet de dissoudre tout ce qui entre en contact avec elle.

En observant mieux, je distingue des centaines de squelettes de rats sur les bords. Un horrible frisson m'envahit.

– Comment font-ils pour entrer et sortir ?

– J'imagine qu'ils enclenchent un système de pont-levis qui enjambe le fossé, comme dans les châteaux forts du Moyen Âge.

Roman examine le lieu avec attention. Au bout de quelques minutes, il suggère :

– N'attaquons pas maintenant, attendons la nuit. Nous pourrons pénétrer à l'intérieur et agir discrètement.

Il tripote ses jumelles.

– Je suis tellement contente que vous ayez accepté de sauver nos camarades de l'île de la Cité, lui dis-je.

– Attention, Bastet, il faut que te rendes compte que je ne peux rien garantir : même avec des barbelés électrifiés, le problème du ravitaillement va se poser. Il faut trouver non seulement une solution de défense, mais aussi une solution de ravitaillement ou de fuite.

J'observe mieux cet humain à lunettes bleues. Il a une capacité à anticiper les difficultés que je n'avais pas perçue jusque-là.

– Une solution de fuite ? Vous pensez à quoi ?

– Toi, Bastet, tu as bien réussi à quitter l'île de la Cité, comment as-tu fait ?

– Nous sommes partis en montgolfière.

– En quoi ?

– Vous savez, ce gros ballon rempli d'air chaud, cela s'appelle bien une montgolfière ? Enfin c'est de la technologie humaine, il me semble.

Il sourit.

– C'est une idée géniale. Je n'y aurais jamais pensé !

– Mais nous n'étions que trois : une humaine, Nathalie en l'occurrence, et deux chats. Là, il doit rester plusieurs centaines de chats et plusieurs dizaines d'humains à déplacer.

Roman Wells crispe sa bouche en signe d'intense réflexion.

– Eh bien, dans ce cas il faut construire une montgolfière plus grande, avec un système de direction plus élaboré. Ce genre de chose existe et ça s'appelle un dirigeable. À une époque, il en existait certains, les zeppelins, qui pouvaient transporter plusieurs dizaines voire une centaine de passagers sur de très grandes distances.

– Vous croyez que nous pourrions construire un zeppelin pour évacuer les humains et les chats de l'île de la Cité ?

– Pourquoi pas ? Il y a des plans de construction de zeppelins dans l'ESRAE. Nous repasserons à Orsay pour rassembler les matériaux nécessaires : de l'hélium et du Kevlar. On devrait aussi pouvoir construire une nacelle en fibre de verre.

Il lâche un soupir puis poursuit :

– Mais on en revient toujours au même problème : il nous faut déjà récupérer l'ESRAE.

Enfin, la nuit tombe. Déterminée, j'incite Roman à passer à l'action :

– J'y vais. Vous n'aurez qu'à me lancer au-dessus du fossé, je me réceptionnerai très bien.

– Non, tu ne sauras pas reconnaître Christophe et tu ne pourras pas non plus trouver l'ESRAE s'il l'a déjà donnée à quelqu'un. Il faut que nous y allions ensemble. Mais ne t'inquiète pas, Bastet, j'ai tout prévu. J'ai pris des lunettes à infrarouge qui me permettent de voir dans le noir comme un chat.

Il sort un appareil bizarre de son sac à dos.

– Et comment saurez-vous où aller ?

Il me fait un clin d'œil.

– J'avais déjà imaginé qu'il puisse advenir ce genre de pépin. Alors j'ai placé une balise dans la clef USB. Elle fonctionne en wifi mais aussi en Bluetooth. Le wifi ne marche plus, car il est lié à Internet mais le Bluetooth est indépendant. Cela signifie qu'on pourra détecter son emplacement quand nous serons à quelques dizaines de mètres.

– Et pour franchir le fossé, vous envisagez quoi ?

– Le saut à la perche. Cela consiste à utiliser un long bâton pour se propulser en hauteur et sur une certaine distance.

– Cela ne m'a pas l'air très sûr.

– Ne t'inquiète pas, Bastet, j'ai pratiqué ce sport au lycée.

Il trouve une longue branche dont il coupe le feuillage pour en faire une tige. Une fois ces préparatifs terminés, nous nous avançons jusqu'au fossé. Par chance, il n'y a pas de sentinelles.

L'odeur âcre de l'acide chlorhydrique émanant du fossé m'irrite la truffe. Je me retiens de respirer. Je me calfeutre dans le sac à dos.

Roman Wells prend un peu d'élan, plante sa perche puis s'élance au-dessus du fossé. Nous nous propulsons au-dessus du liquide vert qui fume.

Pourvu que ça marche.

Roman se réceptionne souplement sur la rive opposée. Je toussote un peu à cause des émanations d'acide, mais il me fait signe de rester silencieuse.

J'avale ma salive et lui fais comprendre qu'on peut poursuivre, je saurai rester discrète.

L'entrée est obstruée par un empilement de sacs de sable, mais heureusement, en l'absence d'humains, nous pouvons franchir cette barrière.

De l'autre côté, se trouvent d'énormes machines avec des tuyaux qui montent jusqu'au plafond. Sur le sol et dans les coursives, je distingue aussi des centaines d'humains barbus gisant à même le sol, endormis. Ils ronflent presque à l'unisson.

Les fanatiques religieux ont une odeur de sueur et de crasse plus prononcée que les scientifiques.

J'ai comme l'impression que la guerre inspire moins d'hygiène corporelle que la science.

Je sais, je suis un peu maniaque, mais la propreté est le premier critère selon lequel je juge autrui.

Nous avançons en silence. Il y a des armes un peu partout : fusils, couteaux, sabres, lances. Roman sort son smartphone pour détecter le signal de la balise de l'ESRAE.

Il se dirige alors vers un point précis à pas silencieux. Il repère un individu qui a un gros ventre. J'en déduis qu'il doit s'agir du chef des fanatiques. Je n'ai jamais vu un être humain aussi gros et qui sent aussi fortement la sueur. C'est une boule de graisse à la longue barbe noire.

Il porte plusieurs colliers dorés ; au bout de l'un d'entre eux, je reconnais la clef USB bleu foncé à étoile contenant l'ESRAE.

Roman s'approche de lui très lentement et, tandis que je fais le guet, il se penche en prenant mille précautions pour détacher en silence le pendentif du cou de son corpulent propriétaire. Il retient sa respiration pour ne pas risquer d'être découvert.

Avec beaucoup de délicatesse, l'encyclopédiste récupère le précieux objet, mais, en reculant, il marche sur ma queue. Je ne sais pas pour vous, mais moi, s'il y a bien quelque chose que je déteste, c'est qu'on marche sur ma queue.

Les humains étant dépourvu de ce précieux appendice, ils ne se rendent évidemment pas compte de ce que nous, les chats, ressentons dans ce genre de situation. C'est bien simple, on ne peut plus réfléchir, on ne peut plus se contenir. En tout cas, malgré la discrétion maximale que réclame cet instant, personnellement, je ne peux me retenir.

La douleur est si fulgurante que je pousse un énorme hurlement.

44. LA RÉVOLUTION DES AYATOLLAHS EN IRAN.

En 1941, le shah Mohammad Reza Pahlavi monte sur le trône d'Iran laissé vacant par son père. À peine arrivé, il met sur pied un programme de modernisation du pays : il fait construire des écoles et des universités, il lance une politique de développement industriel, il fait creuser des ports pour

accueillir les tankers. Il autorise les femmes à être scolarisées.

En 1976, c'est la « révolution blanche ». Le shah abolit le système agraire qui favorisait les gros propriétaires pour redistribuer les terres aux petits paysans. Les mollahs qui possédaient beaucoup de terres voient leurs revenus baisser et s'organisent pour renverser le gouvernement en place.

En parallèle, l'une des conséquences de cette politique de modernisation est l'apparition d'une classe bourgeoise instruite qui pense qu'il faut accélérer la démocratisation du pays pour progresser encore plus vite.

Le shah se retrouve donc pris entre deux feux : les religieux qui contrôlent les éléments les moins instruits et les plus pauvres de la population, et les étudiants impatients que le pays évolue pour devenir plus libéral comme les nations européennes.

Après avoir échappé à plusieurs attentats, le shah essaie de se maintenir au pouvoir par une politique de durcissement mise en œuvre par sa police personnelle.

En 1978, les étudiants sont dans la rue. En 1979, le gouvernement du shah s'exile et l'ayatollah Khomeini, âgé alors de soixante-dix-sept ans, prend le pouvoir et se déclare « guide suprême ».

L'Iran, qui se préparait à passer progressivement d'un régime de type monarchique à un régime d'inspiration démocratique, est devenu une théocratie (c'est-à-dire un État gouverné par les prêtres) sans opposition, sans liberté de la presse, gouverné par une police religieuse qui a tous les pouvoirs. Le chiisme devient religion d'État.

Les communautés religieuses musulmanes sunnites ou d'autres religions sont persécutées ou simplement éliminées (comme les Bahá'is). Les libertés individuelles sont réduites. Les femmes n'ont plus le droit d'exhiber leurs cheveux ni aucune partie de leur peau hormis leur visage. Il est interdit de se promener en couple avec une personne du sexe opposé, à moins d'être marié(e) avec elle. En cas de comportement jugé inconvenant, les sanctions qui attendent les contrevenants sont les châtiments corporels pouvant aller jusqu'à l'exécution publique.

La mauvaise gestion sociale et économique et la corruption généralisée des mollahs entraînent le mécontentement populaire et des révoltes de jeunes qui seront matées de manière bien plus violente qu'à l'époque du shah. Par exemple, la répression de la manifestation pacifiste de juin 2009 fait 150 morts et des milliers d'arrestations. Le pays, après avoir lentement sombré économiquement, doit en 1980 affronter son voisin irakien dans une guerre qui fait plus d'un million et demi de morts.

Les mollahs arrivent cependant à se maintenir au pouvoir et investissent dans un programme nucléaire et des guerres extérieures qu'ils entretiennent notamment au Liban, au Yémen, en Syrie.

Encyclopédie du Savoir Relatif et Absolu.
Volume XII.

45. SAUVER LA MÉMOIRE.

Mes pupilles s'étrécissent.

Le plafonnier s'éclaire d'un coup, ce qui, dans un premier temps, aveugle Roman qui a encore ses lunettes à infrarouge. L'encyclopédiste ne se laisse cependant pas longtemps distraire, il se reprend et galope vers la sortie en serrant dans sa main son précieux trophée.

Je cours derrière lui. Des cris d'alerte résonnent simultanément dans plusieurs endroits de l'usine. Des détonations commencent aussi à se faire entendre, et des balles sifflent près de mes oreilles. Roman profite de toutes les machines volumineuses en métal pour se cacher, bondir, zigzaguer.

Tous les barbus sont réveillés et émettent des cris hostiles à notre encontre. Nous profitons de la confusion générale pour échapper à nos poursuivants.

Quelle sensation étrange que de voir tous ces humains qui ne me connaissent pas personnellement et qui sont pourtant déterminés à m'éliminer ! C'est un peu comme s'ils ne s'étaient même pas aperçus que j'étais d'un niveau de conscience supérieur et qu'ils considéraient, les pauvres, que je n'étais qu'un simple animal obéissant à mon maître.

Comme si j'étais un chien.

Mais je n'ai pas le temps de leur expliquer la différence entre les chiens et les chats, tout ce que je perçois, c'est qu'ils veulent me voir morte et cela me déplaît fortement.

Je cours si vite que mes pattes arrière passent devant mes pattes avant pour me propulser plus loin.

C'est le genre d'instant délicat que je ne vous souhaite pas de connaître. Heureusement, les barbus sont plus nombreux à poursuivre Roman que moi (en fait il doit bien y en avoir une centaine derrière lui et deux derrière moi). J'accélère et multiplie les virages secs. Désormais, je sais que c'est mon instinct de survie qui guide mes pas.

Je saute sur différents promontoires, avec à ma suite le gros humain qui détenait la clef USB et qui doit être leur chef.

Il hurle d'une voix étonnamment fluette, compte tenu de sa corpulence. Je suppose qu'il appelle des renforts. À chaque coup de sabre qu'il tente de me donner, l'odeur de sa sueur m'irrite la truffe.

Ce n'est vraiment pas le moment de faire ma délicate.

J'esquive un coup, puis un deuxième mais, au troisième, la lame frôle mon oreille et cela me déséquilibre. Je glisse. Je me rattrape de justesse à la balustrade grâce à une de mes griffes que j'ai opportunément plantée dans le bois.

L'homme lève son sabre pour frapper de nouveau. Je suis sur le point de tomber dans un grand bac fumant rempli d'une soupe noire dont la surface forme des bulles et de laquelle émane une odeur aigre.

– Saute ! dit une voix dans mon cerveau.

C'est Roman qui passe juste en dessous de moi. Je lâche ma prise, frôle le bac de mélasse noire et une main me réceptionne.

Bien joué, Roman.

De nouveaux assaillants surgissent, nous obligeant à nous remettre à courir. J'ai l'impression que mon corps va plus vite que mon cerveau. Le sang bat fort dans ma gorge.

Roman et moi pénétrons dans une pièce dont il arrive à bloquer l'épaisse porte métallique. Il place une armoire devant, mais déjà des balles transpercent la porte, suivies d'une explosion.

Nous passons par la fenêtre et nous empruntons un escalier extérieur pour rejoindre le toit, presque plat, qui nous permet de courir.

Je ne sais pas vous, mais moi je déteste ce genre de situation.

Du bruit, de l'agressivité, des menaces… Toute cette agitation nuit à ma sérénité.

Les cris et les tirs ne s'arrêtent pas. Une dizaine de barbus sont encore à nos trousses. Même leur gros chef court très vite pour nous attraper. Quand nous arrivons au bord du toit, je m'apprête à sauter au sol, mais Roman hésite.

Alors, j'exerce une pression au niveau de ses genoux pour le déséquilibrer. Ce garçon doit être chanceux car sa chute est amortie par un amoncellement de caisses. Quant à moi, je me réceptionne avec ma grâce naturelle sur mes pattes avant puis arrière.

Roman s'est déjà relevé et repart vers le fossé qui ceinture l'usine. Il saisit la perche qui nous avait permis de passer en sens inverse, je n'ai que le temps de grimper sur son sac à dos (et d'y planter mes griffes pour bien m'y agripper) qu'il s'élance au-dessus de l'acide chlorhydrique.

Dans les secondes qui suivent, le pont-levis dont Roman avait postulé l'existence s'abaisse, et un groupe de barbus dans une voiture surgit tous phares allumés.

Mais Roman a déjà rejoint son vélo et pédale. Pour aller plus vite, il emprunte la route goudronnée. Je lui crie :

– C'est une mauvaise idée ! Mieux vaut passer par les chemins de terre où leur voiture ne pourra pas nous suivre.

Mais il ne m'écoute pas. C'est malheureux que les gens n'en fassent toujours qu'à leur tête alors qu'ils ont si souvent tort et moi raison.

En effet, comme je le prévoyais, la voiture de nos poursuivants surgit et roule dans notre direction. Roman a beau pédaler vite, pas besoin d'être humain pour savoir qu'une voiture va plus vite qu'un vélo.

– Accélérez ! dis-je pour l'encourager.

Il pédale et ahane.

– Allez, plus vite !

Le groupe se rapproche inexorablement. Je ne peux m'empêcher d'exprimer mon amertume :

– Et voilà, vous auriez dû m'écouter, on va se faire avoir.

La voiture s'approche, quand, soudain, alors que nous allons être rejoints, un de leurs pneus explose.

Quelqu'un a tiré.

Le véhicule des barbus est emporté dans plusieurs tonneaux puis s'immobilise sur le toit, alors que les roues tournent encore dans le vide en grinçant.

En cherchant l'origine du tir, je vois Nathalie s'extraire d'une autre voiture.

– Montez ! nous crie-t-elle.

Roman ne se le fait pas dire deux fois. Moi non plus. Nous abandonnons le vélo sur le bas-côté et nous enfonçons dans l'habitacle. Nous démarrons dans une embardée sans même vérifier si nos ennemis ont survécu à leurs tonneaux.

Sur le siège passager se trouve Pythagore. Je lui demande :

– Qu'est-ce que tu fais là ?

– C'est moi qui ai conseillé à Nathalie de vous suivre en voiture au cas où une évacuation express serait nécessaire.

C'est fou, ça, comme il a besoin de montrer qu'il est à l'origine de tout ce qui arrive de bien. Je ne veux pas le contredire, mais j'ai quand même très envie de lui répondre que, sans moi, la mission n'aurait même pas existé, que nous n'aurions pas récupéré la clef

USB et que donc il n'aurait pas non plus eu l'occasion de jouer les héros en venant nous sauver. Je garde tout ça pour moi ; ce n'est vraiment pas le moment pour ce genre de mise au point.

Des détonations retentissent. On distingue les phares de trois autres voitures qui se dirigent à vive allure dans notre direction.

On n'en aura donc jamais fini avec les barbus...

Nathalie roule pied au plancher. Roman s'adresse à elle :

– Éteins les phares. Prends les lunettes à infrarouge. Fais un détour par une petite route.

Nathalie s'exécute : elle enfile ces lunettes qui permettent aux humains de voir dans l'obscurité, et conduit tous feux éteints pour ne pas être repérable. Dans un crissement de pneus, elle prend un virage et rejoint une route perpendiculaire.

Nous roulons encore sur quelques kilomètres et bientôt nous sommes seuls. Nathalie décrète :

– Je crois que cette fois-ci nous les avons bel et bien semés.

Nous nous arrêtons.

– Tu es arrivée juste à temps, dit Roman.

Il prend Nathalie dans ses bras et ils se serrent fort.

– Tu as récupéré l'ESRAE ? lui demande-t-elle.

Roman affiche un large sourire et déploie lentement les doigts de sa main pour dévoiler la précieuse clef USB de un zetta.

– Il faut vite en faire une copie ! dit-elle.

– Non, ce serait prendre le risque que les plans de construction d'armes qui sont dessus se retrouvent de nouveau chez les barbus. Il faut au contraire bien protéger cet exemplaire unique.

C'est alors que j'interviens.

– Je pense que le mieux serait que ce soit moi qui porte cette clef USB autour de mon cou. En cas de nouveaux problèmes interhumains, je pourrai toujours fuir. Il est plus difficile d'attraper un chat qui saute partout, sait se faufiler dans les petits passages et grimpe aux arbres.

— Tu veux qu'on te confie ce qui est probablement le dernier réceptacle de la plupart des connaissances des hommes ? s'étonne Roman.

Nathalie réfléchit rapidement, avant de déclarer :

— Bastet a raison. Si les fanatiques nous capturent, ils nous fouilleront ; mais ils ne penseront pas à examiner le collier d'un chat. La clef USB passera pour un simple pendentif.

Après une hésitation, Roman consent à me confier ce qu'il considère comme son plus précieux trésor. Il prend juste la précaution de gratter l'étoile blanche avec un canif pour qu'elle ne soit plus reconnaissable. Nathalie dessine avec son rouge à lèvres un petit cœur pour faire diversion.

Elle confectionne un collier avec un lacet et installe la clef autour de mon cou.

Plus que jamais je me sens fière d'être moi-même.

Ainsi, c'est moi, Bastet, qui porte toutes les connaissances de l'humanité sur mon poitrail.

— Plus de temps à perdre, d'autres fanatiques peuvent venir. Il faut maintenant rejoindre la route qui mène à l'université d'Orsay, déclare ma servante en lançant la voiture sur une route transversale.

Nous roulons jusqu'au lever du soleil. Mais soudain un pneu éclate, puis un deuxième, et enfin les quatre. Nathalie donne un grand coup de pied dans la pédale de frein. Notre véhicule dérape et zigzague avant de s'immobiliser.

Nous sortons et nous découvrons que le sol est jonché de clous.

— C'est un piège ! crie Roman.

Déjà Nathalie a dégainé le fusil qu'elle a emporté avec elle et balaye la zone qui nous entoure à la recherche de ceux qui auraient pu avoir déposé ces clous. Bientôt, nous voyons des yeux perçants à travers les fourrés. Mais alors que nous craignions l'apparition de nouveaux barbus, les responsables de ce traquenard se révèlent d'un tout autre genre. Ils ont des visages glabres, la peau rose, les yeux bleus.

Ils émettent des paroles que ni moi ni les humains n'arrivons à comprendre. Cela sonne un peu comme « Sgruiii, Sgruiiii ».

Des porcs !

Ce sont des dizaines de porcs qui s'avancent vers nous, menaçants.

Nathalie veut leur tirer dessus mais son fusil ne fonctionne pas.

– Il est enrayé, dit Pythagore comme s'il était un expert en la matière.

Les porcs s'approchent avec des regards hostiles. Ils sont suffisamment nombreux pour rendre impossible toute velléité de fuir.

Je m'apprête à les combattre quand j'avise un perroquet aux plumes blanches, une huppe avec des pointes jaunes au sommet de son petit crâne.

Il volète au-dessus de nous et prononce en langage humain puis en langage chat les mots suivants :

– N'essayez pas d'opposer la moindre résistance et suivez-nous.

Je n'aime pas qu'on me dise ce que j'ai à faire. Qui plus est quand l'ordre émane d'un simple oiseau. Le nombre de porcs qui nous entourent m'oblige à faire profil bas. Escortés par les porcs, moi et mes compagnons suivons la direction que nous indique l'étonnant volatile trilingue.

Nous marchons, et le perroquet se pose sur l'épaule de Nathalie.

J'intercepte la conversation entre l'oiseau et ma servante grâce à son oreillette.

– ... je suis un perroquet cacatoès et, au cas où vous l'ignoriez, nous les cacatoès sommes les plus intelligents de tous les oiseaux. Nous avons la faculté de parler plusieurs langues d'espèces différentes. En plus, j'ai une spécificité qui me rend unique : j'ai été élevé dans une animalerie spécialisée en perroquets parleurs et j'étais le meilleur de tous. Non seulement je connais le langage humain, mais aussi celui de plusieurs autres animaux.

L'oiseau blanc et bavard gonfle fièrement son jabot.

– Mon maître m'a baptisé Champollion, en référence à cet humain qui savait traduire des langues anciennes que les autres humains ne comprenaient pas. Et vous avez intérêt à me respecter, car vous allez avoir besoin de moi.

Je l'interromps :

– Et comment se fait-il que vous parliez aussi le chat ?

Il dresse sa huppe et se tourne vers moi comme si cette question appelait une réponse évidente.

– Je suis surdoué, je sais parler pratiquement toutes les langues, je viens de vous le dire ! miaule-t-il avec un accent typique de chat persan.

Le soleil levant nous éclaire. Nous arrivons devant un édifice du même genre que l'usine de produits chimiques, si ce n'est que cette fois l'endroit est dix fois plus haut, plus large, plus moderne. Je m'adresse à Nathalie :

– C'est quoi ici ? Un château ? Une université ? Une usine ? Une prison ?

Ma servante examine le bâtiment avec attention puis déclare :

– C'est un complexe industriel agro-alimentaire, plus précisément dédié d'un côté à l'élevage, et de l'autre à l'abattage pour obtenir de la charcuterie.

En m'approchant, je distingue sur la devanture un mot humain et une image qui montre un porc dressé sur ses pattes arrière faisant sortir des saucisses de son propre ventre béant pour les présenter sur un plateau argenté tout en affichant un grand sourire.

– Ôtez-moi d'un doute, Nathalie : élevage, cela veut dire qu'ils naissaient et grandissaient ici ?

– En effet, c'est dans cette usine qu'on les faisait se reproduire, grossir. « Abattage » signifie qu'on les tuait.

– Et là, ce mot humain écrit, ça veut dire quoi ?

– C'est le nom de la marque : Saucissounou. En dessous, leur devise : « Saucissounou, le bon cochon qui a plus de goût. »

– Vous les connaissez ?

– Oui, leurs publicités passaient souvent à la télévision. Dans l'une des plus célèbres, des enfants jouaient dans un champ puis pique-niquaient avec leurs parents et se régalaient en mangeant du jambon, des rillettes ou des chipolatas. Saucissounou a aussi une chaîne de distribution spécialisée dans la charcuterie, comme d'autres dans le poulet frit ou le bœuf haché. Ils fabriquent également des hot-dogs vendus dans les restaurants d'autoroute.

Elle pointe un autre bâtiment orné du même logo mais avec une inscription différente. Je me souviens alors d'avoir moi-même déjà mangé des rondelles de saucisson. Nathalie me les avait proposées en fin de repas alors qu'elle-même en avait dévoré avec gourmandise. J'avais trouvé cela très bon (c'était en même temps salé et gras), même si j'avais perçu un léger arrière-goût chimique. Je crois que ce qui m'avait plu, c'est que c'était l'une des rares nourritures humaines à avoir un goût de sang… d'ailleurs assez semblable à celui des humains.

– Vous avez vous aussi un Troisième Œil, n'est-ce pas ? me miaule le perroquet.

La question me fait sursauter.

– Pourquoi dites-vous « vous aussi » ?

Le perroquet produit des petits clappements avec son gros bec, dresse sa huppe et déclare en articulant exagérément pour être certain d'être bien compris :

– Parce que celui que vous allez rencontrer tout à l'heure a lui aussi, au même endroit, une fente similaire.

46. LE TROISIÈME ŒIL.

Dans les textes anciens indiens, un être humain est censé posséder neuf « portes », dont voici la liste :

– Les deux yeux pour percevoir la lumière.

– Les deux narines pour percevoir les odeurs.

– Les deux oreilles pour percevoir les sons.

– La bouche pour faire entrer l'énergie.

– L'urètre pour faire sortir l'urine.

– L'anus pour éliminer les excréments.

Auxquelles il faut ajouter une dixième porte :

– Le « Troisième Œil » placé sur le front entre les deux yeux. Cette dixième porte fournirait des informations sur l'espace et sur le temps, autres que celles que donnent les yeux.

Les Égyptiens nommaient ce Troisième Œil : « œil d'Horus ».

Dans le yoga et les mystiques indiennes, le Troisième Œil est associé au sixième chakra. De nos jours, il est représenté par un point rouge sur le front placé exactement entre les deux yeux, un peu au-dessus des sourcils.

On considère que l'intérêt pour le Troisième Œil est arrivé en Occident au VIᵉ siècle avant J.-C. grâce au philosophe

grec Pythagore, qui avançait que l'étude des mathématiques réveillait cette glande endormie et permettait d'avoir accès aux mondes invisibles.

Dans la nature, on retrouve ce Troisième Œil chez certains serpents. Plusieurs cultures ont imaginé que chez l'humain il serait un vestige de ce sens reptilien atrophié : la glande pinéale. Cet organe situé pile au centre de notre crâne a la taille d'un pois et la forme d'une pomme de pin. On a pu découvrir récemment à l'intérieur de cette glande des cristaux de forme hexagonale assez similaires à ceux qui se trouvent dans notre oreille interne.

La glande pinéale a une activité qui est pour l'instant mal connue. Ce que l'on sait, c'est qu'elle reçoit un flux sanguin anormalement élevé par rapport à sa taille et qu'elle est sensible aux champs électromagnétiques.

Encyclopédie du Savoir Relatif et Absolu.
Volume XII.

47. LE PEUPLE PORC.

– Vous verrez, ce n'est pas du tout ce que vous croyez, dit Champollion en voletant au-dessus de nous.

Le cacatoès secoue la tête et poursuit :

– Les porcs sont des animaux charmants qui gagnent à être connus. Surtout ceux qui vivent ici. Ils sont vraiment très évolués.

Nos ravisseurs porcins nous entraînent à l'intérieur du bâtiment avec leurs groins humides en poussant des « Sgruiii, Sgruiii ».

Nous découvrons l'intérieur de l'abattoir. C'est une immense salle où se trouvent encore fixés au plafond des rails aux crochets corrodés. En dessous, plusieurs appareils avec des roues, des tapis, des grandes lames tranchantes, elles aussi rouillées. Tout autour de ces dispositifs qui exhalent encore une forte odeur de mort et de sang, ont pris place des centaines de porcs à la peau rose, aux yeux bleus, au poil blond.

Nous sommes guidés jusqu'à une estrade formée de caisses empilées. Au sommet, un grand fauteuil en cuir sur lequel est installé un porc beaucoup plus maigre que les autres. Il porte sur sa tête une sorte de coiffe.

Nathalie murmure :

– C'est une couronne en carton, comme celles qui accompagnent la galette des rois.

– Et cela veut dire quoi ?

– Qu'il sait ce que signifie ce symbole et qu'il se prend pour un roi, résume ma servante. D'ailleurs son fauteuil est une sorte de trône. Il connaît les symboles humains du pouvoir.

Je remarque qu'à notre arrivée tous les porcs présents se regroupent pour se placer au pied de l'estrade. Nous sommes forcés de nous tenir là, nous aussi. En l'observant de plus près, je distingue sous le carton doré qu'il arbore sur son crâne une petite fente. Pythagore l'a remarquée également et me glisse :

– Alors, ce serait lui… Le porc évadé du laboratoire d'Orsay…

Le perroquet l'entend et lui répond :

– En effet, il a été au contact de scientifiques qui lui ont permis de se brancher sur les ordinateurs humains. Un jour, il est arrivé chez Saucissounou et a libéré tous les porcs. Ensuite il leur a transmis sa connaissance. C'est à la suite de ces événements qu'il est devenu leur roi.

Il va se poser sur l'épaule du monarque à la peau rose. Ce dernier grogne et l'oiseau secoue la tête de manière dubitative puis il vole dans notre direction et se positionne face à nous.

– Il s'appelle Arthur et tient à vous signaler que nous allons procéder à votre procès. Si vous vous adressez à lui, vous devez l'appeler « Majesté ». C'est une marque de respect d'origine humaine à laquelle il tient.

Je me penche vers Nathalie et lui demande :

– Qu'est-ce qu'un procès ?

– Des humains qui se réunissent pour décider, dans un litige, qui a raison et qui a tort. À la fin, celui dont il a été établi qu'il avait tort est condamné.

– Ah ? Il faut se mettre à plusieurs pour faire ça ? Je sais qui a raison et qui a tort sans avoir à réunir qui que ce soit.

– Disons que, lors d'un procès, le but est que le verdict devienne incontestable.

Je remarque que, sur un signal de la patte du roi Arthur, les porcs se déplacent. À notre droite, douze d'entre eux sont assis sur des chaises.

– Ce sont les jurés, m'explique Nathalie.

D'autres nous indiquent en nous bousculant que nous devons nous installer sur le banc de gauche. Enfin, le roi des porcs se lève et demande le silence. Lorsqu'il se met à grogner, toute l'assistance grogne aussi en écho, produisant un brouhaha de « Sgruiii » assourdissant. Je m'adresse au perroquet :

– Qu'est-ce qu'il dit ?

– Il dit que nous allons faire le procès des deux nouveaux humains qui ont été capturés.

Je remarque que son accent persan est plus marqué quand il est préoccupé.

– Et nous les chats ?

– Pour l'instant, Sa Majesté n'a pas évoqué votre cas.

Je me sens soulagée. Cette histoire de procès avec tous ces porcs rangés d'un côté ne m'inspire rien qui vaille. De nouveau le roi des porcs s'exprime et tous approuvent en grognant. Champollion traduit :

– Il dit qu'ils ont déjà fait prisonniers d'autres humains dans le passé et que ces derniers ont eu droit, eux aussi, à un procès équitable. Cependant, ils n'ont pas su convaincre le jury.

Arthur lève sa patte et deux porcs apportent des plateaux sur lesquels trônent des cloches argentées qu'ils soulèvent. J'aperçois deux têtes d'humains avec une tomate dans la bouche, des gousses d'ail dans les narines et des branches de persil qui débordent de leurs oreilles.

Arthur poursuit son discours et le perroquet traduit à mesure qu'il parle :

– Sa Majesté dit que ces humains ont été condamnés à expérimenter ce qu'ils faisaient subir aux autres.

Les porcs approuvent en applaudissant de leurs pattes avant.

Arthur s'exprime de nouveau et Champollion retransmet.

– Sa Majesté dit qu'elle n'est pas, comme les humains, favorable à une condamnation systématique de tous les individus d'une même espèce. Il faut examiner au cas par cas. Comme Sa Majesté estime que chacun a droit à la justice, les deux nouveaux humains capturés pourront s'expliquer et se justifier en leur nom. S'ils sont convaincants, ils auront la vie sauve. Sinon, ils seront tués.

Puis le roi Arthur fait un signe de la patte pour ordonner le début du procès.

Un jeune porc très gracieux s'avance vers notre groupe ; il émet des sons plus aigus que le roi.

Champollion traduit.

– Lui, c'est Badinter, il sera l'avocat. En face de lui, le procureur, Saint-Just.

– Ils ont des noms humains ? s'étonne Pythagore.

– Bien sûr. Sa Majesté nous a enseigné l'histoire.

Arthur se lève. Le procès commence. Le procureur Saint-Just parle le premier, traduit simultanément par Champollion.

– Tout d'abord, chers jurés, je tiens à vous rappeler où nous sommes : dans un abattoir. Ces crochets placés au plafond servaient à nous pendre par les pattes arrière, la tête en bas. Nous restions à attendre dans cette position inconfortable jusqu'à ce qu'un humain vienne nous égorger pour recueillir notre sang dans des bassines et, avec, fabriquer du boudin.

Le procureur présente comme pièces à conviction des photos et un sachet de boudin sous cellophane.

– Ensuite, les humains nous arrachaient la peau alors que nous n'étions pas encore complètement morts, cette peau qui servait à faire des gants, des sacs, des porte-monnaie. Quant à nos poils, ils étaient utilisés pour produire des brosses et des balais.

Un de ses assistants apporte un grand sac d'où il sort les pièces à conviction. Nouvelle rumeur dans la salle et parmi les jurés. Certains se mettent la patte sur les yeux pour ne pas voir ce spectacle.

Saint-Just n'est pas mécontent de l'effet produit, et lentement, il commente :

– Les humains sortaient nos intestins, les vidaient et les nettoyaient, puis les fourraient avec nos muscles hachés pour en faire de la saucisse. Avec nos cuisses, ils cuisinaient des jambons salés. De cette usine sortaient plus de cent vingt produits : saucissons, chipolatas, etc. Ils mangeaient même nos cages thoraciques sous le nom de « travers de porc », nos pattes en « pieds paquets » ou nos oreilles grillées. Ils considéraient toutes ces préparations comme des plats succulents.

Nouvelle présentation de photos de menus de restaurants, nouvelle émotion collective manifestée par des grognements d'indignation.

– Mais, mesdames et messieurs les jurés, le pire se déroulait avant la mise à mort. Nous naissions et nous étions séparés de nos mères, qu'au préalable on avait débarrassées de leurs incisives pour les empêcher de tuer leurs propres enfants. En effet, les truies, dans leur sagesse, sentaient ce qu'il se passait ici et essayaient de soustraire leur progéniture aux souffrances qui les attendaient.

Le procureur laisse passer un temps pour que ses paroles aient le plus grand impact :

– Quelles souffrances ? me demanderez-vous. Je vais vous les décrire. Tout d'abord, on coinçait notre corps dans un enclos métallique si étroit que nos flancs touchaient les bords. Nos têtes étaient enserrées entre deux barres et nos groins étaient en permanence plongés dans de la nourriture. Pourquoi ? Pour nous forcer à engraisser. Imaginez ce que peut être une vie entière à rester immobile, avec pour seul objectif de grossir pour produire une viande plus grasse et plus juteuse. Le dessein des humains était de parvenir à la plus grande rentabilité. En d'autres termes, de forcer au maximum notre croissance jusqu'à l'obésité, et le plus rapidement possible.

Le procureur Saint-Just se tait de nouveau un instant pour que chacun prenne conscience de la gravité des faits qu'il dénonce, puis il reprend.

– Il me tarde de vous présenter le premier témoin que je voudrais appeler à la barre.

À ce moment entre par la droite un sanglier à la fourrure grise.

– Voici un sanglier sauvage qui vivait dans la forêt de Fontainebleau. Voilà ce à quoi nous ressemblerions si les humains ne nous avaient pas *domestiqués*. Ce sanglier nous rappelle que nous aurions pu être des animaux libres, croissant au grand air, à leur rythme naturel, se promenant dans la nature pour se nourrir et enfin mourir dignement de vieillesse. Racontez-nous comment était votre vie, cher premier témoin. Je pense que cela intéressera les jurés.

– Eh bien, je suis en effet un sanglier sauvage et, comme vous le voyez, j'ai encore ma fourrure protectrice. Je dois vous avouer que la première fois que j'ai vu un porc d'élevage, j'ai été très choqué. Je trouve indécent d'être ainsi la peau nue, rose et dépourvue du moindre poil. Selon moi, un suidé doit avoir du poil, et même du poil épais. Ne serait-ce que pour se protéger du froid et de la pluie.

Rumeur d'approbation dans l'assistance.

– Dans les élevages, nous ne sommes pas vraiment dépendants de la météo, ironise avec amertume un porc de l'assistance.

Je repense au sphynx qui, pour d'autres raisons, ressemble à ces cochons à la peau rose et aux yeux bleus.

– Continuez, cher sanglier, insiste Saint-Just qui ne veut pas prendre le risque d'une diversion.

– Bien sûr, en arrivant la première fois ici, j'ai été étonné de découvrir cet abattoir et ce qu'il s'y produisait. Même s'il y avait des dangers dans la forêt, j'étais libre, j'avais une famille, un territoire que je défendais. C'était à moi d'être fort et intelligent. Je ne devais ma pérennité qu'à mes réflexes et à ma combativité. Ma survie, je la dois à mes propres choix, tandis que vous, les porcs qui avez eu le malheur de naître ici, vous êtes condamnés sans rien pouvoir faire pour échapper à votre destin. L'autre élément qui m'a bouleversé en découvrant ce lieu est l'absence d'arbres et de lumière naturelle. En fait, vous les porcs, vous viviez en permanence éclairés par des lumières artificielles bleutées qui font mal aux yeux.

— Des néons ! Et en les activant les humains accéléraient le cycle des jours et des nuits pour tromper notre cerveau et nous faire grandir plus vite, précise le procureur Saint-Just. Venons-en maintenant au sujet du jour : quelle est votre opinion sur les inculpés, cher témoin ?

— En raison de ces découvertes, je considère évidemment que tous les humains méritent de disparaître pour tout le mal qu'ils vous ont fait. Donc j'encourage les jurés à voter leur mise à mort.

Assentiment général parmi la foule des cochons présents, certains applaudissent derechef. Des « Sgruiii » d'encouragement résonnent.

Le témoin suivant est un taureau noir. De nouveau, Champollion sert d'interprète :

— Les humains m'ont fait naître et m'ont éduqué dans un seul objectif : les divertir lors d'un spectacle de mise à mort qu'ils appelaient corrida. Cela se pratiquait dans une grande arène avec des gradins qui pouvaient contenir plusieurs milliers de spectateurs qui payaient pour y assister. L'ambiance était celle d'une fête joyeuse, au cours de laquelle le torero enfonçait des piques dans le dos des taureaux, encouragé par d'autres humains qui applaudissaient et le félicitaient. Nous n'avions pratiquement aucune chance de gagner. Notre agonie pouvait durer des heures.

— Mais vous, vous êtes là. Comment avez-vous survécu ? demande le procureur.

— J'ai si bien combattu que les humains ont consenti à m'épargner pour récompenser ma bravoure. Être grâcié arrive très très rarement, mais cela m'est arrivé, à moi. J'ai donc eu la chance exceptionnelle de pouvoir vieillir tranquillement. Je suis le seul, à ma connaissance, à avoir bénéficié de ce traitement de faveur. Mais j'ai vu beaucoup des miens mourir et entendu depuis mon enclos les applaudissements des foules d'humains en liesse qui assistaient à leur agonie. Par la suite, j'ai appris ce qu'on faisait aux autres mâles vaincus : on leur coupait les oreilles et la queue, qui étaient offerts en trophée à son assassin, et leur corps était vendu aux restaurants des alentours pour être dégusté. Aucune sépulture décente ne les attendait, l'assassin était ensuite porté en triomphe comme un héros.

Nouvelle vague d'indignation dans la salle. Même les jurés ne peuvent cacher leur écœurement.

Ensuite, Saint-Just fait témoigner une oie.

– De tout ce que j'ai entendu, je pense cependant que ce sont nous les oies qui subissions la pire torture, car c'était la plus longue. Les humains avaient en effet pris l'habitude non seulement de nous enfermer dans un espace des plus étroits mais aussi de nous gaver de force pour que nous ayons des foies volumineux, cancéreux, qu'ils considéraient comme un plat raffiné.

Une truie parmi les jurés, à cette évocation, est prise de vomissements. Elle est vite évacuée. De nouveau des « Sgruiii » résonnent, désapprobateurs.

Je me tourne vers Pythagore et murmure :

– Un morceau d'organe que l'on s'efforce de rendre malade pour en faire un plat ? J'ai l'impression que cette oie exagère. Certains humains ont beau être cruels, ils ne peuvent pas être pervers à ce point.

Ensuite, Saint-Just appelle un nouveau témoin, que je découvre être… moi. Hésitante, je m'avance et me place à l'endroit que Champollion a appelé la barre.

Saint-Just me pointe du sabot.

– Vous êtes un chat et nous savons que, vous les chats, vous êtes les animaux les mieux traités par les humains. Que pensez-vous donc de ces témoignages à charge ?

– Vous voulez la vérité, Majesté ? Eh bien, je crois qu'il y a eu beaucoup d'exagération dans ce que nous avons entendu précédemment. Avec cette atmosphère chargée, certains se laissent emporter par leur lyrisme pour accabler les humains qui sont en position d'infériorité. Je ne crois ni à ces histoires de corrida spectacle, ni à celles de ces oies gavées pour avoir de gros foies.

Champollion traduit mes paroles instantanément. L'auditoire bruisse d'indignation.

Saint-Just intervient :

– Vous êtes aveugle ? Vous ne voyez pas le mal qu'ils font à ceux qui les entourent ?

– Leurs maisons nous ont abrités de la pluie, leurs chauffages nous ont protégés du froid, leurs croquettes nous ont permis de nous nourrir sans devoir chasser. Et puis il y a leur lait tiède le matin, leurs caresses, leurs…

Saint-Just m'interrompt :

– Vous croyez qu'il y a eu beaucoup d'exagération dans ce que nous avons entendu aujourd'hui ? Eh bien, puisque vous m'y forcez, je vais vous permettre de mieux mesurer la situation avec des chiffres précis. Les humains étaient 8 milliards et ils tuaient, rien que pour leur consommation de viande, 70 milliards d'animaux tous les ans ! 70 milliards !

Cela me semble exorbitant, mais Pythagore m'indique d'un signe de tête que ces chiffres sont justes.

J'observe avec une curiosité malsaine le plateau d'argent où trônent les têtes humaines.

– Je comprends parfaitement que vous ayez envie de leur faire subir ce qu'ils vous ont fait subir...

Après tout j'ai moi-même enseigné à Angelo l'une de mes phrases fétiches : « La vérité n'est qu'un point de vue » et je l'ai toujours encouragé à changer de vérité de temps en temps un peu comme les humains changent de vêtements, en ajoutant : « Il faut changer de vérité rien que pour voir les choses différemment ou s'adapter à d'autres milieux. Cela aère l'esprit. »

Donc je m'adapte. Je jette un regard furtif aux deux accusés.

Désolée, Nathalie et Roman, je crois que sur ce coup-ci je ne vais pas pouvoir vous être d'une grande aide. Et puis, entre nous, ce n'est pas le moment de ma vie où j'ai le plus envie de vous aider. Je suis sous le choc de tout ce que j'ai entendu dire sur vous. J'ignorais à quel point votre espèce était dépourvue de compassion.

Je le pense, mais je ne le dis pas. Pythagore me lance un regard réprobateur. Ah, comme je déteste quand on essaie de me faire culpabiliser. Le pire, c'est que ça fonctionne, alors je reprends la parole :

– Cependant...

Je reste en suspens.

– ... cependant, même si je vous accorde que les humains sont vraiment abjects, je dois vous faire remarquer qu'il peut y avoir des exceptions. Les deux humains qui sont ici avec moi ne sont pas comme leurs vils congénères.

Pythagore approuve et m'encourage d'un mouvement de l'oreille à poursuivre dans cette voie.

– Ces deux-là, je les connais bien, à force de les côtoyer, et je peux vous garantir qu'ils sont très fréquentables.

Saint-Just réagit aussitôt :

– Et qu'entendez-vous par « fréquentables », au juste ?

– Ma servante m'a toujours traitée avec beaucoup d'égards.

– Mais qu'est-ce que vous croyez ? Que vous les chats, vous êtes les chouchous des humains ? La vérité est bien moins glorieuse. Ils vous utilisent comme des jouets dans le seul but de se détendre.

Oui, je sais : des « peluches ». Je me frotte le menton avec ma patte droite pour gagner du temps. Il faut que je trouve une parade. La meilleure défense est l'attaque :

– La vérité est que vous êtes jaloux. J'ai toujours subodoré que les cochons rêvaient de devenir les animaux de compagnie des humains. C'est un rendez-vous raté. C'est vous qui vouliez être leurs jouets, dans le fond.

L'effet est spectaculaire. Saint-Just s'étouffe de rage.

La salle aussitôt s'anime d'un brouhaha hostile. Arthur se lève, d'un geste ramène le silence. Saint-Just se reprend :

– Savez-vous qu'à Paris par exemple, des écologistes avaient demandé que soit lancée une campagne de déchatisation ?

– C'est stupide. Pourquoi aurait-on fait ça ?

– Officiellement, pour protéger la diversité des espèces d'oiseaux, d'écureuils, de mulots, de chauves-souris. Alors, certes ils n'entendaient pas tuer les chats d'appartement, mais ils voulaient éradiquer les chats errants.

– Une campagne pour tuer à grande échelle des chats ? J'ai du mal à le croire.

– Pourtant, c'est ce qu'ils s'apprêtaient à faire avant l'Effondrement. Par exemple, en Australie, certains écologistes ont voulu éliminer leurs 18 millions de chats en liberté parce qu'ils estimaient qu'ils détruisaient la faune locale. Alors, vous en pensez quoi maintenant, vous qui aimez tant la tiédeur des maisons des humains et le croustillant de leurs croquettes ?

Nouveau brouhaha. Le roi Arthur pousse un « Sgruiii » tonitruant qui calme l'assemblée, avant de proposer de passer à la plaidoirie de l'avocat.

Je retourne à ma place et interroge le siamois :

– J'ai été comment ?

– Très bien.

Évidemment que j'ai été très bien. Je suis toujours très bien.

C'est désormais à Badinter de s'exprimer. Le jeune cochon maigre se place face à Nathalie et Roman.

– Êtes-vous végétariens ? demande l'avocat de la défense.

Le cacatoès traduit et la réponse fuse :

– Oui, bien sûr ! clame aussitôt Nathalie.

– Depuis ma naissance, je n'ai jamais mangé de viande ! renchérit Roman. Mes parents étaient végans. Mon biberon était rempli de lait de soja.

– Ces deux humains n'ont donc pas le sang de nos frères et sœurs sur les mains ni dans leurs estomacs, poursuit Badinter. Regardez leurs chaussures : elles ne sont même pas en cuir.

Par chance, Nathalie et Roman portent tous les deux des baskets en matières synthétiques.

– Oui, mais ils n'ont rien fait pour empêcher l'élevage, la boucherie, la consommation des animaux, proteste Saint-Just. S'ils ne sont pas tueurs ou consommateurs, ils sont tout du moins complices.

Badinter ne se laisse pas déstabiliser :

– Je vous ai laissé parler, laissez-moi parler à mon tour. Et laissez aussi parler mes témoins. J'appelle à la barre… le taureau.

Toute l'assistance est surprise de cette invitation après la description que ce dernier a livrée des corridas. L'imposant animal se replace face au juge, et l'avocat commence son interrogatoire :

– Rappelez-nous pourquoi vous êtes né.

– Pour la corrida, comme je l'ai dit tout à l'heure.

– Donc ce sont des humains qui vous ont fait naître pour animer leur spectacle, c'est bien cela ?

– En effet.

– Ce qui signifie que, sans ce spectacle, vous ne seriez même pas né. Ni vous ni tous les autres taureaux qui étaient vos amis. Vous êtes d'accord sur ce point ?

– Oui, mais…

– D'ailleurs, comme vous n'êtes pas spécialement réputés pour la saveur de votre chair, qui, je crois, est considérée comme un peu trop forte par les gourmets humains, sans corrida, votre espèce aurait tout simplement disparu. Comme les mammouths ou les aurochs.

La salle réagit en huant avec des « Sgruiii » plus aigus, pourtant Badinter continue, imperturbable :

– La dure vérité est la suivante : c'est grâce aux hommes que vous existez. Je trouve que le minimum de gratitude consisterait non pas à les mettre à mort, mais à les remercier d'avoir maintenu vivante cette branche des bovinés qui, sans eux, serait assurément déjà éteinte.

– Raisonnement fallacieux ! interrompt Saint-Just. La place des taureaux est dans la nature à gambader, et non à servir de spectacle.

– Maître, vous avez évoqué 70 milliards d'animaux tués par an. Mais que seraient ces 70 milliards s'il n'y avait pas l'homme ? Reconnaissez-le : ils ne seraient même pas nés. Or, grâce à l'effondrement de la civilisation humaine, ils vont pouvoir proliférer librement partout où ils le souhaitent. C'est notre cas à nous tous ici présents, cochons, moutons, poulets, oies. Nous sommes nés grâce aux humains. Alors, évidemment ils nous ont maltraités, ils nous ont fait souffrir, ils nous ont séparés de nos enfants, ils nous ont enfermés, ils ont accéléré notre croissance, mais, grâce à eux, nous existons ! Je vous prierai d'avoir une pensée pour toutes les espèces animales qui ont disparu parce qu'elles n'intéressaient pas les hommes. Pensons une minute à celles-ci : le lion européen, le grizzli mexicain, la tortue des Seychelles, le dodo de la Réunion...

— Vous oubliez de préciser que si ces espèces ont disparu, c'est précisément parce que l'homme les a chassées, a détruit leur source de nourriture ou leur milieu, l'interrompt Saint-Just.

— Terminez votre plaidoirie que nous puissions passer au vote, exige le roi Arthur en frappant de sa patte antérieure sur le sol.

— Eh bien, comme deuxième témoin, je voudrais faire venir... le chat Pythagore.

Voyons voir si tu es plus fort que moi.

Le siamois se place face à la barre. Badinter s'adresse à lui :

— Je crois que vous avez le même trou dans le front que Sa Majesté.

— Euh, oui... Il semblerait que nous ayons subi la même intervention chirurgicale dans un laboratoire de l'université d'Orsay.

— Pouvez-vous nous rappeler à quoi sert cet orifice ?

— C'est un Troisième Œil, qui permet de se brancher sur les ordinateurs des humains pour accéder à leurs informations.

— À quelles informations ?

— Eh bien, à toutes. Enfin en temps normal, car depuis quelque temps un virus bloque la connexion à Internet.

— Donc les humains vous ont donné accès à toutes leurs connaissances, c'est bien cela ?

— En effet.

— Tout ce qu'ils ont mis des siècles à apprendre, ils étaient prêts à l'offrir d'un coup à un simple chat… De même qu'ils l'ont fait avec un simple porc… Notre roi !

La salle réagit par un chœur de « Sgruiii ». Arthur se dresse devant son trône et pointe l'avocat de son sabot fendu.

– Où voulez-vous en venir, maître ?

– Connaissez-vous beaucoup d'espèces qui soient suffisamment généreuses pour permettre à une autre espèce d'accéder à toutes ses connaissances si difficilement acquises ?

Saint-Just réagit aussitôt :

– Objection, Majesté ! Ils n'ont pas fait cela par générosité, mais pour mener des expériences prétendument scientifiques. Ceux qui ont un trou dans le front ne sont pas d'heureux bénéficiaires de la connaissance humaine, mais des martyrs !

– Poursuivez, cher témoin, intervient Arthur, sans vous laisser influencer par les humeurs du procureur.

Le siamois prend son temps et s'exprime en articulant exagérément :

– L'humaine qui m'a fait subir ces tests, Sophie, a finalement décidé de me prendre chez elle et elle m'a vraiment bien traité.

– Et que préconisez-vous comme sentence pour les humains ? demande le roi Arthur.

– Majesté, je préférerais qu'on les épargne. Je crois qu'ils font plus de bien que de mal. Et, pour ma part, je leur pardonne. Or, il me semble que le pardon est le signe d'une espèce évoluée.

– Merci pour votre témoignage si sage, monsieur Pythagore, conclut Badinter.

Saint-Just veut à son tour s'exprimer mais le roi déclare que le procès a assez duré ; il frappe du maillet et ordonne que les jurés délibèrent.

Nous restons à attendre en silence que les douze jurés reviennent.

Pendant ce temps, je me dis que, lorsque j'aurai établi mon règne, il serait intéressant que j'aie aussi un signe distinctif dans le genre de la couronne d'Arthur. Il faudrait que je porte quelque chose qui indique clairement ma supériorité sur les autres. Quelque chose qui soit visible de loin et qui inspire spontanément le respect. Pas forcément une couronne en papier doré. La première chose qui me vient à l'esprit, c'est ce qu'arboraient les empereurs romains : une couronne de laurier. Je suis sûre que le feuillage irait très bien avec mes yeux verts. Ou mieux encore, quelque chose de plus féminin et de plus chat : une couronne de fleurs. Une fleur dont le parfum puissant pourrait être associé à mon règne.

J'ai trouvé. Des roses rouges.

Voilà, j'établirai mon royaume autour de la représentation symbolique de mon statut. Une couronne de roses rouges sur la tête, un collier contenant toutes les connaissances des hommes autour du cou. Et je demanderai qu'on m'appelle Majesté quand on s'adresse à moi, comme on le fait si bien pour le roi des porcs.

Je trouve intéressant qu'il y ait une formule rappelant à ceux qui sont mes inférieurs qui ils sont et qui je suis.

*« Sa Majesté Bastet I*re *» ?*

« Sa Majesté des chats » ?

Oui ce sera très bien. « SA MAJESTÉ DES CHATS ».

Enfin, les jurés reviennent et annoncent qu'ils sont prêts à rendre leur verdict.

Le roi Arthur demande alors :

– Qui considère que les inculpés sont innocents ?

Un seul juré lève la patte.

– Qui s'abstient ?

Un autre juré fait de même.

– Qui considère qu'ils sont coupables ?

Les dix autres jurés soulèvent en même temps leur patte droite.

Je prends conscience que ce procès n'est qu'une mascarade, qu'il n'y avait de toute façon aucune chance que le verdict soit différent.

– Une voix contre la condamnation, une voix neutre, dix voix pour. Les deux humains sont désignés coupables et, en tant que tels, devront subir ce qu'ils ont fait subir à nos congénères. La mort et la transformation en charcuterie « 100 % pur humain ».

– Attendez, Majesté ! dit une voix.

Nous nous retournons tous. Pythagore a la patte levée :

– Que voulez-vous encore, chat ? demande Arthur, visiblement excédé par cette interruption.

– Je réclame l'ordalie.

Tiens, un nouveau mot que je ne connais pas. Visiblement, je ne suis pas la seule. Même le roi marque son ignorance. Le siamois précise sa pensée :

– Puisque vous vous intéressez tant aux procédures juridiques des humains, vous ne pouvez pas ignorer que l'ordalie était une coutume de justice médiévale qui, en cette circonstance, me semble avoir du sens.

– Rappelez-nous de quoi il s'agit.

– L'ordalie désigne le jugement de Dieu. Cela consistait à soumettre l'inculpé à des épreuves, au terme desquelles, s'il survivait, il était considéré comme innocent.

– Quelles épreuves ? demande Arthur, intrigué.

– Cela dépendait. Parfois l'accusé était jeté dans l'eau les mains attachées. Parfois, il devait traverser un tapis de braises. Mais, le plus souvent, il devait combattre en duel un adversaire particulièrement retors.

Le roi-juge secoue la tête, dubitatif.

— Et dans cette situation, quel genre d'ordalie imagineriez-vous ?

— Puisque le taureau trouve la corrida injuste, je propose de lui offrir un combat... à armes égales contre les humains.

Arthur évalue la pertinence de cette proposition. Il redresse sa couronne qui commençait à glisser sur le côté.

— Pourquoi pas, après tout. Mais ce sera au taureau de décider s'il veut participer à cette ordalie.

Champollion traduit, et le boviné réfléchit à son tour, avant de déclarer :

— Eh bien, Majesté, je dois reconnaître que j'ai toujours rêvé d'une corrida où il y aurait autant de chances de gagner des deux côtés.

— Et vous, humains, êtes-vous d'accord pour relever ce défi ? demande Arthur.

Roman Wells n'en mène pas large mais, après avoir jeté un coup d'œil aux têtes des humains sur les plateaux d'argent, il relève ses lunettes à monture bleue et fait un signe d'acquiescement.

— J'aurais juste une réclamation : puis-je avoir une cape rouge ?

Le taureau répond aussitôt :

— Je vais vous avouer quelque chose : je ne distingue pas les couleurs. Je fonçais vers la cape car je sentais bien que c'était ce qu'on attendait de moi – et aussi parce qu'on me serrait les testicules dans un élastique. Je veux bien vous laisser la cape si vous mettez l'élastique.

— Oublions la cape rouge, Majesté, répond finalement Roman.

Le taureau se redresse :

– Par contre, si je gagne, je souhaite qu'on respecte la coutume : je veux récupérer, en trophée, les deux oreilles et la queue de cet humain.

48. LES PROCÈS D'ANIMAUX EN FRANCE.

À partir du Moyen Âge, on assiste à une multiplication des procès d'animaux en France.

Parmi les plus incriminés, se trouvent les porcs, que l'on soupçonne de dévorer les bébés pendant que les parents ont le dos tourné. Accuser les cochons est une manière facile de se dédouaner et, accessoirement, de se débarrasser des corps des enfants.

Durant les procès, les porcs sont soumis aux mêmes tortures que les humains accusés de sorcellerie. Lorsque les animaux suppliciés se mettent à pousser des cris, le prêtre interprète ces beuglements comme des aveux, en conséquence de quoi ils sont brûlés vifs sur des bûchers.

De même, ont été dressés à cette époque des procès-verbaux où des truies sont accusées d'aguicher les paysans pour leur inspirer des actes sexuels contre nature. Là encore, les truies, après avoir avoué sous la torture leurs agissements pervers, sont suppliciées pour décourager d'autres truies de faire la même chose.

Mais il ne s'agit pas seulement de porcs dans les annales des cours pénales.

En 1498, à Autun, les charançons ayant ruiné les récoltes se voient intenter un procès, avant d'être excommuniés par un tribunal ecclésiastique.

De même, une mouche sortie de l'oreille d'un mort fut incarcérée dans une prison pour mouche (une petite cage grillagée), jugée par un tribunal et reconnue coupable d'être une incarnation du diable. Suite à quoi elle fut pendue à un minuscule gibet.

En 1794, un perroquet se retrouva devant le tribunal révolutionnaire pour avoir crié « Vive le roi ».

On décapita également un chien pour le punir de sa fidélité à son maître, un antirévolutionnaire convaincu qui l'avait dressé de sorte qu'il aboie systématiquement devant les uniformes bleus des gardes nationaux.

Si des procès d'animaux continueront d'avoir lieu jusqu'en 1800 en France, d'autres pays n'ont jamais abandonné cette pratique.

En 1916, dans le Tennessee, une éléphante prénommée Mary a été pendue à l'aide d'une grue pour avoir agressé son dresseur.

Plus récemment, en Turquie, en 2003, un âne a été condamné à mort par un tribunal de la ville d'Akpinar pour « comportement pervers ».

> Encyclopédie du Savoir Relatif et Absolu.
> Volume XII.

49. CORRIDA.

C'est l'instant décisif.

Un coq entonne un cocorico retentissant qui se termine sur un long trémolo. Dans l'arène circulaire improvisée dans la cour principale, le taureau attend, nerveux ; il tourne impatiemment en rond. Des gradins ont été fabriqués avec des caisses de bois superposées. Il fait beau et quelques corbeaux tournoient au-dessus de l'enceinte, dans l'attente d'un éventuel cadavre à déguster.

Sur un geste du roi Arthur, un porc déclenche une musique à partir d'un appareil. Pythagore voulant montrer sa culture me chuchote le titre du morceau :

– C'est « Il était une fois dans l'Ouest », d'Ennio Morricone.

Je ne sais pas à quoi il fait référence.

La porte de l'enclos s'ouvre, le taureau se fige, une patte repliée, mais il n'y a personne. Le public de porcs, déçu, commence à grogner.

Sur un côté, on peut distinguer un carré de vaches particulièrement hystériques. Elles poussent des « Meuh ! » enthousiastes pour encourager leur champion taurin. Ce dernier gratte le sol avec son sabot gauche comme si cela allait faire apparaître son adversaire.

Le volume de la musique augmente et nimbe la scène d'une atmosphère mystérieuse. Je comprends que Roman hésite à entrer dans l'arène, compte tenu de la taille et de la puissance musculaire de son opposant. Les porcs vont donc le chercher et le forcent à avancer jusqu'au centre.

L'humain esquisse une révérence pour se donner une contenance. Il tend sa main vers le taureau, comme si celui-ci allait le saluer en retour.

Le taureau fait le gros dos, se met en position de charge, ses naseaux lâchent des bouffées de vapeur opaque.

Et puis c'est l'assaut, enfin disons plutôt la poursuite, puisque l'humain court et que le taureau galope derrière lui. Je trouve le professeur Wells un peu décevant dans cette affaire. Il pourrait au moins essayer d'esquiver une charge, mais visiblement il n'a pas le sens de la mise en scène. Tout, dans son comportement, révèle une totale indifférence au plaisir des spectateurs.

Cette course ne dure pas longtemps, car le boviné arrive à planter sa corne dans le pantalon de l'humain sans même le blesser. Il le soulève et le projette dans les airs sous les acclamations de la foule enfin séduite.

La suite de la corrida consiste à reproduire cette séquence : poursuite, encornade puis projection en l'air. Chaque fois, le taureau prend soin de ne pas blesser son adversaire comme s'il se réservait pour l'achever plus tranquillement. Roman, toujours vivant, se remet à courir dès qu'il a touché le sol.

– Tu en penses quoi ? me demande Pythagore.

– Je préfère le style du taureau. Il est plus généreux.

– Les humains ne sont à l'aise que si ce sont eux qui posent les règles, surtout lorsqu'elles sont à leur avantage.

De nouveau Roman est projeté en l'air sous les applaudissements des sabots de la foule.

– Le taureau a dû mettre au point sa technique lors des corridas dont il était la vedette. S'affrontent ici un acteur expérimenté et un débutant peu motivé.

Une fois encore, Roman s'envole en criant.

C'est un peu répétitif quand même. Cela manque de suspense.

Certains spectateurs commencent d'ailleurs à siffler. L'humain, épuisé, ne se relève même plus. Alors, la foule grogne quelque chose dont j'imagine, compte tenu de l'intonation, que cela signifie : « À mort ! »

Le taureau s'approche, fulminant. Il baisse la tête et touche de la pointe de sa corne le thorax de Roman, allongé sur le dos, offert.

C'est alors que je décide d'agir. Je bondis et m'interpose entre la corne et le ventre mou de l'humain. Le roi des porcs s'exprime, le cacatoès traduit.

— De quoi te mêles-tu, chatte ?

— Désolée, Majesté. Je me permets d'intervenir car la mort de cet humain-là ne vous apportera rien à vous, mais me fera perdre beaucoup à moi. J'aurais dû vous en parler tout à l'heure, mais cet être détient un savoir technologique unique dont les gens de mon île ont besoin pour survivre.

— Cela ne vous concerne plus, répond Arthur.

— Si, et cela vous concerne aussi, Majesté, car si les rats détruisent notre communauté de l'île de la Cité, rien ne les arrêtera plus. Et alors ils anéantiront toutes les espèces, comme ils l'ont déjà fait sur d'autres territoires. Cela vous servirait à quoi de vous être libérés du joug des humains si c'est pour être réduit en esclavage par des rats ?

Le roi Arthur manifeste des signes d'impatience.

— Nous n'avons pas de problème avec les rats.

— Une horde de centaines de milliers de rats est sur le point de tout envahir. Ils sont dirigés par un rat blanc aux yeux rouges et rien ne les arrête.

Une rumeur parcourt l'assistance.

— Vous parlez de Tamerlan ?

— Vous le connaissez ?

— Bien sûr. Il a comme nous un Troisième Œil, n'est-ce pas ?

Ce que je commence à deviner ne me plaît pas du tout.

— Vous avez remarqué qu'ici il n'y avait pas de rats ? demande Arthur en me fixant.

Dans l'émotion de notre capture, je ne m'en étais même pas rendu compte. C'est vrai qu'il n'y a pas de rats, alors même qu'aucune barricade électrifiée, aucun acide chlorhydrique ne les empêcherait d'entrer. C'est donc qu'ils sont retenus par autre chose, ou par quelqu'un d'autre. Arthur confirme mon intuition :

– Les rats sont nos alliés contre les humains. La différence entre nous est seulement qu'eux les tuent directement, quand nous les tuons après les avoir jugés. Une différence de forme mais pas une différence de fond.

J'aurais dû me taire. J'aurais dû me taire.

– Quant au roi des rats, Tamerlan, c'est avec lui que je me suis évadé du laboratoire de l'université d'Orsay. Cela crée des liens.

Bon, eh bien, voilà, une fois de plus j'ai tout gâché en voulant arranger les choses.

Le roi Arthur n'en démord pas :

– Mais cela ne change rien au verdict : le couple d'humains doit désormais être exécuté. C'est la justice.

Pythagore prend la parole et Champollion traduit ce qu'il dit à toute vitesse, pour conserver l'émotion de ses propos :

– Attendez, Majesté, vous parlez de justice ? N'est-ce pas un concept humain ? Le seul fait que vous ayez copié les hommes pour juger l'un d'entre eux ne montre-t-il pas qu'ils nous ont bel et bien indiqué la voie vers des pratiques plus évoluées ? Et puis votre nom, Arthur, tout comme celui de Saint-Just ou de Badinter, n'est-il pas inspiré de la culture de ces mêmes humains que vous décriez tant ?

Le roi lâche un long soupir.

– Les débats sont clos. C'était un argument à invoquer avant. Maintenant il est trop tard. Laissez-nous agir, chats. Vous êtes aveuglés par votre amour des hommes et votre peur de manquer de croquettes. Il faut vous rendre à l'évidence : ils ne sont pas indispensables. Le monde a existé avant eux et il continuera à exister après eux.

291

La phrase résonne comme une prophétie et elle me touche. Peut-être qu'en effet à force de vivre avec les hommes j'ai fini par les surestimer. Peut-être que tant que je n'aurai pas parfaitement saisi les notions d'amour, d'humour et d'art, je les considérerai (oui, je sais, c'est ridicule) comme des êtres « au-dessus de nous ».

Je ne veux cependant pas abandonner. Je cherche un argument. Alors, à mon tour, je rejoins Pythagore et je parle.

– Écoutez-moi encore, s'il vous plaît, Majesté. Les hommes parfois font preuve de compassion envers les animaux, alors que les rats cultivent la force brute et le mépris des faibles et des vaincus. Aucun ne manifeste la moindre pitié. Après avoir tué tous les hommes, les rats tueront tous les autres animaux, y compris les porcs, les vaches, les taureaux et les oies ! Après les humains, ce sera nous les chats, puis vous tous ici présents. Et au fond de vous, vous le savez bien.

Cette fois-ci, j'ai trouvé un argument qui porte. Rien de tel que la menace pour faire avancer les mentalités.

Une rumeur parcourt l'assistance. Ils ne sont plus si sûrs d'eux, ils doutent parce que ce sont des animaux intelligents qui sont capables de se poser des questions.

Même Arthur reste silencieux. Seul Saint-Just se lève et crie :

– À mort les humains !

Mais son appel ne reçoit pas d'écho. Il est isolé dans son envie de destruction. Le taureau esquisse un infime mouvement de recul, alors j'en profite pour appuyer mes arguments :

– Si vous le tuez, c'est que vous ne valez pas mieux qu'eux. Si vous l'épargnez, vous prouverez au contraire que vous avez su prendre le meilleur des humains, la compassion, la clémence.

– À mort les humains ! répète Saint-Just.

– Oui, à mort ! font une dizaine de porcs qui finalement ne semblent pas avoir été convaincus par mon argumentaire.

Je comprends que ce n'est pas encore gagné. Je cherche un autre raisonnement. « Ma » vérité.

– Cet humain a fabriqué l'ESRAE, l'Encyclopédie du Savoir Relatif et Absolu Étendue. Si vous l'épargnez, il pourra probablement nous aider à la récupérer, car on nous l'a volée. Ensuite, il nous suffira de la consulter pour en faire bénéficier toutes les autres espèces. Ainsi, vous détiendrez le meilleur des connaissances humaines. Ces connaissances, il nous faut à tout prix les conserver au risque de rester des bêtes ignorantes sans technologie, sans justice, sans écriture, sans vocabulaire. Seul cet humain peut nous permettre de retrouver sa précieuse ESRAE.

Arthur fronce un sourcil blond, ce qui indique chez lui une intense réflexion ; il dodeline de la tête, puis finalement il tranche :

– C'est au taureau qui a gagné le duel de décider.

– TUONS-LES ! répète Saint-Just pour l'influencer.

Le taureau se tourne vers le roi et annonce :

– Je décide… d'épargner l'humain. Mais je veux que nous les taureaux, nous puissions aussi bénéficier de toutes leurs connaissances comme l'a promis cette chatte. Alors, l'humain, promettez-vous de partager l'ESRAE lorsqu'elle sera de nouveau entre vos mains ?

Le professeur Roman Wells se relève enfin. Il s'époussète et me regarde avec gratitude. Encore un être qui vient de comprendre que je suis formidable et que j'ai une capacité incroyable à renverser les situations les plus périlleuses.

– Je le jure, dit-il heureux de s'en tirer avec seulement quelques contusions et blessures légères.

– Bien joué, me chuchote Pythagore.

Il me semble percevoir une nuance d'admiration dans son miaulement.

Nathalie court au centre de l'arène et serre dans ses bras le mâle humain au pantalon déchiré. Il est blessé et flageolant, mais il se reprend d'autant plus facilement que le taureau a été particulièrement adroit pour l'humilier sans le blesser. Ma servante est soulagée.

Elle est parfois touchante dans ses réactions un peu enfantines.

Quant à moi, j'espère que cet épisode leur permettra d'accélérer leur parade amoureuse. Enfin, c'est tout ce que je leur souhaite.

Je rejoins Arthur et je lui réaffirme avec cette mauvaise foi qui me caractérise :

– En tant que chatte, je vous promets que je rappellerai à ces deux humains leur serment : ils doivent vous livrer l'ESRAE dès qu'ils l'auront retrouvée.

Champollion traduit.

Je ne précise évidemment pas que je l'ai déjà autour du cou.

50. HISTOIRE DES COCHONS.

Le porc sauvage a été domestiqué 7 000 ans avant J.-C. Cette domestication s'est effectuée quand l'homme s'est sédentarisé. En effet, le cochon, contrairement à la chèvre ou au mouton, ne pouvait pas suivre les tribus nomades. C'est aussi pourquoi il a été négligé par les peuples de bergers.

Hippocrate, considéré comme le père de la médecine, avait remarqué en 400 avant J.-C. une troublante ressemblance

organique entre le porc et l'humain. Certains de ses textes soulignent une similitude anatomique, qui le conduit à tenter de comprendre le corps humain en observant celui du porc. Plus tard, comme l'Église interdit la dissection des corps humains, la médecine du Moyen Âge étudiera de même la physiologie sur les cochons.

À cette époque, les porcs circulent librement dans les villages ; ils se nourrissent des déchets qui traînent dans les rigoles et servent ainsi d'éboueurs.

Vers 1500, un prêtre jésuite envoyé dans une tribu cannibale amérindienne témoigne que les deux chairs, humaine et porcine, ont exactement le même goût.

C'est à partir de 1820 que la condition des porcs s'est dégradée, avec l'apparition des premières grandes porcheries industrielles en Angleterre. Commence alors la course au rendement et à la réduction des coûts de production.

À partir de là, l'espace vital du porc ne va cesser d'être graduellement réduit et ses yeux privés de lumière. Comme c'est un animal très émotif et très sensible, sa nourriture est mélangée de plus en plus à des médicaments, des antibiotiques, des antidépresseurs et des anxiolytiques pour lui permettre de survivre dans ces conditions difficiles.

Mais le porc ne sert pas qu'à fournir de la nourriture. Il est aussi utilisé en médecine. En 1964, après avoir testé plusieurs animaux, on s'aperçoit que l'homme ne supporte pas les greffes provenant de chimpanzés (dont 97 % de l'ADN est similaire à celui de l'homme) mais très bien celles qui viennent de porcs (qui n'ont que 95 % d'ADN en commun avec lui). On commence alors à greffer des valves cardiaques, des foies, des morceaux de peau et des cœurs de porc sur des patients humains – de même que l'insuline injectée pour soigner les diabétiques a longtemps été celle du porc.

Au Canada, une expérience a montré qu'une truie pouvait être porteuse d'un embryon humain pendant quelques heures, le temps d'opérer une maman à problème.

En ce qui concerne son caractère, le porc est aussi un animal destiné à être proche de l'homme : naturellement, quand un homme vient vers eux, la plupart des animaux s'enfuient, tandis que le porc s'approche, sa curiosité attisée. De fait, le porc est un animal qui se laisse facilement apprivoiser.

Le porc a aussi le sens de la famille, il est capable d'affection pour ses petits, voire pour le paysan qui s'occupe de lui.

Encyclopédie du Savoir Relatif et Absolu.
Volume XII.

51. RETOUR À ORSAY.

Je ne sais pas vous, mais par moments je me dis que la vie n'est qu'une suite de complications qui nous permettent d'évoluer. Le malheur est vivifiant. Il nous oblige à rester attentifs et à aller puiser en nous des capacités cachées.

Si nous n'avions pas de problèmes, peut-être que nous stagnerions, satisfaits de nous-mêmes. Si nous n'avions pas d'ennemis, peut-être que nous ignorerions notre propre courage. Si la vie de couple était simple, peut-être qu'elle ne nous exciterait plus.

Enfin moi, en tant que chatte et en tant que femelle, je dois bien reconnaître que parfois je complique les choses pour ne pas m'ennuyer et observer les réactions.

Là, par exemple, alors que je joue avec l'extrémité de ma patte sur la pointe des oreilles de Pythagore, je me rends bien compte que je l'agace mais c'est plus fort que moi. Et puis c'est un moyen de vérifier qu'il m'aime suffisamment pour supporter ce genre d'irritation.

Le siamois reste stoïque et serre les mâchoires, alors je continue. Autour de nous, le paysage défile. Nous roulons sur l'autoroute qui mène vers le nord.

Les porcs, qui avaient mis la voiture de Nathalie totalement hors d'état, nous ont proposé d'utiliser un des gros camions à bestiaux qui se trouvaient dans la cour de l'abattoir. Par chance, son réservoir était encore rempli d'essence.

Le taureau voulait se joindre à nous pour être sûr que nous lui livrerions bien l'ESRAE lorsque nous l'aurions trouvée, mais même avec la meilleure volonté et malgré toute ma sympathie envers lui, cet animal reste vraiment trop encombrant pour que nous puissions le prendre avec nous.

Donc, j'ai poliment refusé.

En plus cela sent fort, un taureau, et je suis très sensible aux odeurs.

Dans l'habitacle du camion, nous sommes tous regroupés : moi, Pythagore, Nathalie, Roman et Champollion.

Ce dernier a souhaité nous accompagner pour approfondir ses connaissances linguistiques. À notre contact, je remarque même qu'il commence à perdre un peu de son accent persan quand il parle félin.

En réalité, je pense qu'il a été chargé par le roi Arthur de vérifier que nous respecterions notre promesse.

Le perroquet nous révèle son péché mignon : collecter des sons nouveaux. Dès qu'il en détecte un, il l'enregistre dans son esprit et le reproduit. Pour nous convaincre de ce talent particulier, il imite des aboiements de chiens, des hurlements de loups, des coassements de crapauds, mais aussi des portes de voiture qui se ferment, des sirènes d'alarme, des coups de tonnerre; il arrive même à imiter le crépitement du feu !

Cela nous surprend et nous amuse. Ce perroquet est vraiment à lui tout seul un spectacle.

Si j'ai accepté qu'il nous accompagne, c'est que j'avais une arrière-pensée : je me suis dit qu'en cas de pénurie alimentaire, je pourrais toujours manger ce volatile que j'imagine avoir un goût de poulet.

Avant de le dévorer, je lui expliquerai posément que je suis désolée, mais que je n'aime pas la concurrence et que la communication inter-espèces, c'est ma spécificité.

J'abandonne un instant les oreilles de Pythagore et j'observe Nathalie, qui conduit. En fait, je crois que j'ose enfin m'avouer que j'ai toujours été fascinée par cette humaine. Je la trouve de plus en plus belle, probablement parce qu'elle vit grâce à moi des aventures intenses et puis peut-être aussi parce que je lui ai permis de rencontrer le mâle qui, à mon avis, saura lui procurer beaucoup de plaisir dès qu'elle passera outre à sa pudeur et sa timidité.

Roman Wells, pour sa part, se remet de ses blessures. Elles sont heureusement superficielles. Le taureau a finalement été magnanime : il voulait davantage l'humilier que l'abîmer.

Pour nous occuper durant le trajet, je demande au cacatoès :

– Est-ce que tu saurais reproduire le son de la Callas ?

– C'est un bruit ?

– Non, c'est de la musique.

– Ma mère disait toujours : « Si un bruit te dérange, écoute-le bien et tu t'apercevras que c'est de la musique », dit le perroquet.

Oh, il ne va pas commencer à nous fatiguer avec des citations de sa mère, celui-là. Là encore, je tiens à avoir l'exclusivité.

Dans le doute, je lui propose d'écouter le chant de cette humaine qui roucoule de manière si mélodieuse. Sur mes indications, Nathalie diffuse grâce à une connexion Bluetooth la musique sur l'autoradio du camion. La voix humaine emplit l'habitacle.

Champollion écoute, surpris, puis émerveillé. J'ai l'impression qu'il enregistre chaque note pour pouvoir la reproduire, mais qu'il a des difficultés à en saisir toutes les nuances. Quand le morceau est fini, je lui demande :

– Alors, tu en penses quoi, toi le spécialiste des sons ?

– C'est étonnant que des humains arrivent à produire avec leur gorge des résonances aussi riches, reconnaît le cacatoès.

– Pas tous, la Callas est exceptionnelle, précise Nathalie. Son mari, Onassis, l'appelait pour se moquer d'elle « le rossignol enroué ».

Je ne sais pas ce que veut dire « enroué », mais à l'évocation du mot « rossignol », Champollion redresse la crête :

– Je n'aime pas les rossignols, ce sont des prétentieux.

J'ignorais jusque-là qu'il existait du racisme entre perroquets et rossignols. Décidément, chaque espèce a une culture et des valeurs qui lui sont propres.

– Et si on écoutait Bach ? propose Pythagore.

Cette fois-ci ma maîtresse met ce qu'elle nomme une « Invention à deux voix ». Ce morceau me trouble : au lieu que, comme dans la plupart des morceaux que j'ai jusque-là entendus, il y ait une seule mélodie enrichie d'un accompagnement, cette fois il y

299

a deux lignes musicales complètement différentes jouées simultanément.

– C'est la spécialité de Bach, nous explique doctement Roman Wells. Cela s'appelle l'« art du contrepoint ».

J'ai l'impression que deux moitiés de mon cerveau se dissocient et que chacune suit l'une des deux mélodies. C'est d'autant plus troublant qu'au bout d'un moment ce mélange me donne l'illusion d'en entendre une troisième, qui pourtant n'existe pas.

Ces humains sont vraiment très forts.

Autour de moi la route défile toujours.

Un rayon de soleil transperce les nuages et semble nous indiquer la direction à prendre.

Écouter ainsi Bach me procure un sentiment que je n'avais pas connu depuis longtemps ; comment pourrait-on nommer cela ?

La plénitude ?

Comprendre l'humour et aborder de plus en plus l'art m'a peut-être fait évoluer.

J'ai l'impression que mon esprit est une sphère qui s'est récemment élargie. Peut-être aussi le fait d'avoir surmonté autant d'épreuves et d'y avoir survécu me donne-t-il la sensation d'être une survivante et de bénéficier d'une protection invisible.

Et puis n'oublions pas que c'est moi et moi seule qui détiens la mémoire du monde : la fameuse ESRAE. J'en palpite de fierté.

– C'est quoi exactement, cette ESRAE ? demande Champollion comme s'il lisait dans mes pensées.

J'élude :

– Une grande bibliothèque enfermée dans un infime volume. C'est si petit que les humains arrivent à la transporter dans leurs mains.

– Et il y a quoi dans cette grande bibliothèque ?

– Toutes les connaissances nécessaires à la renaissance d'une civilisation effondrée, réplique Pythagore.

– Dans ce cas, je veux que vous me promettiez que lorsque vous aurez retrouvé l'ESRAE, vous en ferez bénéficier tous les autres animaux, déclare solennellement le cacatoès.

Ça y est, il fait du zèle. En plus, on l'a déjà promis. Il va falloir que je me méfie de ce perroquet. Rien de pire que ceux qui croient bien faire en faisant autre chose que ce que je leur dis.

– Et puis je veux découvrir la communauté utopique que vous avez recréée sur l'île de la Cité. Vous savez ce qui nous fait le plus souffrir, nous les oiseaux d'animalerie ? L'absence d'horizon. Durant ma détention, je me demandais toujours ce qu'il y avait au-delà de l'unique fenêtre que j'apercevais, qui donnait sur un mur orné d'une publicité pour un voyage, montrant une plage avec des cocotiers. Pour moi, l'extérieur ressemblait à cette plage, et je souhaitais forcément y aller.

Il pousse un profond soupir.

– J'ai fini par comprendre qu'il n'y avait pas que cela à l'extérieur. Un jour, cette image de plage a été remplacée par une montagne enneigée couverte de sapins. Je me suis rendu compte que je ne soupçonnais pas l'étendue et la diversité du reste du monde. Quand j'ai commencé à pouvoir dialoguer avec mon maître et que je lui ai parlé de cette envie de savoir, il m'a dit que dehors il y avait des dangers mortels. Notamment vous, les chats. Il m'a parlé de félins féroces qui traquaient et mangeaient les perroquets.

– Les humains nous tenaient à leur merci en créant chez nous des terreurs irraisonnées, lui dis-je en guise de réponse tout en imaginant comment je dévorerai ce volatile quand il ne me sera plus utile.

Champollion conclut doctement :

– Je crois que nous naissons tous pour apprendre. Le pire qui puisse nous arriver est de rester toute notre existence au même endroit, avec les mêmes personnes à répéter les mêmes situations.

Champollion m'énerve quand il a les mêmes idées que moi. Il faudrait pouvoir breveter les idées, le premier qui la trouve la dépose, et tous ceux qui l'expriment après lui doivent lui faire des offrandes. De toute façon, les perroquets sont bien connus pour n'être que des copieurs.

Je réfléchis un peu plus.

La seule exception étant moi-même qui aurais par exemple le droit de citer les phrases de ma mère, maintenant que la pauvre n'est plus de ce monde.

Champollion continue à s'écouter parler.

– … Désormais, je veux vivre à l'extérieur, découvrir le monde, d'autres peuples, voyager, accéder à toutes les connaissances des humains. C'est pour cela que j'ai tenu à venir avec vous.

– Mais que faisiez-vous chez les porcs ? demande insidieusement Pythagore.

– Quand l'animalerie a été détruite par les guerres civiles humaines, le propriétaire a fui avec moi, car, je ne sais pas si je vous l'ai déjà dit, mais j'étais son oiseau préféré.

Il a dit cela en redressant la crête.

Mais pour qui il se prend, ce prétentieux volatile ! C'est fou comme le monde est rempli de gens qui se croient importants…

Je hoche la tête, faussement admirative, pour lui donner envie de poursuivre son récit.

– Dans notre précipitation, nous avons été arrêtés comme vous l'avez été vous-mêmes, par un piège routier installé par les porcs.

Il déglutit à l'évocation de cet instant malheureux.

– Au début, cela s'est mal passé, mais quand les cochons ont découvert mon incroyable talent de communication, ils m'ont adopté pour que je serve de traducteur au procès de mon propre maître.

– Et cela ne vous a pas posé de problème de conscience ?

Ma question a jailli sans que j'y réfléchisse. Mais le perroquet ne se départ pas de sa superbe.

– Si, un peu, au début, mais j'ai trouvé ces porcs vraiment charmants. Et puis le procès s'est déroulé d'une manière que j'ai trouvée très équitable. Une fois qu'ils ont jugé, condamné et exécuté (et accessoirement transformé en charcuterie) mon maître, j'ai compris que ces porcs étaient forcément plus intelligents que les humains puisqu'ils arrivaient à en faire ce qu'ils voulaient.

Pythagore veut étaler sa science.

– Vous savez, il s'en est fallu de peu que ce soient eux les porcs qui soient les animaux de compagnie des humains et nous les chats qui soyons transformés en animaux d'élevage pour l'industrie alimentaire. En Chine, par exemple, ils mangeaient les chiens et les chats, tandis que les enfants jouaient avec les porcs apprivoisés. Or, durant un incendie, un porc est mort et un enfant ayant voulu toucher son corps chaud s'est brûlé au contact de la graisse bouillante, a porté sa main à sa bouche et a trouvé que c'était délicieux. Les porcs allaient désormais servir à autre chose qu'à l'amusement des enfants.

Nous arrivons enfin à Orsay.

L'université a bien changé depuis notre dernière visite. Là où il y avait des murs de barbelés en continu, on trouve maintenant des brèches béantes. Là où il y avait des humains vivants, des humains morts. Un drapeau noir, orné d'inscriptions en lettres blanches dans un alphabet inconnu, est posé à la place du drapeau bleu, blanc, rouge de l'entrée du bâtiment principal.

Quelques cadavres, des scientifiques en blouse blanche et des barbus en tenue noire, jonchent le sol.

– Les fanatiques religieux de l'usine de produits chimiques ! Ils ont dû attaquer en plus grand nombre que la première fois pour récupérer l'ESRAE. Ils pensaient sans doute que nous l'avions rapportée à l'université. Ils ne pouvaient pas savoir que nous serions ralentis par des cochons, dis-je.

Je touche de la patte mon collier pour m'assurer que la précieuse clef est bien là.

Roman semble bouleversé. Il examine les morts et reconnaît des amis qu'il palpe pour voir si l'un d'entre eux n'aurait pas survécu. Mais il semble que les assaillants aient achevé tous les blessés.

Telle est la logique du monde humain : les plus violents finissent forcément par vaincre les plus pacifiques. Les brutes prennent le dessus sur ceux qui réfléchissent, tout simplement parce qu'ils suivent une logique simple et claire, tandis que les autres sont ralentis par la prise de conscience de la complexité du réel et donc doutent.

Je me dis qu'il faudra en tenir compte à l'avenir. Je ne dois pas laisser mon intelligence entraver mon instinct de survie primitif. Ne jamais oublier le chat sauvage qui est en moi. Ne pas attendre que les choses s'arrangent toutes seules. Je dois rester forte pour ne pas subir les autres. Je dois préserver ma pugnacité naturelle pour ne pas être submergée par l'agressivité et la bêtise de mes contemporains.

Ma mère disait : « Débrouille-toi pour ne jamais être une victime. »

En voyant cette désolation, je suis plus que jamais déterminée à frapper avant d'être frappée, à tuer avant d'être tuée, et si j'en fais trop j'aurai tout le temps ensuite d'avoir des regrets ou de formuler des excuses.

Nathalie ne semble pas seulement triste, je la sens effrayée. Alors, je la rejoins, saute sur son épaule et me mets à ronronner à 24 hertz.

Je lui murmure en même temps :

– Il est trop tard. Nous devons penser à préserver ceux qui sont encore vivants plutôt que de regretter ceux qui sont déjà morts.

Mais la pauvre est submergée par une peur panique. Le genre d'émotion qui ne sert à rien et qui complique tout.

Alors, je me place face à elle et la fixe intensément dans les yeux :

– Nathalie, écoute-moi. Ne fais pas ton humaine ! Pour eux, c'est trop tard, mais pour ceux de l'île de la Cité, il est encore temps d'agir.

Mais elle ne m'écoute pas. Je me dis que ce doit être cela, le côté sentimental des humains que me vantait Pythagore. Ils vivent les événements plus intensément, ce qui les rend souvent inefficaces.

– Ne restons pas là. Partons. Il faut aller sauver nos camarades, dis-je derechef.

Pythagore comprend mon attitude décidée, mais pas les deux humains qui forment une sorte d'onde géante de négativité. Nous décidons donc, moi et Pythagore, d'attendre qu'ils aient dépassé le choc émotionnel qu'a provoqué cette macabre découverte.

Champollion, pour sa part, volète de part et d'autre pour visiter l'université.

– Tu penses quoi de tout ça ? me demande Pythagore.

– Je ressens certes de la compassion, mais je trouve que les humains en font trop. Pleurer sur ces cadavres ne les fera pas revivre. Désormais, je limiterai ma compassion aux vivants. Et toi ?

– Les rituels et les cérémonies de deuil sont à la source de leurs croyances. Ils ont construit leur civilisation sur l'imaginaire de l'après-mort, c'est normal qu'ils réagissent ainsi.

Je lèche les larmes de Nathalie pour voir si absorber la tristesse humaine peut m'aider à mieux la comprendre. Enfin, Roman inspire profondément et déclare :

– Bastet a raison. Cela ne sert plus à rien d'essayer de faire quoi que ce soit ici. Partons.

Alors, l'homme aux lunettes bleues se dirige vers un hangar de l'université, puis en sort des objets que Pythagore identifie comme des rouleaux de barbelés, un générateur électrique, un transformateur. Grâce à un chariot élévateur, il les dépose dans le camion fourni par les porcs. Je lui précise :

– N'oubliez pas le matériel pour le dirigeable !

Il ajoute des rouleaux de Kevlar, des bonbonnes d'hélium, de la fibre de verre afin de bâtir une nacelle assez grande pour transporter un nombre important de passagers. Il complète avec des boîtes à outils remplies de chalumeaux, des marteaux, des tournevis, des clefs, des ciseaux, des pistolets à clous, des agrafeuses, des fers à souder.

Il dépose tout cela avec une sorte de rage mal contenue dans le camion.

– Il faudra aussi penser à prendre de la nourriture, ils doivent mourir de faim, rappelle Pythagore.

Une fois que le camion est rempli de ces objets hétéroclites, nous embarquons tous. Cette fois-ci, c'est l'encyclopédiste qui conduit le gros véhicule.

Sur la route, nous contournons les carcasses de véhicules abandonnés, les trous dans l'asphalte, les obstacles divers. L'ambiance dans l'habitacle est morose.

Je propose à Nathalie de mettre du Bach. Alors, dans un silence absolu, moi, Pythagore, Nathalie, Roman et Champollion nous écoutons ce que le siamois me dit être l'« Adagio en *ré* mineur ».

Tandis que nous roulons, nous apercevons une troupe de chats qui avance en sens inverse sur la route.

Il me semble reconnaître certains de ces congénères. Je crie à Roman :

– Arrêtez-vous !

Roman donne un grand coup de frein qui nous projette en avant. Je descends prestement du véhicule.

La plupart des chats de cette troupe sont boiteux, ou affligés de multiples blessures.

Les chats du château d'eau !

Le sphynx est là, couvert de plaies dont une, à son cou, saigne encore. Je m'approche. Il me fixe de ses immenses et beaux yeux bleus.

– Tu avais raison, miaule-t-il.

– Que s'est-il passé ?

– Les rats nous ont attaqués ce matin. Ils sont arrivés à forcer la porte du château d'eau. J'ai voulu pactiser avec eux et, pour cela, j'ai parlementé avec quelques-uns d'entre eux qui semblaient les chefs de troupe.

– Y avait-il un rat blanc ?

– Non, uniquement de très gros rats gris. Ils ont profité de nos pourparlers pour emprunter l'escalier. Et ensuite c'était trop tard. Nous avons été submergés par leur nombre, et puis ça a été le carnage. Vous avez devant vous les survivants, c'est-à-dire ceux

307

qui ont sauté du sommet élevé du château d'eau sans se briser les os. Quant aux autres...

Il n'arrive même pas à terminer sa phrase. Il finit par reprendre :

– J'aurais dû t'écouter, Bastet. Il ne sert à rien de vouloir pactiser avec ceux qui ne souhaitent que notre destruction. On ne fait que repousser l'échéance pour parvenir au même résultat.

Et voilà : avec le temps, ils finissent tous par s'apercevoir que j'ai raison. Mais avoir raison trop tôt est pire qu'avoir tort. Les gens vous en veulent, jusqu'au moment où ils comprennent qu'ils auraient mieux fait de vous écouter, et malheureusement c'est souvent trop tard.

Le sphynx me fixe avec, dans le regard, un sentiment que j'ai déjà vu dans les yeux de Pythagore : l'admiration.

– Et vous ? me demande-t-il.

– Nous remontons vers Paris pour sauver nos congénères.

Le chat à la peau rose hoche la tête, puis il est pris d'un hoquet et crache du sang.

– Désolé, dit-il, je ne vais pas pouvoir poursuivre cette conversation, j'ai quelque chose d'urgent à faire... Il faut que j'aille mourir.

Alors le sphynx s'éloigne vers une zone boisée toute proche en dressant fièrement sa queue de rat rose qui ne me fait plus du tout rire.

Il aura su être digne jusqu'à la dernière minute.

L'« Adagio en *ré* mineur » de Bach résonne encore alors qu'il disparaît progressivement dans les herbes hautes.

– Où va-t-il ? demande Nathalie qui m'a rejointe.

– Les chats se cachent pour mourir, à la différence des chiens qui veulent exhiber leur douleur pour qu'on les plaigne. Nous sommes discrets dans nos dernières secondes d'agonie. C'est une question de pudeur et de dignité.

Je n'ose pas préciser que moi-même, au moment fatal où je sentirai la mort venir, je me cacherai pour partir le plus noblement possible. Je mourrai seule, en espérant que personne ne trouve ma dépouille et ne voie jamais comment, de superbe chatte, je me suis transformée en cadavre recouvert de mouches, puis rongé par les vers.

– Adieu, sphynx ! j'ai crié très fort, en espérant qu'il m'entende.

Puis nous reprenons la route.

Dans le rétroviseur, je vois que les chats survivants du château d'eau poursuivent leur chemin vers le sud, la tête baissée, les oreilles rabattues, la queue entre les jambes, sans le moindre espoir sur leur futur.

Nous roulons vers Paris mais à peine avons-nous pénétré dans la capitale qu'il nous faut bien constater que quelque chose a changé.

Je ne vois plus de rats. Il y en avait des milliers et soudain il n'y en a plus un seul.

Qu'est-ce qui a bien pu se passer pour qu'ils soient tous partis ?

Pythagore s'est peut-être trompé quand il me disait qu'ils allaient gagner parce qu'ils étaient plus nombreux.

Il y a du nouveau.

Au fur et à mesure que nous nous enfonçons dans les rues, je sens que quelque chose ne va pas. De loin, nous distinguons une colonne de fumée noire au-dessus de l'île de la Cité.

J'ai un très mauvais pressentiment.

52. LE LIEN ENTRE LA DENSITÉ DES POPULATIONS ET LE PROGRÈS.

Selon le chercheur Émile Servan-Schreiber, le niveau technologique, la sophistication culturelle et la rapidité à innover dépendent de la densité des populations plus que des cerveaux des individus qui la composent.

Dans son ouvrage *Supercollectif*, il explique que le meilleur moyen d'assurer la transmission des connaissances est de multiplier les élèves afin d'augmenter les chances de conservation du savoir des maîtres.

Cela explique les différentes étapes de l'histoire de l'humanité.

À l'ère nomade, les populations sont dispersées, les tribus sont composées de vingt à cinquante personnes qui vivent dans des huttes et qui suivent le gibier. Tous les membres de la tribu sont des chasseurs-cueilleurs. Le peu de savoir accumulé est intégré par chacun des individus du groupe et transmis de bouche à oreille de génération en génération avec un fort risque de déperdition.

Ensuite vient l'ère agricole. Les communautés humaines passent de 500 à 2 000 personnes sédentarisées, installées dans des villages. Dès lors, il devient possible que certains individus se spécialisent et que des savoirs se transmettent de maître à disciple, comme la métallurgie, l'agriculture, l'élevage, l'artisanat, la médecine, l'architecture.

Puis arrive l'ère industrielle. On assiste à l'exode rural et les villes grandissent, les communautés aussi : 2 000 à 100 000 individus sont désormais regroupés dans la même agglomération. Le savoir est transmis par des écoles, des universités et on tend à une plus grande spécialisation dans tous les domaines. Des médecins spécialistes relaient les généralistes, avec des cardiologues, des dermatologues, des dentistes, etc. De la même manière, les ingénieurs, les architectes et tous les autres métiers voient leur discipline se fragmenter en branches spécialisées spécifiques.

Advient enfin l'ère numérique. Les villes contiennent plusieurs dizaines de millions d'individus. Grâce à Internet, le savoir se diffuse de plus en plus et l'on trouve des savoirs encore plus spécialisés.

À l'ère nomade, le PIB (le produit intérieur brut généré par le groupe ou la nation) double tous les 250 000 ans. C'est-à-dire qu'il faut attendre 250 000 ans pour que les innovations permettent de doubler la richesse. À l'ère agricole, le PIB double tous les 1 000 ans (comme les gens sont dans des espaces plus denses, ils peuvent plus facilement se spécialiser et transmettre). À l'ère industrielle, il double tous les 15 ans.

À l'ère numérique, le PIB double... tous les mois.

Ainsi, en densifiant les populations sur un même territoire on est passé d'un collectif lent et généraliste à un supercollectif rapide et spécialisé.

Encyclopédie du Savoir Relatif et Absolu.
Volume XII.

ACTE III

L'humour, l'art, l'amour

53. RETROUVAILLES.

Je ne sais pas vous, mais moi, par moments, j'ai l'impression que je ne suis pas de cette planète. Tous ces êtres qui s'agitent autour de moi me semblent être les acteurs d'un scénario dont j'ignore la trame cachée.

Parfois tout va bien, parfois tout va mal, et je ne suis qu'un bouchon porté par le courant de la rivière, bringuebalé de berge en berge, heurté par les rochers affleurants, emporté par les trous d'eau, puis rejeté sans raison sur un coin sableux.

Ma mère disait toujours : « Si tu as l'impression que tu n'as pas ta place dans ce monde, c'est parce que tu es ici pour en créer un nouveau. »

Donc je déglutis, je m'ébroue, et je progresse dans ce décor inquiétant. Les autres sont aussi sur le qui-vive. La respiration de Nathalie s'accélère. Le poil de Pythagore se dresse.

Nous craignions que Paris soit envahi de rats mais, étonnamment, plus nous avançons, plus tout se révèle désert.

On dirait qu'un typhon s'est abattu sur la ville. Plus un seul rongeur ne semble occuper ces lieux. Se pourrait-il que nos ennemis aient disparu d'un coup ?

Ce n'est pas normal.

Je mets tous mes sens en éveil. Il n'y a plus de rats, mais des cafards grouillent sur le sol et des mouches encombrent l'air. Jamais je n'en ai vu autant.

Nous laissons le camion sur la berge et nous empruntons une barque pour rejoindre l'île de la Cité. Arrivés sur l'île, nous devons bien constater que, là aussi, un étrange silence règne.

Le spectacle qui nous attend est au-delà de tout ce que j'avais pu craindre. Comment décrire la scène qui s'offre à moi ?

Toute notre communauté de chats et d'hommes semble avoir été décimée. J'interroge Pythagore :

– Où sont les rats, selon toi ?

– La horde brune de Tamerlan avance probablement en un bloc compact. Elle détruit tout ce qu'elle rencontre sur son chemin, avant d'aller envahir un autre territoire.

Il a raison, il n'y a pas d'autre explication : la masse de rats progresse groupée, dans une cohésion parfaite, guidée par le désir de tout détruire.

De fait, en dehors de leurs odeurs, il n'y a plus la moindre trace de ceux qui ont causé cette catastrophe.

Nous marchons lentement dans ce qui fut un jour notre paradis et qui est aujourd'hui dévasté. Nos oreilles pivotent sur leur axe dans tous les sens pour percevoir les bruits extérieurs, mais plus que les informations auditives ou olfactives, c'est la vision de ce désastre qui retient notre attention et nous laisse hébétés. C'est en arrivant sur le parvis de la cathédrale que nous découvrons le pire.

Je m'arrête, sidérée par le tableau qui se déploie sous mes yeux.

Le lion Hannibal est crucifié sur deux morceaux de bois attachés en T. Notre champion est supplicié et ses bras sont largement écartés, tenus par des cordes, comme s'il voulait inviter quelqu'un à l'enlacer.

Le pauvre félin est non seulement couvert de blessures sur tout le corps, mais ses crocs et ses griffes ont été arrachés. C'est comme un message que nous laissent les rats, nous signalant qu'ils ont été capables de désarmer notre principal guerrier. Pythagore a la même interprétation que moi :

— Ils avaient besoin d'exorciser leur peur de ce super-chat, et de venger le souvenir de la défaite de l'île aux Cygnes.

À côté d'Hannibal, d'autres chats ont subi les mêmes tortures. Je reconnais Wolfgang. Son thorax est secoué d'un infime spasme. J'approche mon oreille et m'écrie :

— Son cœur bat encore !

Nous le décrochons de sa croix et l'installons sur l'herbe. Le chartreux gris-bleu de l'ancien président tremble. Il ouvre la bouche et sort sa langue.

— Soif, articule-t-il avec difficulté.

Je vais aspirer un peu d'eau dans une fontaine voisine et la lui verse dans la bouche afin d'humidifier son palais. Je lui frotte ensuite la truffe avec la mienne.

Il arrive enfin à miauler quelque chose d'intelligible :

— ... Ils étaient trop nombreux.

Je lui donne encore à boire. Il frissonne au souvenir de l'horreur qu'il a vécue, inspire profondément :

— Ils nous ont attaqués par surprise ce matin... Ils possèdent désormais la maîtrise du feu... C'est comme ça qu'ils ont pu brûler la muraille en bois... Ensuite... ils sont entrés... Ils ont tué tout le monde… Hannibal a été formidable, il a réussi à les retenir… un peu… Il s'est battu jusqu'au bout…

Wolfgang a un spasme nerveux qui le fait tressaillir. Je demande :

– Il y avait avec eux un petit rat blanc ?

– Ils étaient si nombreux… On ne voyait rien… Comme un fleuve de fourrures grises…

Voilà qui confirme l'hypothèse d'un groupe avançant de manière compacte. Wolfgang tousse. Je comprends qu'il va lui être difficile de continuer à s'exprimer.

Autour de nous, Nathalie et Roman essaient de trouver des survivants parmi les jeunes humains qui jonchent le sol ; en vain.

Un nouveau sentiment m'envahit. La culpabilité. Ils sont morts par ma faute.

Si je n'avais pas gagné la bataille de l'île aux Cygnes, nous affronterions « seulement » Cambyse, un adversaire beaucoup plus facile à vaincre. Et puis quelle idée j'ai eue de réunir autant de gens dans une île fermée : en croyant bâtir un royaume, j'ai créé une prison.

Wolfgang articule péniblement un mot. Je me penche pour le comprendre :

– Angelo…

– Quoi, Angelo ? Qu'est-il arrivé à mon fils ? Parle !

Wolfgang respire un grand coup pour trouver la force de poursuivre.

– Angelo, Esméralda et quelques autres chats et jeunes humains…

Il s'arrête, inspire encore ; de la bave mêlée de sang s'échappe de sa bouche.

– … ils ont pu fuir.

Angelo est vivant !

– Où ?

– Par le métro...

Puis Wolfgang a une convulsion et prononce quelque chose de complètement incongru à cet instant :

– Bastet... je t'en prie... il faut que tu réessayes le champagne. Pas une lapée, un bol entier cette fois, ça t'aidera à trouver de nouvelles solutions.

Pourquoi me parle-t-il de champagne maintenant ?

Cette phrase à ce moment tragique me semble tellement déplacée que je ne sais quoi répondre. Et puis je me rappelle que, pour Wolfgang, la nourriture et la boisson étaient des sources essentielles de satisfaction. Sentant sa fin approcher, il doit repenser aux petits plaisirs qui ont fait sa vie.

– Je te promets de boire du champagne, dis-je, et je penserai à toi.

Wolfgang commence à ramper. Je ne l'aide pas. Tout comme le sphynx, je sais qu'il va chercher un endroit pour se cacher et agoniser loin des regards.

Je lui envoie une dernière pensée.

Adieu, Wolfgang, rendez-vous dans la prochaine de nos neuf existences.

Il n'y a plus de temps à perdre. Il faut que je concentre mon énergie pour préserver la vie plutôt que d'essayer de retenir ce qui ne peut plus être retenu.

Je cherche ma servante Nathalie. Je trotte au milieu des ruines et des cadavres et, finalement, je retrouve ma servante près du corps de Patricia, la chamane. Elle aussi est couverte de blessures de rats. Je me doute qu'elle s'est battue à mains nues contre des centaines de rats et a fini par être submergée. Son talent de

319

chamane ne lui a donc pas permis de communiquer avec ces animaux pour les convaincre de l'épargner.

Patricia! Patricia! Y a-t-il encore un peu d'âme dans ce corps abîmé qui peut percevoir mon message télépathique?

Mais non, je crois que cette enveloppe charnelle est désormais vide. Nathalie pleure à chaudes larmes. Je m'approche et lèche ses joues.

Puis, commençant à comprendre ce que signifie la tristesse, liée à la compassion, je m'installe tout près d'elle et lui offre une séance de ronronnements réconfortants à 24 hertz.

Je sais que, même si nous sommes pressés de partir à la recherche de mon fils et des survivants, je dois prendre quelques instants pour replacer les énergies de manière optimale afin que nous puissions être efficaces dans les minutes qui vont suivre.

Je vois ma servante pleurer, les maisons parties en fumée et, au loin, Wolfgang qui rampe pour se cacher. J'éprouve une étrange sensation : mes yeux se mettent à picoter.

Cela n'a pas de sens. Nous les chats, nous ne pouvons pas pleurer, n'est-ce pas?

Cela brûle mes paupières.

Non, ne pas pleurer maintenant. Il ne faut pas pleurer. Ne jamais se percevoir comme une victime.

Ce n'est pas « chat ». C'est nous les prédateurs. C'est nous qui faisons peur.

Une goutte perle pourtant au coin de mes yeux.

Mon corps me trahit.

Je n'ai pas envie de m'apitoyer sur cette situation. Une autre larme arrive. Bien que je considère les pleurs comme une faiblesse, étonnamment ce processus me détend.

Alors, tout comme je l'ai fait auparavant avec le rire, j'arrête de tout bloquer et je relâche la tension.

Tant pis, je pleure comme une humaine.

Toutefois, alors que du liquide coule de mes yeux, je réfléchis à une stratégie pour ne pas me laisser complètement aller.

Je commence alors à ronronner plus fort pour m'apaiser moi-même.

54. LA RONRONTHÉRAPIE.

Le mot « ronronthérapie » a été inventé par le vétérinaire toulousain Jean-Yves Gauchet en 2002.

Il s'est aperçu que les vibrations des chats sur des basses fréquences de 20 à 50 hertz non seulement avaient un effet apaisant, mais accéléraient aussi la réparation des os brisés (les os se ressoudent trois fois plus vite dans ces circonstances), des muscles déchirés, et hâtaient de manière significative la cicatrisation.

En effet, le ronronnement des chats induit chez l'homme la production de sérotonine, une hormone qui agit sur la qualité du sommeil et sur l'humeur.

Jean-Yves Gauchet a aussi découvert que le ronronnement des chats réduisait la fatigue ou permettait de mieux récupérer après un voyage en avion.

Selon ce chercheur, les chats repèrent grâce à nos phéromones (molécules odorantes diffusée entre autres par notre sueur) quand nous n'allons pas bien et ils ont spontanément envie de nous apporter du réconfort. Le ronronnement absorbe toutes nos énergies négatives et nous permet d'être de meilleure humeur. Le ronronnement entraîne la production d'endorphines cérébrales euphorisantes (via les récepteurs appelés «corpuscules de Paccini»), mais agit aussi directement sur nos gènes par une action électromagnétique (notamment en influant sur les gènes du cortisol, notre antidouleur naturel, en augmentant la production de cellules souches régénérant les tissus).

Actuellement, certains kinésithérapeutes utilisent la ronronthérapie pour soigner les tendinites, les douleurs vertébrales et accélérer la cicatrisation osseuse. Les maisons de retraite mettent en place de plus en plus souvent des programmes de ronronthérapie. Selon Jean-Yves Gauchet, cette onde particulière produite par le larynx des chats permet aux personnes âgées qui commencent à avoir des problèmes mentaux de mieux se recentrer et d'organiser leur pensée.

Encyclopédie du Savoir Relatif et Absolu.
Volume XII.

55. LABYRINTHE.

Je suis sûre que Pythagore m'a vue pleurer.

Je ne sais pas ce que vous en pensez, mais, selon moi, les émotions peuvent parfois aider et parfois faire perdre du temps.

Personnellement, je suis partisane de commencer par agir et seulement ensuite de se poser des questions.

Je dirais même que je reste convaincue que l'action permet un certain confort de l'esprit, alors que l'introspection n'aboutit qu'à une spirale infernale qui conduit à la culpabilisation de soi.

Enfin, c'est mon avis. Vous n'êtes pas obligés de le partager.

Je lèche mes larmes, m'ébroue et propose que nous nous occupions de retrouver Angelo et les autres survivants qui, selon Wolfgang, se seraient échappés par le métro.

Moi et mes compagnons d'aventures, Pythagore, Nathalie, Roman et Champollion, descendons alors les escaliers du métro et nous retrouvons face à la porte que nous avions installée après l'attaque de nuit menée depuis ce même métro. Elle est fermée par un code numérique, ce qui simplifie l'ouverture et la fermeture.

Heureusement que les rats ne savent pas encore lire les chiffres.

Nous nous enfonçons dans le tunnel sombre. Nathalie et Roman utilisent leur smartphone pour s'éclairer. Moi j'évolue prudemment, me laissant guider par l'odeur des traces de chats et d'humains.

Elles sont fraîches.

Les dernières fragrances de ceux de notre communauté.

Mes moustaches sont tendues pour percevoir le moindre mouvement alentour.

Au fur et à mesure que nous avançons, nous sentons une odeur qui n'est pas féline.

Il y a eu des rats par ici.

Peut-être même y en a-t-il encore.

À moins qu'ils soient à la poursuite des fuyards.

Nous progressons dans le labyrinthe noir du métro, conduits par les seules odeurs. J'ai de nouveau ce pressentiment qu'il va m'arriver quelque chose.

J'ai l'impression que, d'un instant à l'autre, des rats vont surgir. Je me rends bien compte qu'en cas d'attaque, dans certains goulets, nous ne pourrons pas fuir.

Et l'odeur de rat ne fait qu'augmenter. Je n'ose m'arrêter, de peur de passer pour une lâche vis-à-vis des autres.

À un moment, j'entends un sifflement en provenance du plafond. Je m'arrête.

Des rats ?

Le sifflement reprend. Je me prépare à combattre, quand les sifflements se transforment en bruits d'ailes.

Une nuée de centaines de chauves-souris nous frôle.

Nous continuons notre marche souterraine. Des remugles d'égouts échappés d'une grille troublent la piste olfactive que nous suivions pour retrouver les nôtres. Je me tourne vers le siamois.

– Reste près de moi.

Même s'il est peureux, en cas d'attaque, il peut me servir de bouclier. Le temps que les rats le tuent, je pourrais probablement obtenir un répit suffisant pour fuir.

– Alors, tu tiens à moi ? me demande-t-il.

C'est à ce moment-là qu'un nouveau son incongru m'inquiète. De fait, alors que Nathalie ouvre un passage, un ruisseau de cafards nous tombe dessus. Les humains poussent des cris, nous nous débattons puis courons droit devant nous pour leur échapper.

Je déteste les cafards. Je déteste les souterrains. Je déteste cet instant.

Enfin, nous débouchons sur une sortie. Nous nous ébrouons pour nous débarrasser de tous les insectes encore accrochés à nos fourrures.

Il faut se reprendre, je suis forte. Rien ne me fait peur. Je suis une reine. Sa Majesté des chats qui prépare l'avènement d'une nouvelle civilisation.

– Nous avons franchi le bras de la Seine, dit Nathalie, nous

324

voici au métro Châtelet. Tu peux encore sentir la piste des fuyards, Bastet ?

Je renifle la sortie de métro et annonce :

– Par là !

Enfin nous émergeons en surface. Lumière. Champollion, qui supportait mal l'obscurité et les tunnels où il ne pouvait pas voler, est le premier à sortir.

Je trotte en veillant à ne pas perdre mon repère olfactif. Pythagore est un peu en arrière.

– Nous sommes rue de Rivoli, constate ma servante en clignant des yeux.

C'est une grande rue entourée de bâtiments en ruine. Au beau milieu s'entassent des carcasses de voitures, avec dans certaines d'entre elles des squelettes d'humains.

Nous nous remettons en route.

La piste olfactive nous fait remonter la rue de Rivoli et nous aboutissons à une immense bâtisse assez semblable au château de Versailles.

À bien renifler, je perçois même une odeur qui ressemble à un mélange d'Esméralda et d'Angelo. Ils ont dû passer par ici. En revanche, pas le moindre effluve de rat. J'interroge Pythagore :

– Pourquoi n'y a-t-il pas de rats selon toi ?

Le siamois, qui se posait visiblement la même question, me répond :

– Probablement qu'après son forfait la horde brune est restée compacte et s'en est allée détruire d'autres peuples vers le nord. D'abord les chats du château d'eau, ensuite les chats et les jeunes humains de l'île de la Cité et après, peut-être, ceux de Montmartre… Ils restent soudés pour former une cohorte efficace et indestructible.

Nous marchons prudemment en suivant les repères olfactifs des chats.

Ils nous conduisent vers une pyramide de verre transparent. Étonnamment, cette forme géométrique me semble presque familière. Derrière elle, de nombreux et majestueux bâtiments.

– C'est là encore un ancien château qui abritait les chefs humains, tout comme l'Élysée et Versailles. Cela s'appelle le Louvre, mais c'est devenu un musée. Et même le plus grand musée du monde, signale Nathalie.

– Un musée? Qu'est-ce que c'est?

– Une sorte de temple de l'art.

Décidément, tout concourt à ce que je résolve les trois énigmes de l'art, de l'humour et de l'amour. L'univers entier conspire pour que j'évolue.

Nous pénétrons dans la pyramide transparente. Après avoir descendu un escalier, nous arrivons dans une zone dont le sol en marbre est jonché de quelques cadavres humains. Les odeurs de chat sont encore présentes.

Ils sont venus ici, c'est certain.

Je miaule le plus fort possible :

– Angelo!

Pythagore reprend :

– Esméralda! Nous sommes là! Où êtes-vous?

Les traces nous mènent jusqu'à une salle de bains, face au désordre de laquelle nous comprenons que tous les survivants se sont lavés au savon pour masquer leurs odeurs. C'était là probablement l'idée d'un humain prudent.

– Cette fois-ci, on les a complètement perdus, reconnaît Pythagore.

– Le Louvre est grand, mais on finira forcément par les trouver, nous encourage Nathalie.

Nous trottons dans le temple de l'art, qui se révèle un labyrinthe certes plus haut de plafond et plus éclairé que le métro, mais tout aussi compliqué. Les couloirs succèdent aux couloirs, les salles sont gigantesques.

À un moment, nous débouchons face à un immense tableau qui, je ne sais pourquoi, m'attire et m'intrigue. J'interroge Nathalie :

– C'est quoi ?

Roman répond à sa place :

– *Le Radeau de la Méduse*, un tableau peint par un artiste nommé Géricault.

Roman semble éprouver un intérêt particulier pour cette toile.

– Il représente des humains qui avaient fait naufrage en haute mer et s'étaient réfugiés sur un radeau en bois. La plupart sont morts les uns après les autres, et les survivants ont fini par s'entredévorer. Cet épisode avait beaucoup choqué son époque et inspiré ce tableau. Au-delà du simple récit d'un événement réel, cette œuvre devient allégorique et représente ce qui pourrait arriver : l'humanité en perdition qui finirait par s'entretuer pour survivre.

Certes, j'ai été émue par les images de notre planète, mais là il se passe quelque chose de nouveau : je comprends que l'un des intérêts de l'art n'est pas seulement d'émouvoir, mais de donner à réfléchir.

Je ne peux m'empêcher de frémir en m'imaginant sur un tas de planches au milieu de la mer, privée de nourriture. Je reste clouée sur place, fascinée par cette toile que je trouve de plus en plus belle à mesure que je l'observe.

Après la Callas, Vivaldi et Bach, le peintre Géricault est le nouvel artiste humain qui me touche en profondeur.

Je demande à Pythagore :

— Penses-tu qu'on pourrait inventer un art chat, comme il y a un art humain ?

— Tu crois vraiment que c'est le moment de se poser cette question ?

— Excuse-moi de ne pas me contenter de gérer ma peur et d'essayer d'être un peu visionnaire.

J'inspire profondément, puis ajoute :

— Si nous n'arrivons pas à créer ou à imaginer une culture chat, jamais nous ne pourrons bâtir une civilisation digne de ce nom. C'est cela qui fait de nous de possibles successeurs des humains : nous ne nous contentons pas de survivre ou de vouloir marquer notre territoire, nous sommes capables de récupérer ce qu'ils ont produit de meilleur dans des domaines qui, au premier abord, nous semblent inutiles, comme les arts.

Mon partenaire semble intrigué par ce que je dis. J'insiste :

— Un jour, il faudra que nous aussi, les chats, nous fassions des peintures, des sculptures ou de la musique chat pour atteindre ce même degré d'hégémonie que les humains.

Il ne se donne même pas la peine de me répondre, alors je poursuis :

— Espérons seulement que les rats ne se lanceront pas dans la même entreprise, nous risquerions de nous faire doubler.

Avouons-le, cela me semble étrange de parler d'art dans une situation aussi délicate. Je pense que mon inconscient cherche des diversions pour que je ne sois pas paralysée par la crainte que quelque chose soit arrivé à Angelo. Je continue donc :

— Et la science, aussi. Il faudra inventer une science chat.

Le siamois secoue la tête. Enfin je crois l'avoir touché.

— Nous ne pouvons pas nous contenter de copier la technologie humaine. Nous devons prendre le relais et tenter d'amener le savoir plus loin, à partir de là où les humains se sont arrêtés. Il nous faudra, pour cela, d'abord faire l'inventaire de tout ce qu'ils ont découvert afin de ne pas tout recommencer à zéro. On en revient à ma proposition de faire une grande encyclopédie des chats.

Nous marchons dans les couloirs du musée, les vibrisses tendues pour percevoir la moindre fragrance pouvant nous indiquer la présence des chats et des jeunes humains. Pythagore semble avoir digéré mon monologue et être prêt à dialoguer :

— De l'art chat, d'accord ; mais par où commencer ?

— Le premier art nécessaire me semble être celui de raconter des histoires, comment cela se nomme, déjà ?

— La littérature.

— Alors nous devons inventer de la littérature chat. En plus de l'encyclopédie qui recense des informations utiles, il faudrait créer des histoires avec des personnages et des aventures. Ce serait bien de démarrer en racontant tout ce qu'il nous est arrivé afin de produire notre...

— ... mythologie ? propose Pythagore.

— Oui, une « mythologie de la félicité ».

— Et tu penses que tu es plutôt du genre romancière ou poétesse, Bastet ?

De nouveau, je sens bien que cet insupportable mâle est ironique. Je suis traversée par une bouffée de révolte à l'idée de tous les instants où les mâles m'ont manqué de respect, à moi et aux femelles en général.

J'ai envie de le frapper, mais je me retiens.

– Je suis sérieuse. Un jour, j'écrirai un livre qui racontera ma vie.

– Et comment tu comptes faire ? Il n'existe même pas d'alphabet chat.

– Au début, je raconterai mon histoire oralement, puis soit j'apprendrai à écrire et rédigerai mon histoire dans l'alphabet humain, soit je la dicterai à quelqu'un qui la transcrira.

– C'est bien de rêver, mais la réalité est là : nous ne sommes que des chats. Nous n'avons même pas de mains. La civilisation humaine a beau avoir chuté, nous sommes encore incapables de la concurrencer sur ce terrain.

Je ne réponds rien, mais je suis de plus en plus persuadée que l'espèce planétaire dominante ne sera pas seulement celle qui aura montré sa force et son intelligence, mais celle qui les fera ensuite rayonner par son art. Je comprends aussi que je dois élargir ma conception de la beauté et dépasser mes critères simplement félins.

Nous circulons dans le labyrinthe aux murs recouverts de centaines de tableaux.

Soudain, un cri résonne.

C'est ma servante. Nous accourons. Elle regarde hébétée une toile qui représente une femme dont les yeux ont été remplacés par deux gros trous. Inquiète, je demande à Pythagore :

– Qu'a-t-elle ?

Pythagore m'explique :

– Ils ont détruit la plus célèbre œuvre d'art de l'humanité. Ce que tu vois, ce portrait de femme aux yeux crevés, était *La Joconde* de Léonard de Vinci. Quelqu'un a arraché ses yeux pour laisser ces deux trous béants.

– Mais qui ?

– Cela a dû se produire durant la guerre civile. Certains humains ont plaisir à détruire ce qui est beau.

Je ne comprends pas bien tout ce qu'implique cette remarque.

– Bon, c'est un tableau abîmé, d'accord, mais regarde autour de nous, il y en a plein d'autres. Cela ne vaut pas la peine de se mettre dans cet état. Ce n'était qu'un objet.

– Celui-là était un peu particulier. C'était censé être le plus beau tableau du monde, m'explique Pythagore.

– Et il représentait quoi ?

– Une femme qui te regardait fixement. Mais son sourire exprimait la sérénité d'une humaine enfin apaisée.

A priori l'intérêt artistique de ce tableau me semble nettement inférieur à celui du *Radeau de la Méduse* avec tous ces humains qui agonisent et se mangent entre eux.

– Il faut continuer à chercher mon fils et les survivants de l'île.

Je comprends bien l'intérêt de l'art : c'est beau, ça peut même faire réfléchir, mais cela ne sauve pas encore des vies, à ce que je sache.

Nous continuons de marcher au milieu des grandes salles silencieuses où parfois traînent des cadavres de touristes, reconnaissables à leur appareil photo, et de gardiens, identifiables à leur uniforme et à leur casquette. Je les contourne en essayant de garder mon regard fixé sur les murs.

Roman nous apprend qu'après avoir traversé les salles d'art français puis italien, nous arrivons aux salles consacrées à l'Égypte.

Là encore, les vitrines sont brisées et des statues sont tombées, mais soudain Roman attire mon attention :

– Voilà ton homonyme.

Il désigne une statue en pierre noire.

331

– Cette sculpture représente la déesse Bastet. Elle a cinq mille ans.

Je m'approche et vois une chatte majestueuse avec un corps humain. Un détail, soudain me fait tressaillir. Elle a une fente similaire à celle que présente désormais mon front.

Il y a cinq mille ans ils m'ont représentée. Comment est-ce possible ?

Il se passe alors quelque chose d'étrange en moi. Après la compassion, le rire, la tristesse, je perçois une nouvelle émotion forte et inconnue.

Je sens mes pattes se dérober sous moi, une sorte de vertige m'envahit. Je perds connaissance et je tombe.

Mes paupières se ferment.

Mon esprit s'échappe du musée du Louvre et une nouvelle scène apparaît devant mes yeux.

Dans cette scène, j'ai des bras terminés par des mains. À mes doigts je porte des bagues, à mes poignets de lourds bracelets colorés.

J'ai déjà rêvé de cela, mais cette-fois ci j'ai l'impression que ce n'est pas un rêve, c'est plus réel.

Sur mon torse, deux seins, enveloppés dans un tissu fin. Au bas de mon corps, des pieds chaussés de sandalettes. En face de moi, deux énormes piliers de pierre, un noir et un blanc, derrière lesquels sont prosternés une foule d'humains.

Je passe ma main sur mon visage, et sous mes doigts il y a ma fourrure et mes vibrisses. J'ai bien encore ma tête de chatte, c'est juste le bas de mon corps qui est devenu… humain ! À la place de ma colonne vertébrale souple, j'ai un dos rigide comme un arbre. Je touche mon front et je sens que le trou de mon Troisième Œil est bouché par une pierre précieuse.

Et là, je comprends où je me trouve : dans le temple de Bubastis il y a cinq mille ans.

– Bastet ! Bastet !

J'entends mon nom psalmodié par l'assemblée humaine qui me vénère.

Je lève la main et tous se taisent. Je me mets à parler :

– Mes amis... Je viens de vivre un instant incroyable. J'ai eu une transe et j'ai vu l'avenir ! Je me suis vue dans un musée situé au-delà des mers, dans un pays du nord, avec des amis humains. J'avais un corps entier de chat et je m'appelais, encore, Bastet.

Un murmure parcourt l'assistance.

– J'ai vu une ville qui n'existe pas encore et qui existera un jour. Elle s'appelle Paris, c'est là que je me réincarnerai. Le monde humain se sera effondré et les rats menaceront de prendre le contrôle. Aidée d'un groupe d'amis, j'essaierai d'empêcher que le pire ne se produise.

La foule égyptienne de – 3000 avant J.-C. semble impression-née par ma vision.

– Oui, je vous le garantis, un jour les chats seront appelés à régner pour remplacer les hommes. Et je serai la chatte noire et blanche qui permettra d'assurer cette passation de pouvoir entre humains et félins.

Alors, de nouveau tous se mettent à scander encore plus fort mon nom :

– BASTET ! BASTET !

J'ai eu accès à l'information qui me manquait. C'est à moi qu'incombe la mission de sauver le monde et à personne d'autre, car je suis une ancienne déesse.

56. LE SYNDROME DE STENDHAL.

Le syndrome de Stendhal tire son nom d'un épisode de la vie de l'écrivain français (1783-1842), plus précisément d'un choc émotionnel qui l'envahit pendant son voyage en Italie en 1817.

Alors qu'il visitait l'église Santa Croce à Florence, la ville qui se trouve être le berceau de l'art de la Renaissance, il se fit ouvrir la chapelle Niccolini où il découvrit le tableau *La Descente du Christ aux limbes* du peintre Bronzino.

Son cœur se mit à battre plus vite, des larmes lui montèrent aux yeux. La tête lui tourna et il perdit l'équilibre.

Titubant, il dut s'asseoir sur un banc et tenta de se rétablir en lisant un poème, mais cela ne fit qu'empirer le phénomène, car ce texte lui apporta, selon son propre témoignage, un surplus d'émotion artistique, qui ajoutait à la beauté picturale la beauté littéraire.

Il tomba malade et fut forcé de s'aliter.

Plus tard, il écrivit : « J'étais dans une sorte d'extase. »

L'écrivaine anglaise Vernon Lee donne quarante ans plus tard un témoignage similaire après avoir découvert le *Printemps* de Botticelli : « L'œuvre d'art s'est emparée de moi et j'ai ressenti une jouissance », note-t-elle.

En 1979, la psychiatre italienne Graziella Magherini signala qu'elle avait recensé deux cents cas similaires de touristes frappés du syndrome de Stendhal lors de leur visite à Florence.

Selon elle, les visiteurs sont assaillis tout à coup par la profondeur d'une œuvre et le génie de son créateur et sont alors saisis d'une transe qui peut aller du simple vertige à une vraie crise d'hystérie.

Le plus souvent, les symptômes d'une telle expérience sont les mains moites, la respiration qui s'accélère, des troubles de la vision, des vomissements, des tremblements, des accès délirants suivis le plus souvent de nombreuses nuits d'insomnie.

Encyclopédie du Savoir Relatif et Absolu.
Volume XII.

57. AU GRÉ DES FLOTS.

Je crois qu'à la naissance est déjà inscrite en nous quelque part la personne que nous allons devenir. Les aléas de la vie ne consistent ensuite qu'à nous indiquer précisément cette trajectoire programmée avant notre premier souffle.

Et quand on oublie cette évidence, elle se rappelle à nous n'importe quand et n'importe où, sous forme de rêves, de signes, d'intuitions.

Là, j'ai eu droit à une piqûre de rappel.

Quelle sensation précise !

Quand je soulève enfin les paupières, le temple de Bubastis s'est évaporé et à côté de Pythagore je vois Angelo.

Mes bras sont de nouveau des pattes terminées par des griffes rétractables ; mon dos est souple, je n'ai plus de seins, ni de vêtements, ni de bijoux, ni de sandalettes.

Qu'est-ce qui m'est arrivé ?

Je ne m'étais pas rendu compte jusqu'à ce jour que l'art pouvait être à ce point déstabilisant.

Cette sculpture de pierre noire m'a permis de me reconnecter à celle que j'ai été il y a cinq mille ans. Je m'ébroue. Je suis restée évanouie durant un laps de temps que je ne peux mesurer. Longtemps, ça c'est sûr.

Mon fils me lèche le visage, probablement rassuré que je ne sois pas morte. Je suis moi aussi soulagée de le voir vivant. Je le pousse de la patte pour qu'il cesse de me badigeonner de sa salive, regarde au-delà de ces visages familiers et m'aperçois que le décor a changé.

Derrière eux, des dizaines de sièges alignés devant des vitres épaisses qui laissent entrevoir un paysage mouvant. Nous ne sommes plus au musée du Louvre.

– Ça va ? me demande le siamois.

– Où sommes-nous ?

– Dans un bateau-mouche, explique Pythagore. Quand tu t'es effondrée, nous nous sommes inquiétés, mais comme ton cœur battait, nous avons déduit que tu avais eu un simple évanouissement probablement dû aux émotions, et nous t'avons transportée avec nous. Et puis Champollion est venu nous chercher après avoir trouvé les survivants cachés dans le secteur romain du musée.

– Plus exactement, c'est moi qui ai repéré l'oiseau et qui me suis dit qu'il devait être là pour nous ! intervient Angelo qui n'a pas perdu l'habitude de se mettre en avant en faisant croire que tout ce qui se passe d'intéressant est de son fait.

– Alors, tous ensemble, nous avons fui pour rejoindre la berge et sommes montés dans le seul bateau-mouche dont le réservoir de carburant était plein, conclut Esméralda.

Tiens, elle est là, celle-là ?

– Un bateau-mouche ? C'est quoi ?

– C'est un bateau au toit transparent qui sert à transporter une centaine de touristes sur le fleuve, donc suffisamment grand pour nous tous.

Au-delà des chats qui m'entourent, je distingue à l'avant du bateau Roman debout devant un gouvernail. Nathalie est à ses côtés. Ma servante me prête de moins en moins attention, ce que je considérerais en toute autre occasion comme à la limite de la faute, mais là je ne me vexe pas et me dis que si elle arrive à progresser dans sa relation avec son mâle humain préféré, je lui pardonne.

Pythagore me touche la truffe avec la sienne.

– Comme ce navire faisait aussi restaurant, nous avons pu récupérer des boîtes de conserve qui nous ont permis de nourrir les survivants affamés.

Je me tourne vers ma droite et vois en effet plusieurs assiettes remplies d'une nourriture beige que dévorent des chats et des humains que j'ai déjà croisés dans l'île de la Cité.

– Combien de survivants ?

– 193 chats et 16 jeunes humains, répond Pythagore avec précision.

Je me sens soulagée. Nous sommes enfin réunis, vivants, dans un véhicule flottant rapide grâce auquel nous pouvons nous échapper d'une île qui n'est plus du tout un paradis ni même un simple sanctuaire.

Je regarde un peu plus attentivement les personnes présentes autour de moi. Les jeunes humains sont maigres, pâles, blessés. Même les chats ont le poil de leur fourrure ébouriffé, la queue tombante, les côtes apparentes, la truffe sèche, le regard inquiet.

337

Plusieurs ont sur eux des plaies, preuve qu'ils se sont retrouvés en confrontation directe avec les rats.

Ainsi, ce sont donc eux les derniers « survivants de la communauté utopique de l'île de la Cité ».

Angelo a l'air fébrile. Pour un jeune chat, être témoin aussi tôt de la violence n'est pas bon. Pourvu qu'il ne soit pas traumatisé. Il a tout de même encore ce regard arrogant et prétentieux qui fait que, par moments, j'ai l'impression qu'il se prend pour… moi. Mais je me dis que, après tout, dans les crises difficiles, se prendre pour quelqu'un d'important, cela aide. Je reprends mes questions :

– Et le matériel du camion ?

– Roman a réussi à récupérer le camion sur la berge sud. Durant ton évanouissement, nous avons pu déplacer tout le matériel qu'il y avait entreposé pour fabriquer la barrière et le dirigeable, et on l'a stocké dans ce bateau.

Il me désigne de l'oreille un tas recouvert d'une bâche.

– À présent, nous avons ce qu'il faut pour nous défendre et pour fuir, ajoute Esméralda.

Brave Roman, il prend toujours les bonnes initiatives. Je finis par demander :

– Qu'est-ce qu'il m'est arrivé ? Pourquoi je me suis évanouie ?

– On peut expliquer ton évanouissement par ce qu'on appelle le syndrome de Stendhal : ça désigne le fait qu'une œuvre d'art, que ce soit un tableau, une musique, une sculpture, provoque une transe incontrôlable telle qu'on perd connaissance. J'ai lu un petit article là-dessus dans l'ESRA, indique le siamois pour montrer son érudition.

Donc j'avais la réponse à ma question dans l'ESRAE que je porte autour de mon cou. Pythagore poursuit son analyse :

– Dans ton cas, comme cela s'est produit devant la statue de

338

Bastet, je pense que ce syndrome s'est associé à ce qu'on appelle un phénomène de déjà vu. C'est le sentiment qu'on vit une scène qu'on a vécue auparavant.

Maintenant qu'il me le dit, c'est vrai, il m'est déjà arrivé de connaître cette sensation, même si jusqu'à cette fois, je ne m'étais jamais évanouie.

Soudain, Champollion pénètre sous la verrière qui forme le toit et il se met à hurler :

– LES RATS ! Alerte ! Les rats arrivent !

– Quels rats ? demande le siamois, incrédule.

– Ceux de la horde brune ! Ils avancent sur la berge nord. Ils sont à nos trousses.

– Mais notre bateau va plus vite qu'eux, dis-je.

– Certes, mais il y aura bien un moment où l'on devra s'arrêter et alors ils nous rejoindront et nous devrons les affronter, répond Esméralda.

Il va falloir qu'elle me parle sur un autre ton, celle-là.

J'essaie de faire mentalement le tour de la situation et finis par déclarer :

– Il suffira de ne pas s'arrêter.

– En théorie, c'est possible, répond le siamois. Dans ce cas, nous atteindrons l'embouchure de la Seine, c'est-à-dire la ville du Havre, située à l'estuaire du fleuve.

– Parfait, dis-je.

– Non, pas vraiment, car ils pourront nous retrouver là-bas.

– Dans ce cas, nous resterons dans le bateau et nous continuerons à naviguer.

– C'est-à-dire qu'après Le Havre, ce n'est pas exactement la même eau, c'est la haute mer…

– Nous sommes sur un bateau qui flotte, il me semble, ça doit bien aller sur la mer, non ?

– C'est un navire fluvial et non maritime. Cela m'étonnerait qu'un bateau à fond plat puisse affronter les vagues de l'océan. Il nous faudrait une quille.

Je ne sais pas de quoi il parle et je n'ai pas la tête à enrichir mon vocabulaire.

– C'est un contrepoids qui maintient le bateau droit malgré les vagues, précise-t-il, comme s'il avait pu lire dans mes pensées.

Champollion déploie sa huppe blanche et entame des allers-retours sous la verrière, nous signifiant combien il est préoccupé.

– Jusque-là, les rats avaient l'avantage du nombre mais pas celui de l'intelligence ; désormais il semble qu'ils aient les deux, s'inquiète Pythagore.

– Puisque tu les as vus, Champollion, dis-nous combien ils sont.

Le perroquet secoue la tête et répond :

– Ils sont plusieurs dizaines de milliers. Et ils sont plus gros que tous ceux que j'ai connus.

Pythagore interprète ces informations.

– Ils sont probablement plus nombreux parce que Tamerlan a fédéré plusieurs meutes de rats pour former sa grande horde brune ; quant à leur taille, c'est sûrement parce qu'à chaque victoire ils ont pu se goinfrer de nourriture.

Le siamois inspire profondément.

– Le sphynx avait raison. Le temps joue en leur faveur. Les humains ont une portée moyenne d'un seul enfant par copulation qui naît au bout de neuf mois. Nous, nous accouchons de six petits après deux mois de gestation. Et les rats produisent sept petits après seulement vingt et un jours. Ce qui veut dire qu'il y a peu de chances pour qu'ils puissent être stoppés dans leur croissance.

J'essaie de rester optimiste :

— Même les rats s'autolimitent en fonction de leurs conditions de vie. S'ils manquent de nourriture ou s'ils ont trop de prédateurs, leur expansion démographique est automatiquement ralentie, voire stoppée.

— Pour eux, les conditions actuelles sont extrêmement favorables, beaucoup de nourriture et aucun prédateur. Donc plus rien ne les empêchera de croître et de se multiplier, fait remarquer Esméralda.

— D'autant qu'ils ont maintenant accès aux technologies des hommes, puisqu'ils arrivent visiblement à utiliser des outils avec leurs petites mains à quatre doigts. Donc, en toute logique, si nous ne faisons rien, ils devraient vaincre les autres espèces et imposer leur règne, ajoute le siamois.

En discutant avec le groupe de chats, j'observe Roman et Nathalie toujours placés à l'avant, inconscients du danger qui nous guette.

Pourquoi ne font-ils pas l'amour ? Ne comprennent-ils pas qu'il en va de la survie de leur espèce ?

Une pensée me trouble.

Si les humains sont à ce point maladroits, c'est peut-être qu'ils doivent définitivement disparaître, comme les dinosaures. Et si les rats sont à ce point débrouillards, c'est peut-être que ce sont eux qui sont appelés à prendre la relève.

Et si le futur, c'était eux, les rats ? Ils fonderaient un monde plus dur, plus hiérarchisé, où les faibles seraient éliminés et les forts feraient régner la terreur.

Cela ne me semble pas l'avenir idéal mais peut-être que c'est malgré tout celui qui nous attend, surtout maintenant qu'ils ont une horde cohérente et hiérarchisée, gouvernée par un stratège intelligent.

58. LA HIÉRARCHIE CHEZ LES RATS.

Le professeur Didier Desor, chercheur du laboratoire de biologie comportementale de la faculté de Nancy, a voulu comprendre l'aptitude des rats à la natation. Six d'entre eux ont donc été rassemblés dans une cage dont l'unique issue débouchait sur une piscine qu'il leur fallait traverser en nageant pour accéder à une mangeoire contenant des croquettes.

Il est vite apparu que les rats ne s'élançaient pas de concert à la recherche de leur nourriture et que, au contraire, tout se passait comme s'ils s'étaient distribué des rôles précis entre eux.

Il y avait deux « nageurs exploités », deux « non-nageurs exploiteurs », un « nageur autonome » et un « non-nageur souffre-douleur ».

Les deux exploités plongeaient sous l'eau pour aller chercher la nourriture. À leur retour dans la cage, les deux exploiteurs les frappaient jusqu'à ce qu'ils abandonnent leur pitance ; une fois repus, ils acceptaient toutefois de leur laisser les restes. Les exploiteurs ne nageaient jamais, se contentant de terroriser les nageurs afin de se rassasier.

L'autonome était un nageur assez robuste, capable de rapporter son repas et franchir la barrière des exploiteurs pour se nourrir de son propre labeur.

Le souffre-douleur, enfin, était à la fois incapable de nager et d'effrayer les exploités, alors il ramassait les miettes tombées.

La même répartition – deux exploiteurs, deux exploités, un

autonome, un souffre-douleur – se reforma dans les vingt cages où l'expérience fut reproduite.

Pour mieux comprendre ce mécanisme de hiérarchisation, Didier Desor plaça six exploiteurs ensemble. Ils se battirent toute la nuit. Au matin, ils avaient recréé entre eux la même répartition des rôles.

Il obtint encore le même résultat en réunissant six exploités dans une même cage, six autonomes, ou six souffre-douleur. Ainsi, quels que soient les individus, ils finissaient toujours par se répartir les mêmes rôles. L'expérience fut conduite dans une cage plus vaste contenant deux cents individus. Les rats se battirent toute la nuit. Au matin, on retrouva trois rats tués, que les autres avaient de surcroît dépecés. Moralité : plus la population s'accroît, plus la cruauté envers les souffre-douleur augmente. Dans le même temps, les exploiteurs de la grande cage avaient désigné un super-exploiteur servi par des lieutenants qui se chargeaient de répercuter son autorité sans même qu'il ait besoin d'agir.

Les chercheurs de Nancy prolongèrent l'expérience en analysant par la suite les cerveaux de leurs cobayes. Ils constatèrent que les plus stressés n'étaient pas les souffre-douleur ou les exploités, mais, bien au contraire... les exploiteurs. Ils craignaient en effet sans doute de perdre leur statut privilégié et d'être contraints un jour de devoir aller chercher eux-mêmes leur nourriture.

Encyclopédie du Savoir Relatif et Absolu.
Reprise d'après le volume I de l'ESRAE.

59. STOPPÉS EN PLEIN ÉLAN.

Comme je vous l'ai dit, j'ai beaucoup de petits défauts mais j'ai aussi une grande qualité : je sais me remettre en question.

Et là, je pense que j'ai fait l'erreur de ne pas être assez directe.

Je décide de profiter de ce que ma servante humaine est seule sur un siège à l'arrière du bateau pour l'interpeller :

– Qu'est-ce que vous attendez pour faire l'amour avec Roman ?

Elle tousse un long moment, puis se reprend, sourit et me caresse la tête :

– En quoi cela te concerne ?

– Vous savez, servante, depuis que je vis avec vous, j'ai appris à vous apprécier et je ne souhaite que votre bonheur. Vous me disiez que pour vous ressembler il fallait trois choses : l'art, l'humour, l'amour. Mais plus je vous vois avec Roman, plus je me dis que l'amour à la manière des humains revient juste à injecter de la complexité là où les choses pourraient être beaucoup plus simples. Quel intérêt de faire durer les étapes comme vous le faites tous les deux ? C'est stupide pour vous et c'est agaçant pour votre entourage.

– Je crois que le fait de prendre du temps nous permet d'être plus sûrs de nos sentiments l'un envers l'autre.

– Vous plaisantez ? Vous vous fréquentez depuis plusieurs jours et vous risquez de mourir d'une minute à l'autre !

– Et si ce n'était pas le bon partenaire ?

– Si vous faites l'amour avec lui, au moins vous serez fixés. Traîner comme ça ne fait que vous entretenir dans l'ignorance. Je n'ai peut-être pas de conseil à vous donner mais à votre place je n'hésiterais pas. Je lui ferais sentir mes odeurs naturelles au lieu de les cacher avec des parfums artificiels. Faites-lui respirer votre sueur, ondulez de la croupe, inondez ses narines de vos phéromones. Montrez-lui vos fesses. Cela devrait au moins avoir l'avantage de clarifier les choses.

Elle éclate de rire, mais je perçois que c'est un rire artificiel pour masquer sa gêne face à une réalité qu'elle ne veut pas affronter.

Tout ça parce qu'elle est incapable de comprendre ma sagesse naturelle. Elle se moque de moi.

— Vraiment, je suis sérieuse. Vous devriez lui montrer votre corps nu. Tous ces vêtements qui empêchent vos odeurs naturelles de parvenir à ses narines compliquent votre communication olfactive.

Nathalie veut me prendre dans ses bras pour me caresser – un geste de possession. Elle me voit encore comme une peluche. Ou alors elle me prend pour un chien qui est toujours à mendier des caresses à son maître. Je me dégage d'un coup sec et m'enfuis.

— Où tu vas ? Reviens, Bastet !

— Vous m'énervez, Nathalie ! Vous m'énervez à un point que vous ne pouvez même pas imaginer.

Elle me poursuit.

— Que veux-tu que je fasse, Bastet ?

Je consens à me retourner.

— Eh bien, puisque chez les humains ce qui excite, c'est le contact des muqueuses labiales et l'exhibition des pis, accomplissez ces gestes de votre parade nuptiale et ensuite livrez-vous à un acte reproductif libérateur. Ce n'est pas si compliqué, il me semble.

En guise de réponse, elle me fait un grand sourire.

Elle m'énerve, elle m'énerve, elle m'énerve.

345

Et je me dis à cet instant que si elle continue à faire sa difficile et sa pudique je vais l'abandonner au profit d'un ou une humain(e) un peu plus énergique et débrouillard. Ce n'est pas possible qu'elle soit aussi mièvre…

Mais soudain retentit la sirène du bateau-mouche.

J'accours à l'avant de notre vaisseau pour me retrouver face à un nouveau problème : le fleuve qui jusque-là était navigable est désormais obstrué par une dizaine de péniches entremêlées qui forment un barrage infranchissable.

– Cette fois-ci, nous sommes fichus, murmure Esméralda.

Je lui trouve un côté défaitiste. Peut-être que l'invasion de l'île de la Cité l'a privée de tout jugement objectif.

Je me tourne vers Roman :

– Quelle solution nous reste-t-il ?

– Nous ne pourrons plus continuer notre route par cette voie fluviale, reconnaît-il.

Les deux humains réfléchissent. Je pourrais presque entendre leurs cerveaux fonctionner.

Pythagore vient me rejoindre et observe avec inquiétude le barrage de péniches.

– Les rats vont venir et tous nous tuer comme ils ont tué ceux de l'île de la Cité, se lamente Esméralda.

C'est exactement le genre de phrases qui ne fait pas avancer les choses et qui ne présente à mon avis pas le moindre intérêt.

– Ma maman est la meilleure, elle va forcément trouver une solution !

Voilà qu'Angelo se met aussi à débiter des phrases inutiles.

Vraiment, je suis mal entourée.

Je rejoins Nathalie à l'arrière. Elle utilise ses jumelles.

– Il m'a semblé que nous dépassions une grande île en amont

du fleuve. Nous n'avons qu'à y retourner. Là, nous tiendrons une position que nous pourrons renforcer.

– Après tout, nous avons des barbelés et du matériel pour fabriquer un dirigeable, cela peut servir.

– Ce doit être l'île Lacroix, annonce Roman Wells qui nous a rejointes. J'y suis déjà allé. C'est la plus grande île de Rouen. Il y a une patinoire et des infrastructures qui peuvent nous être utiles. Il m'a même semblé que tous les ponts qui y menaient étaient détruits.

Lacroix ? Mauvais présage pour fuir des gens qui veulent nous crucifier. Nous faisons cependant demi-tour et nous accostons le long de ce possible sanctuaire.

J'examine les lieux. L'île Lacroix est plus petite que l'île de la Cité ; ses bâtiments sont plus récents. Comme l'a remarqué Roman, les trois ponts qui relient l'île aux berges se sont effondrés (ou ont été volontairement détruits, probablement durant la guerre civile).

L'île est donc parfaitement coupée de tout accès par la terre.

Roman, aidé des autres jeunes humains, commence à construire à la hâte une clôture électrique de protection autour de l'île. Cela prend quand même plusieurs heures. Puis ils branchent leur système sur un transformateur. Par chance, l'électricité municipale fonctionne. Selon Roman, l'énergie est liée à une centrale nucléaire entièrement automatisée proche, qui est encore en état de marche.

À peine nos serviteurs humains ont-ils terminé d'installer leur système défensif qu'apparaît au loin un nuage de poussière.

Les rats arrivent.

Je monte au sommet d'un building accompagnée de Nathalie. Elle utilise ses jumelles pour évaluer la situation. Puis elle me les tend. Ce sont bien des milliers de rats qui avancent. Même avec la distance, cette masse de rongeurs dégage une odeur forte qui me fait frétiller les narines.

— Je ne m'attendais pas à ce qu'ils soient aussi nombreux, murmure Nathalie.

Les humains me surprendront toujours par leur naïveté. Elle a pourtant vu comme moi les foules de rats au château de Versailles.

Arrivés à notre niveau sur la berge, quelques centaines de rats foncent vers nous à la nage. Ils traversent le bras du fleuve et meurent électrocutés au contact de notre système de défense. Mais cela ne suffit pas à les stopper.

— C'est étonnant, même s'ils voient que les premiers à avoir touché les fils barbelés meurent, il y en a quand même qui essaient encore.

— S'ils n'ont pas peur de mourir, ils vont être vraiment plus difficiles à vaincre, souffle ma servante.

Rien ne les arrête. Les rats essaient de faire un pont de cadavres pour franchir les barbelés.

Roman vient nous rejoindre et nous explique ce qui est en train de se produire :

— Comme ils sont mouillés d'avoir nagé pour rejoindre l'île, ils sont conducteurs d'électricité, ce qui fait qu'ils ne pourront pas réussir.

En effet, après plusieurs tentatives infructueuses et au prix de plusieurs centaines de morts, les rats de la horde brune finissent par renoncer et installent un campement sur les berges.

— Nous sommes encore en état de siège, fulmine Esméralda qui nous a rejoints avec Pythagore et Angelo. Regardez, ils commencent déjà à s'organiser pour faire un barrage en amont. Cela a marché pour l'île de la Cité, alors ils reproduisent la même stratégie. Et on est censés faire quoi, maintenant ? Nous attendons qu'ils viennent, qu'ils nous affament et qu'ils chargent, comme ils l'ont déjà fait ?

Et si, après tout, la superstition humaine était fondée ? Partout où Esméralda se trouve, comme par hasard il y a des problèmes. En tant que chatte noire, elle nous porte malheur. Je l'observe, plongeant mes yeux verts dans ses yeux jaunes, puis lance :

– J'ai peut-être une solution.

Tous me regardent et je prononce le mot qui est au cœur de ma quête personnelle :

– COMMUNIQUER.

Esméralda remue ses oreilles en signe de curiosité.

– Communiquer avec qui ?

– Avec Tamerlan.

– Mais comment veux-tu y arriver ? demande Nathalie.

– Avec Champollion, on pourrait avoir une traduction certes, mais je pense à quelque chose qui soit plus impliquant. Le roi des rats a un Troisième Œil, moi aussi. Nos cerveaux peuvent se parler directement. Il suffira de brancher nos deux esprits l'un avec l'autre et alors nous pourrons dialoguer et peut-être trouver un accord qui nous convienne à tous.

– Tu veux discuter avec l'être qui veut notre anéantissement total ? s'indigne Esméralda.

– On ne peut faire la paix qu'avec ses ennemis, dis-je agacée de ne pas être comprise.

– Mais ce n'est pas qu'un rat, c'est un être assoiffé de destruction. Dès qu'il te verra, il te tuera et après il nous tuera aussi, miaule la chatte noire. Tu n'étais pas là lors du massacre de l'île de la Cité, c'est pour ça que tu crois qu'un dialogue est possible avec lui, mais crois-moi, ce rat est inaccessible à la discussion.

349

Pythagore se gratte la nuque avec sa patte postérieure pour bien peser les avantages et les inconvénients de ma proposition.

– Pourquoi pas après tout, miaule-t-il.

Je sens les deux humains dubitatifs. Champollion propose :

– Si vous faites ce choix, je peux déjà vous aider à organiser cette rencontre. Je peux voler jusqu'à la berge pour lui transmettre votre proposition. Le fait de me maintenir en hauteur me gardera de leurs incisives.

– Tu sais parler le langage des rats ?

– Je sais parler souris, ce sont tous les deux des rongeurs, cela ne doit pas être très différent. Et puis, pour le reste, je sais improviser et m'adapter.

Le volatile me semble de plus en plus indispensable à notre petite communauté. Il faudra que je tienne compte à l'avenir de son talent de communicant mais aussi de sa capacité extraordinaire à voler pour échapper à toutes les menaces de ceux qui sont au sol.

Je n'attends pas l'assentiment des autres :

– Ne perdons pas de temps. Vas-y, Champollion !

Le cacatoès décolle d'un bond vers la berge couverte de rats.

– Tu ne nous demandes même plus notre avis ? s'offusque la chatte noire aux yeux jaunes.

– Je prends seule les décisions et j'en assume seule les conséquences, qu'elles soient bonnes ou mauvaises. Ainsi on avance plus vite.

Angelo hoche la tête en signe de soutien inconditionnel à sa mère. Il en fait vraiment trop. Il faudra que je lui explique que parfois un peu de modestie permet de mieux faire passer l'information.

– Mais tu te rends compte de qui tu te prépares à affronter ? proteste Esméralda.

Je ne vais pas encore me répéter. C'est le problème avec les gens moins intelligents que vous : comme ils n'écoutent pas bien, ils vous font perdre du temps à expliquer l'évidence.

Naguère, je trouvais cette chanteuse sympathique, maintenant elle me semble juste dépassée. Elle réagit comme un chat pétri de peurs anciennes bloquantes au lieu d'accepter une modernité plus dynamique.

Ma pauvre Esméralda, heureusement que c'est moi qui suis reine et pas toi. Tu ne proposes rien, tu ne fais que critiquer mes suggestions. Ce n'est pas avec une telle mentalité qu'on peut remporter des victoires majeures.

Je ne me donne même plus la peine de tenter de la convaincre, je replace les jumelles devant les yeux. J'aperçois le cacatoès en vol géostationnaire à un mètre au-dessus d'une zone où il me semble voir une silhouette blanche.

Il « lui » parle.

Cela dure quelques minutes, puis l'oiseau revient vers nous à tire-d'aile. Il se tient sur la balustrade et s'ébroue.

– Qu'a-t-il dit ?

– Au début, il ne voulait pas que je sois votre intermédiaire. Je lui ai dit qu'il y avait avec nous des chats dotés d'un Troisième Œil et que donc le dialogue pourrait se faire directement d'esprit à esprit en totale transparence. Cela ne suffisait pas, alors j'ai cherché et trouvé d'autres arguments.

Formidable, Champollion !

– Lesquels ? questionne Esméralda, sceptique devant cette éblouissante performance du perroquet.

Je réponds à la place du cacatoès :

351

– L'essentiel est que désormais on peut envisager une possibilité d'arranger les choses.

– Il reste à choisir un lieu suffisamment neutre et sûr pour que cette rencontre puisse se faire sans danger, ajoute Pythagore.

Là encore, le cacatoès a une proposition à nous faire :

– En volant, j'ai vu à mi-chemin entre l'île et la berge une barque abandonnée coincée par des herbes hautes au milieu du fleuve. Cette barque est suffisamment large pour accueillir une rencontre entre un chat et un rat.

Esméralda secoue la tête en signe d'exaspération, Champollion dresse sa huppe, interrogateur, et les deux humains semblent eux aussi hésitants. Nous regardons l'endroit que désigne le perroquet de la pointe de son bec.

– Très bien, j'y vais, dit Pythagore. Après tout j'ai le Troisième Œil.

– Non, c'est à moi d'y aller, déclaré-je. Moi aussi, j'ai un Troisième Œil.

Le siamois prend un air outré :

– Pourquoi toi et pas moi ?

– Parce que je suis une femelle. Je suis donc plus subtile dans tout ce qui peut ressembler à un duel psychologique. Et puis, après tout, c'est moi qui ai eu l'idée de cette rencontre, non ?

Dire qu'il faut encore que j'explique ce genre d'évidences ! Je ne peux quand même pas lui avouer que les mâles sont trop prévisibles et manipulables.

– Tu n'as pas peur qu'il te tue ? demande Esméralda.

– La peur n'a jamais fait avancer les choses. Et c'est ma nature, je suis plus curieuse que craintive.

Je vois le visage admiratif de mon fils, qui doit se dire que sa mère est une héroïne moderne. Cela m'encourage à tenir ma position.

352

– Très bien, dit Pythagore, vas-y.

Comme si j'avais en plus besoin de son autorisation…

Nathalie semble inquiète pour moi, elle aussi :

– Désormais tout est entre tes pattes, Bastet. À toi d'arranger la situation.

Je m'apprête à descendre, mais Pythagore pose sa patte sur mon épaule pour me stopper dans mon élan.

– Attends, Bastet, laisse l'ESRAE ici. On ne sait pas ce qu'il peut se passer sur cette barque.

– Tu plaisantes ? Il n'y a aucune chance que Tamerlan sache de quoi il s'agit. Pour lui, ce ne sera qu'un collier avec un pendentif.

– Vraiment, tu ne veux pas l'enlever ? insiste mon compagnon.

Je comprends qu'en fait depuis le début il rêve d'avoir toute la connaissance des humains autour de son cou. Il veut être roi à ma place.

Ma mère disait toujours : « Il y a deux sources de malheur : l'ennui et la jalousie. L'ennuie se vainc par l'action et la prise de risques. Quant à la jalousie, on ne peut la surmonter autrement que par le lâcher-prise. » Donc il faut que dans son intérêt je le convainque de lâcher prise et de me laisser prendre des risques.

Pythagore devra bien se rendre à l'évidence : je vais plus vite que lui, je trouve des idées plus originales que les siennes, et je suis libre. Quant à l'ESRAE, j'en suis l'unique gardienne officielle et je n'ai pas du tout l'intention de la partager ou de la prêter à qui que ce soit.

Il faut cependant trouver un argument pour ne pas trop froisser la susceptibilité de ce mâle.

– Cela me rassure de l'avoir au cou, c'est comme si elle me donnait de la force et me portait chance. Une sorte de talisman…

– Mais quand même…, miaule-t-il.

353

– Et puis c'est plus prudent. S'il y avait une attaque de l'île pendant notre conversation et que vous étiez encerclés, je pourrais fuir et la préserver.

– Dans ce cas, j'accepte que tu la gardes au cou, mais, quand même, je voudrais te donner trois conseils diplomatiques. 1) Fais-le parler de lui ; quand les gens racontent leur propre légende, ils n'ont pas envie de détruire la personne qui a reçu cette histoire. C'est comme s'ils offraient un peu d'eux-mêmes, ce qui rend l'auditeur aussitôt moins « étranger ». 2) Ne le sous-estime pas. Il a vaincu tous les autres prétendants au trône des rats et je pense qu'il devait y en avoir non seulement de très forts mais aussi de très intelligents. 3) Maîtrise ton esprit. Rien ne doit te surprendre, rien ne doit te déstabiliser. Et si c'est le cas, verrouille tout, ne laisse aucune émotion paraître. Par contre, essaie de le mettre, lui, dans une situation telle que ses émotions jaillissent, que ce soit la colère, la joie, la surprise ou la déception. Dès qu'on est dans l'émotion, on ne réfléchit plus efficacement.

Esméralda se sent elle aussi obligée d'y aller de son conseil :

– Et rappelle-toi ce qu'il a fait aux nôtres. Il aime la mort, il aime le massacre, il aime la douleur.

Elle me fixe de ses yeux jaunes profonds, puis conclut :

– Alors, si tu en as l'occasion, n'hésite pas : tue-le !

60. LA RENCONTRE CORTÉS-MOCTEZUMA.

La rencontre entre deux civilisations est toujours un instant délicat, surtout lorsqu'il s'agit de la rencontre entre ses deux chefs.
En 1517, l'empereur des aztèques, Moctezuma (son nom

signifiait en langue nahuatl « celui qui fronce les sourcils »), apprit que trois montagnes avançaient sur la mer, recouvertes de dizaines d'hommes grands, à la peau très pâle. À leur débarquement, ces hommes, juchés sur des chevaux, avaient tenté de parler avec les paysans, mais ils ne se comprirent pas. Ils étaient donc repartis. Ce fut le premier contact.

En janvier 1519, les Espagnols envoyèrent une deuxième expédition de 1 000 hommes sur la côte mexicaine, chargée de cadeaux pour l'empereur. Cependant, ils saccageaient les lieux sacrés des villages aztèques qu'ils visitaient, ce qui fut rapporté à l'empereur.

Moctezuma demanda donc qui était leur chef. On lui répondit qu'il se nommait Hernán Cortés, et Moctezuma lui fit lui aussi parvenir des cadeaux tout en interdisant aux Espagnols de continuer à entrer sur son territoire.

Cortés décida alors d'envoyer une troisième expédition, dont il prit la tête, pour se rendre directement à la capitale et voir l'empereur.

Le 8 novembre 1519, les deux hommes se rencontrèrent à Tenochtitlán, à 2 000 mètres d'altitude. Le conquistador, habillé tout de noir, descendit de cheval pour rejoindre l'empereur qui, lui, était arrivé dans une litière portée par ses cousins et était vêtu de son costume d'apparat flamboyant. Un tapis fut déployé et les deux hommes s'avancèrent l'un vers l'autre.

Cortés tenta de faire une accolade à l'empereur, mais aussitôt les gardes aztèques le repoussèrent. Le calme revint, et les deux chefs échangèrent des cadeaux et des amabilités rapportées par leurs traducteurs respectifs. Cortés fut installé dans un petit palais le temps de son séjour.

La deuxième rencontre se déroula dans le palais de Mocte-zuma. Cette fois, l'Espagnol formula ses exigences : les Aztèques devraient faire cesser les sacrifices humains, se convertir au christianisme, lui donner de l'or. Il offrit à son interlocuteur un rapide cours de religion en lui expliquant l'origine du monde, d'Adam et Ève à Jésus-Christ, en passant par Abraham, Noé et Moïse.

L'Aztèque l'écouta avec intérêt, et les deux hommes feignirent de bien s'entendre dans un premier temps. Cependant, l'assassinat d'un groupe de marins espagnols par les hommes de Moctezuma déchaîna la colère de Cortés qui vint voir l'empereur et exigea qu'il soit désormais son prisonnier. Ce dernier commença par refuser mais, sous la menace des armes à feu, il céda finalement. Lorsque son peuple s'insurgea devant l'affront fait à son empereur, ce fut Moctezuma lui-même qui annonça que c'était son choix et que cela faisait partie de son plan.

Le 1er juillet 1520, Cortés força l'empereur à apparaître au balcon de son palais pour prononcer un discours d'abandon de légitimité au profit de la couronne espagnole. Des pierres lancées par la foule hostile blessèrent l'empereur. Il reçut simultanément un coup de poignard dans le dos de la part d'un Espagnol. Moctezuma mourut de ses blessures quelques jours plus tard. Dès lors, Cortés put organiser le pillage en règle de toutes les richesses du pays et la mise en esclavage du peuple aztèque.

Encyclopédie du Savoir Relatif et Absolu.
Volume XII.

61. DUEL D'ESPRITS.

Ma mère disait : « Tant qu'à être une goutte d'eau, autant être celle qui fait déborder le vase. »

Ainsi, je vais le voir en face à face.

Maintenant que je sais nager, je rejoins le lieu de rendez-vous seule.

Tout en brassant l'eau du fleuve avec mes pattes, je me rappelle à quel point j'avais peur de l'eau et me félicite d'avoir changé. Je peux, forcée par les événements, me découvrir capable de performances extraordinaires que je n'aurais jamais cru pouvoir réaliser auparavant.

Le fait d'avoir un Troisième Œil m'a encore plus convaincue qu'une existence était formée d'une somme d'épreuves surprenantes et de révélations qui nous obligent à dépasser nos préjugés.

S'il ne s'agissait pas de moi, je me demanderais quel être naïf pourrait croire qu'une rencontre avec quelqu'un comme Tamerlan aboutisse à quoi que ce soit de positif.

L'ESRAE à mon cou me portera chance. Heureusement qu'elle est étanche et parée contre les chocs.

J'approche de la barque. Je ne dois ni sous-estimer ni surestimer la difficulté. C'est bien, comme l'avait décrite Champollion, une embarcation de plastique prise dans les herbes hautes et les branchages flottants.

J'arrive la première et j'attends.

Bientôt, j'aperçois une tache blanche qui progresse dans ma direction aidée par une longue queue en guise de flagelle de propulsion.

357

Le rat monte tout mouillé sur la barque en s'accrochant à la corde qui en dépasse.

Nous nous ébrouons pour assécher nos fourrures respectives. Accomplir les mêmes gestes ensemble nous rapproche. Puis, nous nous regardons et nous reniflons. Il est encore plus petit que je ne l'imaginais. Il a des yeux rouges qui brillent comme des braises. Je remarque qu'il a autour du cou un sachet en plastique qui contient un câble USB.

Il a pensé à tout.

Nous avons tous les deux sur notre Troisième Œil des capuchons de plastique qui permettent de protéger le métal de l'eau et de la poussière. Nous les enlevons et les posons comme les humains ôtent leur chapeau.

Tamerlan saisit son sachet en plastique et l'ouvre avec des gestes précis. Je peux constater qu'il est particulièrement adroit de ses pattes à quatre doigts. On dirait presque qu'il sait les utiliser avec l'agilité d'un humain.

Il déroule lentement le câble USB. Il enfonce vigoureusement la fiche mâle dans son Troisième Œil et me tend l'autre extrémité, une fiche mâle elle aussi, pour que j'opère de la même manière. Nous n'aurons ainsi pas besoin de traduction puisque nous parlerons directement d'esprit à esprit.

À peine le câble USB a-t-il pénétré mon crâne que je ressens la pensée du roi des rats. C'est une sensation surprenante. Je perçois chez lui une grande excitation.

Il est content de discuter avec moi. Il est impatient de savoir qui je suis. Il n'a aucune animosité envers moi.

Je me dis qu'il faut que je dépasse tous mes préjugés et que, contrairement à ce que m'a conseillé Esméralda, j'oublie ce qu'il a commis comme atrocités : les six éclaireurs, la meute de loups, le sphynx et sa tribu mis en pièces. Je dois effacer la vision d'Hannibal et de Wolfgang crucifiés.

Il faut que mon esprit soit neutre, que je me rappelle seulement que je dois sauver ma nouvelle communauté et bâtir un futur meilleur que le présent.

Tamerlan semble, lui aussi, étonné de constater combien je suis bien disposée à son égard.

Il a été éduqué pour me détester, mais je dois être capable de mettre cette idée de côté. Je ne dois penser qu'à mon objectif à atteindre. Je m'adresse donc à lui sur le ton le plus sympathique possible :

— Bonjour, rat.

— Bonjour, chat, me répond-il. Je connais votre nom, Bastet. C'est une référence à la déesse égyptienne, une déesse à corps de femme et à tête de chat, n'est-ce pas ? J'espère que vous êtes plus chat qu'humaine.

— Je connais aussi le vôtre. Vous êtes le roi Tamerlan, en référence au conquérant turco-mongol du Moyen Âge. Il était, paraît-il, d'une cruauté légendaire. J'espère que vous êtes plus pacifique que lui.

J'ai ajouté le mot « roi » pour le flatter.

— Enchanté de cette rencontre.

— Enchantée également.

Pour l'instant, j'ai l'impression qu'on avance à la même vitesse l'un vers l'autre.

— C'est pour moi étrange de dialoguer avec un rat.

— C'est pour moi étrange de dialoguer avec un chat.

J'ai l'impression qu'il a des intentions précises mais qu'il ne veut pas les dévoiler trop vite. C'est probablement pour cela qu'il a choisi cette stratégie mimétique qui lui fait répéter mes phrases.

Pythagore m'a conseillé de le faire parler de lui-même, alors je lui demande :

— Qui êtes-vous *vraiment*, roi Tamerlan ?

Il semble surpris, ce qu'indique le fait qu'il a dressé ses petites oreilles blanches et rondes.

— Que savez-vous déjà de moi, reine Bastet ?

Il s'adapte à ma technique de mise en confiance, mais il a un coup de retard, j'ai pris l'initiative. Il faut que je poursuive dans cette voie et que je continue de le surprendre par ma politesse. Il ne doit pas s'attendre à ce qu'un chat le respecte.

— Que vous avez vaincu tous vos rivaux. Que vous vivez au château de Versailles. Que vous avez reconstitué une armée très efficace qui semble entièrement dévouée à votre personne.

Il frétille de l'extrémité de son museau, dévoile par intermittence ses incisives.

— Je ne connais pas mes parents, reconnaît-il. Comme vous le savez probablement, je suis né dans l'animalerie de l'université d'Orsay. Dès mon premier jour, j'ai été posé au milieu d'une foule d'autres rats blancs dans une cage de plastique transparent remplie de sciure. Je n'ai pas vu la lumière du soleil, uniquement celle des néons. Je n'ai pas été nourri d'aliments frais, seulement de granulés. Je ne suis né que pour être supplicié par les humains. Par exemple, un parmi tant d'autres que je pourrais vous donner, ils nous manipulaient en nous soulevant par la queue !

Il a un mouvement d'indignation à la simple évocation de ce souvenir. Je note donc qu'il déteste qu'on le soulève par la queue.

J'ai marqué un point, cependant il ne faut pas perdre l'énergie de départ.

— Mais quelle expérience précise accomplissaient-ils sur vous ? À l'université d'Orsay, mon ami Pythagore a subi des tests en lien avec l'addiction aux drogues. Je suppose que ceux auxquels vous étiez soumis étaient différents.

– Les humains se sont servis de moi pour tenter de comprendre l'optimisme. Dans ce protocole, le laborantin prenait une centaine de rats. Il les plaçait chacun dans un bocal transparent à moitié rempli d'eau. Les parois de verre n'offraient aucune prise aux dents et aux griffes. Puis il nous laissait nous débattre dans l'eau et nous filmait.

– Mais vous, les rats, vous savez nager, il me semble.

– Certes. Mais à force de ne pouvoir poser nos pattes sur un support solide, nous finissions par nous épuiser. En fait la plupart des rats tenaient quinze minutes avant, épuisés, de renoncer et de se laisser noyer.

– L'expérience était suivie grâce au Troisième Œil ?

– En effet. Grâce à un émetteur-récepteur radio, le laborantin observait précisément notre activité cérébrale durant cette mise à mort. Ce qui l'intéressait était de repérer ce qu'il se passait dans notre esprit au moment précis où nous renoncions, au moment de « la fin de l'espoir ».

Je regarde autour de nous et remarque les rats amassés sur les berges.

Rester calme, reprendre la conversation sans exprimer d'autre émotion que la compassion.

– Mais vous, roi Tamerlan, vous n'êtes pas mort…

– Dans un deuxième protocole faisant partie de la même expérience, les laborantins ont pris encore une centaine de rats qu'ils ont laissés quatorze minutes dans l'eau. Juste avant qu'ils ne renoncent à vivre, ils les ont sortis, séchés, nourris et laissés se reposer. Ensuite, une fois que les rats avaient bien récupéré, ils les ont remis dans le bocal de verre rempli d'eau. Ils tenaient alors jusqu'à vingt minutes.

– Parce que le fait d'avoir été sauvés une fois leur donnait l'espoir d'être de nouveau sauvés ?

– Exactement, ce qui les rendait plus tenaces. Après la noyade, les scientifiques humains décapitaient les cobayes (ils avaient une guillotine électrique pour décapiter le plus vite possible un grand nombre d'entre nous), récupéraient les substances libérées dans notre cerveau pour essayer de trouver celle qui avait été sécrétée au moment où nous abandonnions et celle secrétée au moment où nous comptions sur le fait d'être sauvés.

– À quoi cela leur servait-il ?

– À mettre au point des médicaments pour lutter contre le stress. Les humains, comme vous le savez certainement, vivent en permanence dans l'angoisse. Cet état produit sur leur corps des plaques d'eczéma, des douleurs aux vertèbres, des migraines, des ulcères à l'estomac, cela les constipe, les empêche de dormir. Donc ils cherchent des solutions.

– Et ils les cherchent en noyant des rats ?

– Oui, en isolant les substances émises par le cerveau durant les phases de désespoir et celles émises durant les phases d'optimisme. Quand ils ont trouvé une molécule adéquate ou qu'ils pensent l'avoir trouvée, ils fabriquent un médicament, ils le vendent et ils s'enrichissent. Et c'est grâce à ces médicaments qui créent un espoir artificiel qu'ils arrivent à supporter leur condition misérable. Ils les appellent des antidépresseurs.

– C'est ignoble.

– C'est humain, souffle-t-il comme s'il s'agissait de la pire des insultes.

Le roi des rats change de position et s'assied sur le bord de la barque dans une posture similaire à celle que j'ai déjà vu Nathalie adopter lorsqu'elle regardait la télévision.

– Les scientifiques n'étaient cependant pas satisfaits par les molécules trouvées et ils en voulaient des toujours plus efficaces. Ils voulaient synthétiser la molécule de l'optimisme absolu qui serait capable de leur faire tolérer tous les stress possibles. Donc, dans l'attente de cette découverte, les recherches continuaient et les rats mouraient noyés puis décapités. Des centaines de rats morts étaient ensuite jetés dans des sacs-poubelle ou étaient donnés au secteur des reptiles de l'animalerie pour nourrir les serpents.

– Mais vous précisément, roi Tamerlan, vous avez survécu…

Sous-entendu : nous, les chefs, nous sommes forcément différents, nous sommes les élus du destin.

– J'ai tenu… vingt et une minutes.

Il laisse passer un temps et déglutit au souvenir de cet instant pénible.

– Alors, ils ont augmenté progressivement le temps global dans le bocal. Lorsque j'ai franchi le cap des vingt-trois minutes de survie en séjour dans l'eau, je suis entré dans une nouvelle catégorie : celle des champions. Dès lors, les scientifiques humains ne voulaient pas sacrifier leur nageur le plus performant.

À cet instant, peut-être en raison de ma toute nouvelle capacité de compassion, je ressens une certaine bienveillance envers mon interlocuteur.

Je n'aurais pas aimé être à sa place. Être née sans même connaître mes parents pour être suppliciée afin de mettre au point un euphorisant pour les humains m'aurait vraiment agacée. Rien que l'idée de me faire transporter tenue par la queue ou de devoir me débattre quinze minutes dans l'eau me terrifie. Je n'aurais de toute façon pas supporté longtemps une telle existence. J'aurais tout de suite renoncé. Quoique… J'ai bien tenu pendant la descente du fleuve.

Je reprends :

– Vingt-trois minutes là où les autres renoncent au bout de quinze ou vingt. Vous êtes vraiment très fort ! Comment avez-vous fait ?

Tout en posant la question, j'essaie de diffuser un sentiment crédible d'admiration. Le faire parler de lui ne suffit pas, il faut aussi le flatter encore et encore, mais de manière discrète.

Il s'exprime en crispant ses mâchoires, au point de provoquer des petits grincements de dents.

– Je me disais qu'un jour tous ces humains paieraient pour ce qu'ils me faisaient subir. Les humains ont un terme pour désigner cette rage qui sauve du désespoir, la « résilience ». Cela consiste à développer un talent spécial pour compenser un manque.

Résilience ? Joli mot que j'ajoute à ma collection.

– Vingt-trois minutes à vous débattre alors qu'ils vous observaient… Et ils vous ont soumis à ce supplice combien de fois ?

– Je n'ai pas compté. Je ne pensais qu'à ma vengeance. Comme je savais qu'il fallait les amadouer, j'ai joué le gentil petit rat qui admire les grands humains.

Il prend une large inspiration. Ses fines moustaches vibrent, ses yeux rouges luisent.

– Et ils ont fini par m'aimer. Je faisais tout pour entretenir ce sentiment. Je venais contre la porte de la cage quand ils entraient dans la pièce. Je me dressais sur mes pattes arrière et marchais comme eux. Je dodelinais de la tête pour les faire rire. Je percevais quand ils étaient contents ou non. Les humains sont faciles à décrypter, leur odeur véhicule leurs émotions, tout comme leurs mouvements d'yeux, avec leurs pupilles plus ou moins dilatées.

Je dois m'ouvrir à son univers, devenir lui, éprouver ce qu'il est au fond de lui. Je dois pouvoir ressentir ce qu'il pense. Voir à travers ses yeux. Me voir moi, Bastet, par les yeux de mon pire ennemi pour mieux le comprendre.

– Mon humain, le directeur de l'université Philippe Sarfati, était ami avec une femme qui avait un chat avec une prise USB connectée à Internet, alors il s'est amusé à faire la même chose avec moi, pour voir si un rat branché sur Internet serait plus intelligent qu'un chat dans les mêmes conditions.

– L'amie en question était Sophie, la servante de mon compagnon Pythagore. Tout se recoupe. C'est ce siamois qui est indirectement la cause même de votre mutation.

– Philippe m'a offert un accès par ma prise USB à son ordinateur. Il m'a montré son monde, il m'a montré le monde, il m'a fait découvrir l'histoire des humains en détail. C'est moi qui ai choisi ce chef turco-mongol comme révélateur de ce qui me semblait humain…

… détruire tout sur son passage ?

Il n'a pas perçu ma pensée et poursuit :

– C'est fou comme le fait d'avoir un nom change la vision que les humains ont de vous. Je n'étais plus le matricule 366, j'étais devenu Tamerlan le Magnifique, champion de natation et d'optimisme.

Je l'observe différemment. Ainsi, les humains ont fabriqué avec lui (tout comme ils l'avaient fait avec Pythagore) un mutant qui a développé pour survivre des talents très spécifiques qui ne sont pas ceux de son espèce. Je suis fascinée et en même temps inquiète.

De nouveau j'essaie de me mettre dans sa peau à lui pour mieux ressentir son récit.

Je dois le rassurer.

– Je comprends mieux votre réussite, roi Tamerlan. Votre ténacité, votre patience, votre capacité à maîtriser vos émotions vous ont permis de survivre là où tous sont morts.

Il lâche un soupir et commente :

– Les humains sont si fiers de leur technologie et de leurs connaissances qu'ils veulent montrer aux espèces inférieures l'étendue de leur supériorité. C'est pour cela qu'ils nous ont donné l'accès à « leur » Internet. Le point faible des humains est leur orgueil.

Comme disait ma mère : « Écoute ce que les autres font comme reproches et tu sauras quelle est leur propre faiblesse. »

Et, de fait, j'ai toujours remarqué que les pervers étaient les premiers à faire la morale, les peureux à dénoncer la lâcheté des autres, les menteurs à louer la sincérité.

Nous vivons dans un monde paradoxal.

Merci de m'indiquer ta faiblesse, rat. L'orgueil, donc.

– Et ensuite, que s'est-il passé pour vous, roi Tamerlan ?

– Philippe, après m'avoir extrait de la cage, m'a sorti de l'animalerie puis de l'université, il m'a laissé vivre librement dans son propre appartement. Quel émerveillement de quitter ma prison étriquée et aseptisée pour entrevoir le monde ! La lumière du soleil qui filtre par les fenêtres, l'air frais, les parfums qui émanent des plantes, la diversité des couleurs, les oiseaux, les insectes, les autres animaux, un monde qui me semblait complexe et infini.

– Vous voyez que tous les humains ne sont pas insensibles.

– Philippe me caressait et m'embrassait. Au début, j'ai fait semblant de l'aimer. Mais je continuais de découvrir sur Internet notre histoire ; tout spécialement le mal que les humains ont fait aux rats. Les campagnes de dératisation. La mort-aux-rats qui provoque chez nous des hémorragies internes. Les enfants humains à la campagne qui ouvrent le dos des rats pour leur mettre du sel sous la peau et les recoudre, de telle sorte que les rats, fous de douleur, rentrent dans leur nid et tuent leurs propres frères. Cela aussi vous l'ignorez, je pense…

Désolée mais après les corridas, le gavage des oies, l'égorgement pour le boudin, je commence à devenir insensible à toutes ces atrocités humaines.

– Alors, même si je n'avais rien contre Philippe spécifiquement, une fois qu'il m'a sauvé, sorti de ma prison, adopté, formé, éduqué et informé, je l'ai attaqué pour tout ce qu'il représentait et j'ai essayé de le tuer en le mordant fort au front.

– C'est de là que vient sa cicatrice ?

Il acquiesce.

– Ensuite, je me suis enfui. Je suis entré en contact avec mes frères les rats des villes. Nous avons parlé. Ils étaient encore sous le choc de la défaite de l'île aux Cygnes. Ils m'ont tout raconté. Ils m'ont dit comment des chats, amis des humains, avaient réussi à vaincre des milliers de rats dans une bataille au cours de laquelle ils avaient utilisé une arme ignoble : le feu. J'ai compris que mes congénères manquaient de culture et de connaissances. Je me suis présenté pour devenir leur roi, mais ils m'ont répondu que, chez les rats, on devait gagner sa place. Alors je me suis présenté aux élections et je me suis battu en duel avec tous ceux qui convoitaient la même position.

– Et là vous avez vaincu un par un tous vos adversaires.

– Ils étaient prévisibles. Avant de frapper, ils regardaient l'endroit où ils allaient frapper. Quand ils commençaient à perdre, ils s'énervaient. Ils étaient persuadés qu'en fonçant tout droit avec rage ils pouvaient gagner. Cela n'a pas été difficile de les surpasser.

Une fois que j'ai été désigné comme nouveau roi, j'ai proposé de trouver un lieu.

– Le château de Versailles ?

– J'avais lu l'histoire de ce château. Je me suis dit qu'il n'y avait rien de tel que l'image du nid d'un grand dictateur humain pour impressionner les foules de mes congénères.

– Vous ne vouliez pas choisir l'Élysée ou le Louvre, qui sont aussi des anciennes demeures de rois ?

– Seul le palais de Versailles était suffisamment impressionnant pour marquer les esprits des rats qui n'avaient vécu pour la plupart que dans les égouts et les dépotoirs. En outre, il était en dehors de la ville donc facile à contrôler. Ensuite j'ai mis en place une aristocratie. Des barons, des marquis, des ducs. J'ai reproduit en fait le système de la cour de Louis XIV. Mais, pour ce qui est de l'armée, je m'en suis référé à mon homonyme Tamerlan le Magnifique.

– Vous pensiez déjà à créer une horde brune ravageuse ?

J'adopte exactement la même position que lui pour le mettre à l'aise et lui transmettre inconsciemment l'information que nous sommes pareils.

– Bien sûr, reine Bastet.

Il m'a appelée de nouveau « reine Bastet » ? Il cherche à me flatter.

– Il fallait créer un choc psychologique chez tous nos adversaires. La frayeur nous offre un avantage dans toutes les batailles, tout simplement parce que, lorsqu'on a peur, on réfléchit moins bien.

– Et donc vous avez eu recours à la crucifixion pour frapper les esprits, roi Tamerlan ?

– Il fallait y aller fort, y compris chez les miens pour qu'ils ne soient pas tentés de remettre en question mon règne. Je savais bien qu'il existait un risque qu'un de mes barons veuille comploter pour prendre ma place. La terreur est une tension dynamique qui agit sur l'extérieur et l'intérieur. C'est aussi ce qui explique le succès fulgurant de mon homonyme humain.

– D'où la pyramide de crânes ?

– Oui. Car je me suis intéressé à vous, ceux de l'île aux Cygnes qui aviez vaincu les miens et que je savais terrés sur l'île de la Cité. Il fallait laver cet affront que vous nous aviez infligé, reine Bastet. J'ai ordonné une attaque de nuit par le métro, qui a échoué. Je voulais évaluer votre résistance. Alors, j'ai compris qu'il fallait prendre le temps de fédérer davantage de rats.

– D'où le siège ?

– J'ai pu, grâce à l'animosité que vous inspiriez aux miens, réunir des milliers de rats que j'aurais mis beaucoup plus longtemps à convaincre si vous n'existiez pas. Je dois vous remercier.

Je dois rester flegmatique. Surtout ne pas montrer la moindre émotion négative ou positive. Garder un ton badin.

– Ce fut… un plaisir.

– Mais entre-temps, nous avons appris qu'un groupe s'était enfui de l'île de la Cité et avait réussi à gagner l'université d'Orsay. Nous y sommes donc allés, mais nous sommes arrivés trop tard : l'université avait déjà été attaquée par d'autres humains.

– Les fanatiques religieux…

– Je ne sais pas, je les confonds tous. Pour moi, tous les humains se valent.

– On les reconnaît à leur barbe noire.

– Dans Orsay dévasté, j'ai trouvé un ordinateur. Je m'y suis branché, il n'y avait plus Internet mais il y avait autre chose de très intéressant : un fichier informatique contenant le journal personnel de Roman Wells.

Je sens que mon interlocuteur est heureux de m'avoir légèrement déstabilisée.

– Roman Wells y avait noté en dernier lieu qu'il fonçait avec un chat récupérer tout le savoir du monde qu'il avait stocké dans une clef USB d'un milliard de milliards d'octets.

Bon sang, il a écrit cela juste avant que nous partions en mission. Faut-il qu'il ait eu peur que tout ce qu'il avait accompli soit oublié!

– C'était vous, reine Bastet, n'est-ce pas?

Tamerlan fait une pause puis reprend :

– Selon mon intuition, vous avez récupéré la clef chez les fanatiques, ce qui expliquerait qu'ensuite ces mêmes barbus soient revenus pour tout saccager à Orsay à la recherche de ce précieux objet.

De nouveau, il laisse passer un temps pour que je puisse mesurer la qualité de ses déductions.

– Où voulez-vous en venir, roi Tamerlan?

– Le perroquet m'a confirmé que ceux qui étaient sur ce bateau étaient en possession de cette fameuse clef USB contenant tout le savoir des humains.

Bon sang, Champollion a dû intercepter une de mes conversations avec Pythagore et il a compris que c'était avec cet argument qu'il réussirait à convaincre Tamerlan d'accepter le rendez-vous. Voilà pourquoi il n'a pas voulu nous expliquer comment il avait fait pour réussir cette promesse!

– Je vous propose un marché, reine Bastet. Je vous laisse en vie. En échange, premièrement, vous nous fournissez l'ESRAE et, deuxièmement, vous vous soumettez en tant qu'espèce inférieure tolérée. Alors, vous pourrez repartir et nous ne vous poursuivrons plus…

Tandis qu'il parle, une pensée furtive me traverse l'esprit.

Il sait que nous avons l'ESRAE, mais il n'a pas envisagé que je…

Je m'arrête soudain de penser, de crainte que mon esprit ne soit pas complètement étanche. Cela n'a pas échappé à Tamerlan :

– À quoi pensez-vous, au juste ?

– À rien. Continuez, je vous écoute, roi Tamerlan.

Il a un infime mouvement d'oreille suivi d'un frémissement du museau ; il continue, méfiant :

– Donc, si vous acceptez ces conditions, Bastet, vous pourrez recréer sans crainte votre communauté où cela vous chante et nous pourrons faire la paix.

Il a enlevé l'adresse « reine » ; il me parle déjà comme à une subalterne.

– Mais je réitère ma question : vous pensiez à quoi tout à l'heure ?

Il a accès à mon cerveau. Donc, surtout, ne plus penser à « ce à quoi je ne dois plus penser ». Mon cerveau doit être une citadelle imprenable. Vite, il faut créer une diversion, parler d'autre chose.

– La soumission pour avoir la paix, c'est aussi ce que vous avez proposé aux chats du château d'eau, Tamerlan ?

– Ceux qui sont dirigés par un affreux chat sans poil ? Oui et ils ont accepté.

– Cela ne leur a pas porté chance, il me semble.

– Nous n'étions pas d'accord sur le sens exact du mot « soumission ». Ils ont voulu négocier… Ils n'étaient pas en position de le faire. Vous, si, Bastet.

Je dois gagner du temps.

– J'ai besoin de réfléchir.

Ne penser à rien. Ne penser à rien.

– Je perçois que vous êtes en train de penser qu'il ne faut penser à rien. Alors je vous pose la question : à quoi ne devez-vous pas penser ?

L'esprit de ce rat appuie sa question avec insistance sur mon esprit. C'est presque douloureux.

Ne penser à rien. Ne penser à rien.

– À rien.

– Si. Je sens qu'il y a en vous un… secret. Quelque chose qu'il faut à tout prix que j'ignore.

Ne penser à rien. Ne penser à rien.

Soudain, je sens son esprit se transformer en pointe et s'enfoncer dans le mien pour l'explorer.

Je sais que je n'arriverai pas à ne penser à rien plus longtemps, alors il me faut quelque chose pour faire diversion. Il me faut une pensée qui produise comme une explosion dans ma tête. Et je pense à la queue du sphynx et je ris.

– Pourquoi penses-tu à la queue du sphynx ? Pourquoi éprouves-tu cette émotion bizarre ?

Ouf, il ne sait pas ce qu'est l'humour. Le rire peut me sauver.

Je reste concentrée sur la queue du sphynx et, pour avoir encore plus envie de rire, je repense à son sexe sans la moindre épine qui glisse en moi trop facilement et je tousse de rire.

– À QUELLE PENSÉE ESSAIES-TU D'ÉCHAPPER, BASTET ?

Je veux me débrancher, mais les doigts de mes pattes sont moins bien articulés que les siens et, alors que je tire sur le câble USB pour le retirer de mon Troisième Œil, lui appuie avec ses quatre doigts pour m'obliger à garder cet objet intrusif directement en contact avec mon cerveau.

– À QUOI PENSES-TU ?

Le sexe du sphynx. Le sexe du sphynx. Le sexe du sphynx. Et surtout ne pas penser à ce que j'ai autour de mon…

– L'ESRAE, tu as l'ESRAE autour de ton cou!

Perdu.

Tamerlan essaie d'arracher mon collier, mais celui-ci résiste. Je lui donne un puissant coup de patte qui l'envoie voler plus loin. Le câble est arraché d'un coup, je suis enfin débranchée de lui.

Je peux réfléchir en étant seule dans mon esprit.

Mais mon adversaire ne compte pas renoncer aussi facilement. Déjà, il revient et utilise sa longue queue rouge comme un fouet qu'il fait tournoyer en effectuant des huit avant de la faire claquer sur ma truffe.

Aïe.

Je ressens une douleur fulgurante qui part de mon museau et résonne dans tout mon corps. Un second coup de queue atteint mes yeux et m'aveugle. Cela brûle. Je tente de lui donner des coups de pattes, qui partent dans le vide.

Mais cet adversaire est vraiment rapide et il évite chaque fois mes griffes tranchantes, tandis que lui continue de me frapper avec précision.

Comme le corps-à-corps risque d'être à son avantage, je recule. Je gonfle ma fourrure pour paraître plus grosse.

Le petit rongeur à la fourrure blanche est debout sur ses pattes arrière, prêt à une nouvelle attaque. Je me dresse moi aussi sur mes pattes arrière pour lui rappeler que je suis plus grande.

Je vois briller les deux sphères de ses yeux rouges d'un éclat légèrement différent. Nous n'éprouvons plus l'un pour l'autre la moindre compassion. Nous sommes juste deux adversaires.

Avant que je n'aie eu le temps de parer son assaut, il me contourne et pique ses griffes dans mon dos. À peine ai-je ressenti la douleur que déjà il plante ses deux incisives dans ma nuque.

Heureusement, il n'a pas les dents suffisamment longues pour traverser la masse de ma fourrure et percer profondément mon épiderme. Je suis sauvée par l'épaisseur des poils qui entourent mon cou. C'est mon avantage sur le sphynx. Les poils.

Alors, se servant toujours de sa longue queue rose comme d'un fouet, il entoure ma gorge et se met à serrer pour m'étrangler.

Je commence à suffoquer. Je tente de le frapper, mais comme il est dans mon dos, il n'a aucune difficulté à éviter mes coups imprécis.

Manquant d'air, je commence à faiblir.

Pythagore avait raison, je n'aurais pas dû emporter l'ESRAE avec moi.

Peut-être que finalement je suis stupide, prétentieuse et bornée. C'est moi qui ai péché par orgueil. Je vais mourir et Tamerlan va récupérer l'ESRAE.

Bravo, Bastet, voilà une négociation rondement menée... Ce que je peux être bête. J'ai joué et à l'arrivée je perds tout sans rien gagner.

Je tente un dernier coup de griffe inutile dans mon dos et ne parviens qu'à me blesser moi-même.

Je n'aurais pas dû venir.

Et puis, soudain, alors que je commence à perdre espoir, j'entends un bruit, aperçois une ombre et toute la pression autour de ma gorge se relâche d'un coup. C'est Champollion qui a surgi et qui a agrippé Tamerlan dans ses serres.

Brave cacatoès !

L'oiseau blanc soulève le rat aux yeux rouges et l'emporte dans les airs. Le malheur s'envole.

Champollion monte haut et enfin lâche sa proie qui tombe dans l'eau du fleuve.

Dommage : il l'aurait lâché au-dessus du sol, on serait définitivement débarrassés de Tamerlan. Quel manque de présence d'esprit !

374

Bon, enfin, ce n'est qu'un perroquet après tout, c'est déjà pas mal, ce qu'il a fait, pour quelqu'un de son espèce.

Profitant de ce répit, je m'empresse de nager jusqu'à l'île Lacroix, poursuivie par quelques rats qui veulent m'intercepter avant que je ne rejoigne mon camp.

Roman, qui a suivi la situation de loin avec ses jumelles, débranche prestement le mur de barbelés et ouvre un passage pour me laisser entrer, puis le rebranche aussitôt après.

Les rats qui me suivent, pris dans leur élan, sont électrocutés.

Pythagore, Angelo et Esméralda sont là pour me réceptionner.

Je m'ébroue et je me lèche.

— Tamerlan a failli te prendre l'ESRAE ! miaule le siamois.

Avec ce que je viens de vivre, je ne suis pas d'humeur à entendre des reproches.

— Tu aurais dû insister pour que je ne la prenne pas avec moi. Par ta faute on a failli tout perdre.

Retour à l'envoyeur.

Au lieu de me féliciter de m'en être tirée de justesse, Esméralda est elle aussi d'humeur critique.

— Maintenant, les rats vont être encore plus motivés pour nous attaquer.

Elle commence à m'énerver. Je crois que je vous l'ai déjà dit, mais je déteste que qui que ce soit tente de me culpabiliser.

Ils n'avaient qu'à aller discuter avec Tamerlan s'ils se croient tous plus forts que moi.

— Et de nouveau ils vont établir un siège et de nouveau ils nous auront à l'usure, se lamente la chatte à la fourrure noire et aux yeux jaunes. Et cette fois-ci, on va tous mourir.

Ah, ce qu'elle m'agace par moments, celle-là ! Je n'ai jamais compris pourquoi les gens sont aussi défaitistes. À quoi cela sert-il de dire qu'on va tous trépasser, franchement ? Soit cela arrive vraiment et dans ce cas on ne peut rien faire. Soit cela n'arrive pas et cela ne servait à rien de s'affoler. J'aurais bien aimé la voir à l'épreuve du bocal. Avec son pessimisme chevillé au corps, elle n'aurait même pas tenu quinze minutes.

Le cacatoès revient, fier de lui, la plume luisante ; il se maintient au-dessus de nous. Je refroidis un peu sa superbe, pour faire diversion.

— Pourquoi tu n'as pas lâché Tamerlan au-dessus du sol ?

— Désolé, dit le perroquet, je n'y ai pas pensé sur le moment.

— Comme ça, la menace de ce Tamerlan est plus que jamais persistante…, dis-je pour enfoncer le clou.

— Crois bien, Bastet, que si l'occasion se représente de le faire choir de haut, je n'oublierai pas de…

— Elle ne se présentera plus.

En fait, j'adore culpabiliser les autres.

C'est d'ailleurs amusant, ce phénomène : dès que vous faites un reproche à quelqu'un, cela le renvoie aux reproches que lui ont faits ses parents ou son entourage et il commence instinctivement à s'excuser sans réfléchir.

Je vous donne un conseil, si vous devez un jour vous aussi régner : il ne faut jamais hésiter à reprocher aux autres les moindres broutilles. Surtout si c'est vous qui vous êtes trompé.

J'en rajoute une couche :

— Dire que, si tu avais bien agi, nous aurions pu être enfin tranquilles.

Mon sauveur se pose sur l'épaule de Roman et annonce :

— Je ne sais pas quoi faire pour me faire pardonner ma bévue.

— Cherche, dis-je.

— Eh bien, par exemple, je pourrais aller chercher de l'aide.

– De l'aide ? Quelle aide ?

– D'après mon souvenir, Arthur, le roi des porcs, s'est laissé convaincre par vos arguments sur la menace que constituaient les rats. Peut-être que je pourrais tenter de le faire venir ici.

Il a raison ! C'est la solution : le roi Arthur et ses porcs ! Il nous connaît, il a compris, il a la puissance militaire adéquate.

Je tempère quand même mon enthousiasme :

Les porcs ne suffiront pas. Il nous faut d'autres alliés.

– Avant d'arriver chez Saucissounou, vous avez peut-être rencontré d'autres peuples, suggère le perroquet.

– Les chats du château d'eau ne nous aideront plus, déploré-je.

– Les humains fanatiques religieux non plus, complète Pythagore.

– Les chiens ! Le village de chiens nous a aidés, rappelle Nathalie.

– Il y a aussi ce faucon femelle. Maintenant que j'ai vu comment les forces aériennes peuvent renverser une situation, je crois que cela pourrait être dans notre intérêt de contacter ce charmant rapace. Je vais te dire où le trouver.

Le cacatoès lève sa huppe, inquiet.

– Hum… C'est-à-dire que nous, les perroquets, nous n'entretenons pas de très bons rapports avec les faucons.

– Ce n'est pas n'importe quel faucon, c'est une fauconne qui me doit la vie. Si tu lui parles de moi et si tu me décris, je pense que cela devrait la convaincre.

– Encore faut-il que je puisse l'approcher.

Le cacatoès a un mouvement d'effroi rien qu'à l'évocation d'une rencontre possible avec son prédateur naturel.

– Tu as intérêt à nous aider, Champollion. D'autant que je sais maintenant comment tu as obtenu le rendez-vous : tu as signalé à Tamerlan que nous avions l'ESRAE !

Il baisse la tête, honteux.

– C'est vrai, excusez-moi. Mais je n'ai trouvé que cela comme moyen d'obtenir le rendez-vous sur la barque.

– On voit le résultat.

– Désolé.

– Cela ne sert à rien de répéter que tu es désolé, il faut réparer tes erreurs. Allons, Champollion, j'ai bien discuté avec mon pire ennemi, tu peux bien discuter avec un faucon ! Ne me dis pas qu'en plus d'être un oiseau maladroit, tu es un perroquet peureux.

Il s'ébroue.

J'ai touché sa fierté.

Il déploie haut sa huppe à l'extrémité jaune pour essayer de se donner une contenance.

– Je vais essayer.

– Donc des chiens, des porcs, un faucon. Qui d'autre pourrait nous aider ? reprend Pythagore.

– Peut-être qu'il reste des scientifiques d'Orsay qui ont fui l'attaque des barbus et qui se sont cachés aux alentours…

Champollion secoue la tête.

– Ok. Je vais voir ce que je peux faire… Quoi qu'il en soit, je vous garantis que d'ici trois jours tout au plus je vous ramènerai des renforts pour briser l'encerclement des rats.

Déjà le cacatoès blanc s'est envolé vers le sud, et tous nos espoirs l'accompagnent.

Je me retourne et vois distinctement le roi des rats sur la berge, qui me regarde avec un air qui me semble particulièrement rancunier.

Je copie alors un geste typiquement humain que j'ai vu dans une vidéo et qui exprime un signe de défi : je lui tire la langue.

Esméralda miaule :

– Arrête tes provocations ! Je l'ai vu diriger ses troupes durant le massacre de l'île de la Cité. Ce n'est pas un ennemi, c'est l'incarnation de la mort et de la destruction. Tant que ce petit rat blanc aux yeux rouges ne sera pas mort et enterré sous une pierre, nous ne pourrons pas dormir sereinement.

62. LA MALÉDICTION DU TOMBEAU DE TAMERLAN.

Sur la pierre tombale de Tamerlan était gravée la phrase : « Celui qui dérange mon tombeau va faire apparaître un envahisseur encore plus terrible que moi. Lorsque je reviendrai à la lumière du jour, le monde tremblera. »

Les Soviétiques considéraient que cette malédiction était une superstition médiévale. En juin 1941, le dictateur russe Joseph Staline envoya donc l'anthropologue et médecin légiste Mikhaïl Guerassimov, spécialisé dans les analyses de squelettes, pour qu'il explore avec une équipe de savants le mausolée de Tamerlan situé à Samarcande en Ouzbékistan.

Les habitants de la ville avertirent le savant russe de l'ancienne malédiction qui pesait sur le tombeau, mais celui-ci n'en tint absolument pas compte et installa tout le matériel. Le mausolée fut ainsi forcé le 20 juin. L'ouverture du tombeau fut filmée en direct. Guerassimov récupéra les os du squelette et arriva à reconstituer le corps jusqu'à retrouver l'apparence probable de Tamerlan. Il confirma qu'il boitait.

Il annonça qu'il mesurait 1,72 mètre, ce qui était grand pour l'époque, et tout particulièrement pour un Mongol.

Deux jours plus tard, le 22 juin, le dictateur allemand Adolf Hitler déclenchait l'invasion de la Russie avec une armée de 3 millions de soldats.

Ce fut l'opération Barbarossa, ainsi dénommée en référence à l'empereur allemand Frédéric Barberousse (1122-1190), chef de croisade, mort en tentant de libérer Jérusalem et qui était censé, lui aussi, selon une légende, n'être jamais réellement mort et se préparer un jour à se réveiller pour rendre à l'Allemagne sa grandeur passée.

Si l'opération Barbarossa avait été décidée en secret depuis 1940, la coïncidence entre l'ouverture du tombeau de Tamerlan et l'attaque des nazis marqua les esprits.

L'opération Barbarossa fit 20 millions de morts du côté russe (soit plus que les attaques de Tamerlan qui n'avaient tué « que » 17 millions de personnes...).

Finalement, Staline considéra que la superstition entourant le cadavre de Tamerlan méritait d'être prise en compte et il ordonna en novembre 1942 de replacer les ossements de Tamerlan dans son mausolée.

Quelques jours plus tard, l'armée soviétique remportait enfin sa première victoire, à la bataille de Stalingrad.

Là encore, il ne s'agit probablement que d'une coïncidence, mais, depuis, plus personne n'a jamais osé rouvrir le tombeau de Tamerlan.

Encyclopédie du Savoir Relatif et Absolu.
Volume XII.

63. LA GOUTTE DE CHAMPAGNE QUI FAIT DÉBORDER LE VASE.

Ma mère disait toujours : « Ne remets jamais au lendemain ce que tu peux faire faire par d'autres le jour même. »

Je ne sais pas vous, mais moi je trouve qu'il y a un temps où il faut agir et un temps où il faut laisser les autres agir à votre place.

Je vais enfin me reposer et je sais ce que mes sujets doivent exécuter pendant ce temps pour me satisfaire, moi leur reine.

Il y a nos défenses à consolider. Nos serviteurs humains font ça très bien. Il y a ensuite l'entretien de la vie quotidienne. Pour ça, je compte sur mes congénères chats pour chasser les souris, trouver des aliments, nettoyer les lieux de vie. Et enfin, il y a des alliés à aller chercher. Mais cette fois, il n'est plus question d'envoyer un commando, il faut juste espérer que Champollion se montre à la hauteur de la confiance que je lui ai accordée.

Chacun de nous s'installe dans un appartement des nombreuses maisons humaines de l'île Lacroix.

Les jours qui suivent, quelques rats opiniâtres tentent une attaque pour vérifier si notre système de défense électrique est toujours opérationnel. Ils découvrent ainsi l'efficacité des installations de notre génie technologique humain : le professeur Roman Wells.

Six journées passent.

Le soleil se lève et je surveille l'horizon depuis le toit de l'immeuble le plus haut de l'île Lacroix. Pythagore, Angelo et Esméralda viennent me rejoindre.

– Il faut être patients, dis-je.

– Nos ennemis sont de plus en plus nombreux, remarque Pythagore.

– Ils reçoivent l'aide d'alliés... eux, gémit Esméralda.

– On va tous les battre, car on est les plus forts ! Maman, laisse-moi charger dans le tas avec quelques compagnons. Grâce au chat-kwan-do, je te garantis que je pourrai te ramener la tête de ce petit rat blanc qui nous nargue ! s'exclame Angelo.

– Cela fait déjà sept jours que Champollion est parti. Il avait parlé de trois jours et on n'a même pas de ses nouvelles, ce n'est pas normal, rappelle Pythagore.

Le siamois se tourne vers moi et déclare alors ce que je ne voulais surtout pas entendre :

– Peut-être que tu aurais dû céder et lui donner ce qu'il demande, après tout.

– C'était quoi la phrase, que tu m'as toi-même apprise, de cet humain, Churchill ? Ah oui : « Vous avez voulu éviter la guerre au prix du déshonneur. Vous avez le déshonneur et vous aurez la guerre. » Tu as vu ce qui est arrivé au sphynx ?

Il baisse les oreilles.

– J'ai peur, reconnaît-il.

Et voilà, la pensée défaitiste d'Esméralda est contagieuse. Pourquoi toutes les femelles ne sont-elles pas courageuses comme moi ? Bon, il faut trouver une idée.

– Est-ce que quelqu'un peut aller me chercher du champagne, s'il vous plaît ?

Ma demande surprend mon auditoire et a déjà pour effet bénéfique de détourner l'attention de tout ce qui a été dit au cours des dernières minutes.

– Tu veux te saouler ? me demande Esméralda qui a l'air de connaître les effets de cette substance.

– Je veux vérifier si cette boisson conseillée par Wolfgang ne peut pas ouvrir des portes dans mon esprit me permettant de trouver les solutions qui m'échappent peut-être dans mon état de réflexion normal.

Pythagore en parle avec Nathalie. Elle va fouiller dans les réfrigérateurs des appartements des alentours pour me trouver ce fameux champagne qui, je l'espère, va m'ouvrir des portes spirituelles.

Quelques minutes plus tard, elle revient en m'annonçant qu'elle a trouvé une bouteille :

– Ce n'est pas un grand cru mais c'est tout ce que j'ai trouvé. Et je suis navrée, il est tiède.

On va voir si cela marche malgré tout. Ainsi, je saurai si Wolfgang avait raison d'insister jusqu'à son dernier souffle.

Ma servante me remplit un bol. Je renifle et trouve que cela sent aussi mauvais, et même plus mauvais que la dernière fois. J'approche l'extrémité de ma langue et la trempe dans le bol. C'est infect.

Je dois en boire plus pour trouver une idée. Il faut que je débloque tout ce qui verrouille ma pensée pour parvenir à ouvrir une nouvelle fenêtre qui me fournisse une solution pour nous sauver.

Je le dois.

Pour Wolfgang, pour ma communauté et pour l'avenir de tous.

Je le dois et je le veux. Je suis prête.

Je lape la boisson piquante et, surmontant mon dégoût premier (cela a quand même réellement un goût d'urine gazeuse), je termine le bol et lâche un petit rot.

De nouveau l'effet de vertige revient, plus l'envie de vomir, plus le sentiment d'avoir mis dans mon corps une substance toxique.

Wolfgang se serait-il trompé ? À moins que cela ne marche que sur lui.

Ensuite, tout tourne, et je commence à avoir des flashs.

Il me semble que désormais des bulles pétillent sous mon crâne.

Et viennent les hallucinations.

Je ferme les yeux.

La vision de ma planète m'avait émue. La découverte de la statue de mon homonyme Bastet avait activé chez moi le syndrome de Stendhal. Ingurgiter du champagne en grande quantité produit sur mon cerveau un effet beaucoup plus déroutant. J'ai l'impression que je ne contrôle plus rien. Cela me rappelle le moment où j'étais dans la rivière, emportée par le vortex aquatique.

Tant pis, si je veux élargir mon imagination, je dois continuer.

Je bois encore et, à un moment, je ne peux plus boire parce que je bascule sur le côté. Et après avoir lâché un dernier hoquet, mon esprit part…

Je me retrouve face à la déesse égyptienne Bastet. Je ne suis plus dans son crâne, cette fois-ci elle est à l'extérieur, face à moi, et elle me dit :

– Tu dois écrire notre histoire ! C'est cela, ta vraie mission.

– Un fichier informatique, une page sur Internet ?

– Non, un livre papier. Ce livre va te donner le pouvoir d'être une reine.

– Toi, tu as écrit un livre ?

– Non ! C'est bien dans ce but que je me suis réincarnée en toi. Pour que tu puisses agir là où je ne l'ai pas fait. C'est pour te le révéler que je n'ai pas cessé de te contacter par des rêves ou des intuitions.

– Mais je suis une chatte, je ne sais pas écrire.

– Tu as en toi des talents qui te permettront d'y arriver. De mon côté, j'ai profité d'un rêve de Nathalie pour lui suggérer de te baptiser par mon nom. J'ai mis sur ta route Pythagore qui était le seul, par son Troisième Œil, à me connaître. Toi-même, ton opération t'a donné accès aux connaissances des humains. C'est moi qui ai voulu tout cela. C'est moi qui ai inspiré à tous leur action pour aboutir à mon projet de livre. Tu as commencé à intégrer leur vocabulaire, ce qui te rend apte à formuler des idées abstraites. Tu es en plus naturellement intéressée par toutes ces notions, les nombres, les subtilités du vocabulaire... Tout cela ne sert que cet objectif : faire advenir le premier livre écrit par un chat, recelant une encyclopédie des connaissances des chats enrichie par les connaissances des humains : ton livre, ton œuvre, ta mission !

– Écrire, dites-vous...

– Bien sûr, écrire est le plus grand de tous les pouvoirs ! C'est plus fort que régner, c'est plus fort que jouir, c'est plus fort que vaincre dans des duels ou des batailles. Celui qui laisse sa trace écrite se donne la possibilité que sa pensée vive partout et pour toujours.

– Mais...

– Arrête de dire « mais ». Écoute-moi, espèce de « réincarnation future qui n'ose pas développer son potentiel naturel »...

– Je ne vous permets pas...

– D'insulter celle que je vais devenir ? Je vais me gêner, tiens ! ironise-t-elle.

La déesse égyptienne que je fus me toise avec hauteur, profitant de sa silhouette humaine.

– TU DOIS ÉCRIRE !

– Ne vous énervez pas. Je vous écoute.

– As-tu seulement pris conscience de la portée de ce que tu vas accomplir, ne serait-ce que pour toi-même ? L'écriture va te permettre d'ordonner ta pensée, de la fluidifier, de la consolider. Elle va te permettre d'évacuer tout ce qu'il y a de faible dans ton esprit et de découvrir ta force véritable. Elle va te permettre de digérer tous tes malheurs en les transformant en histoire. Tu vas aller plus loin que par la réflexion ou le dialogue. En écrivant, tu vas explorer des couches oubliées ou cachées de ton monde intérieur. Tu vas t'apercevoir que la simple introspection ne te permet que d'effleurer ta compréhension de toi-même. Tant que tu n'auras pas écrit, tes idées resteront banales, floues, incomplètes, éphémères. Tu te contenteras de petites pensées médiocres dont tu ne sauras pas exactement la valeur. Dès le moment où tu mettras en phrases ce que tu ressens, ta sensibilité va augmenter. Tu vas te métamorphoser en récepteur ultrasensible et en émetteur puissant.

Elle appuie sur mon thorax avec son index :

– À quoi te sert de penser si tu ne fixes pas tes idées par l'écriture ? Tu penses pour rien ! Tu vis pour rien ! Tu n'es rien !

– Je comprends bien, mais je n'ai pas de mains, pas de doigts, pas de pouce opposable. Comment pourrais-je écrire un livre à la manière d'un humain ?

– Quand on veut vraiment quelque chose, l'univers s'organise pour que cela devienne possible. Je t'aiderai.

– Et puis, là, je suis réellement en danger. Nous risquons de mourir tués par tous ces rats…

– Arrête de m'ennuyer avec ces balivernes ! Il y a toujours eu des dangers pour tout le monde à toutes les époques. Crois-moi, les dangers que j'affrontais de mon temps sont bien plus terribles que tes « petits » rats. Allez, maintenant que tu te souviens de la raison pour laquelle tu es née, mets-toi au travail. Ne perds plus ton temps à t'occuper de tous ces soucis insignifiants, écris une œuvre littéraire qui te rendra (et me rendra) immortelle. Ainsi pourra exister la civilisation des chats. Une civilisation se bâtit avant tout sur un livre de référence ! Pour les humains, il y a eu l'*Odyssée*, la *Bible*, la *Bhagavad Gita*, le *Capital*, le *Petit Livre rouge* ou le *Popol Vuh* ! C'est à toi désormais de graver nos valeurs dans un récit. Tu pourras par exemple l'appeler *Demain les chats*.

— C'est-à-dire que…

— Ne me déçois pas, Bastet. Tu es ma dernière chance de réussir. Tu es ma neuvième réincarnation. La dernière. ÉCRIS UN LIVRE ! JE LE VEUX ! C'EST UN ORDRE.

Elle fronce les sourcils. J'ajoute, avec une petite voix :

— Pour ce qui est de notre survie immédiate, tu n'as pas une idée qui pourrait m'aider ?

— Fais comme tu l'as déjà fait. Fuis par les airs.

64. LE CULTE DE BASTET.

La déesse Bastet était, à l'origine, une divinité locale de la ville égyptienne de Bubastis (« bast » faisant référence à Bastet). Les ruines du grand temple qui lui était consacré ont été découvertes en 1887 par l'archéologue Édouard Naville. Elles se trouvent près d'une ville actuellement nommée Tell Basta, à 80 kilomètres au nord-est du Caire.

Le temple était somptueux avec une chatterie immense. Les prêtres nourrissaient des milliers de chats qui vivaient en totale liberté. Ces mêmes prêtres payaient des rançons pour rapatrier en Égypte des chats maltraités dans les pays étrangers voisins.

À partir de la sixième dynastie des pharaons, sous le règne de Pépi II, son culte se propagea rapidement.

Bastet était censée être la fille du dieu Soleil Râ.

Elle pouvait se manifester sous deux apparences : celle d'une femme à tête de chat, ou celle d'un chat normal.

Elle était à la fois déesse de la musique, du plaisir sexuel et de la fécondité. Bastet était considérée comme protectrice des femmes, car elle détenait le pouvoir magique de stimuler l'amour physique et de rendre les femmes fécondes.

Même si elle était souvent présentée sous des airs bienveillants, elle était réputée pour ses grandes colères dans les cas où on lui manquait de respect.

Son succès vint surtout de la fête annuelle qui lui était consacrée dans l'immense temple de granit rouge de Bubastis. C'était l'événement le plus recherché de tout le bassin méditerranéen. Durant cette cérémonie, tous les Égyptiens présents se déguisaient en chats, arborant de fausses oreilles pointues et des vêtements sur lesquels étaient cousues de longues queues. Les femmes se maquillaient comme des chattes et versaient même du sang de chat dans des plaies ouvertes qu'elles se faisaient à cette fin.

Le savant grec Hérodote, considéré comme le premier historien rigoureux de l'humanité, écrivit après avoir visité l'Égypte : « Plus de 700 000 personnes se donnaient rendez-vous chaque année au temple de Bubastis pour honorer la déesse Bastet. Elles arrivaient en bateau en chantant, en dansant, en jouant de la musique. Les hommes jouaient de la flûte de lotus, les femmes étaient aux cymbales et aux tambourins ou frappaient dans leurs mains. Tous étaient déguisés en chats. Une fois à terre, une liesse générale s'emparait de la foule. Ensuite commençaient les cérémonies proprement dites. Des chats trépassés étaient présentés, embaumés et déposés dans des urnes, avant d'être placés dans les galeries souterraines de la ville de Bubastis. Puis tous les participants buvaient, se déshabillaient et faisaient l'amour pour honorer la déesse Bastet. »

Encyclopédie du Savoir Relatif et Absolu.
Volume XII.

65. UN PLAN POUR S'EN SORTIR.

– Ahor hu a twouhé l'idée ou nou hauver ?

J'ai un mal de crâne terrible. Le miaulement de Pythagore résonne dans ma tête comme le bourdonnement d'une cloche de la cathédrale Notre-Dame.

Pourquoi parle-t-il si fort ?

J'enfonce ma tête sous mes pattes et tente de boucher mes oreilles. J'entends un son flou et je me doute qu'il répète sa phrase. Seules des bribes me parviennent :

– Alors, tu as trouvé une idée pour nous sauver ?

Je m'ébroue. Je cherche mes mots, bâille pour décontracter mes mâchoires et enfin articule doucement :

– Oui.

– Nous t'écoutons.

Ils sont tous là à m'observer, pour voir si je tiens mes promesses. Pourquoi les autres en attendent-ils tant de moi ?

Parce que je suis leur reine, ils le savent et ils l'ont toujours su. Tout ce que je vis n'est qu'une succession d'épreuves avant mon

389

accession au trône. Ensuite, je régnerai et ils me respecteront pour ce que je serai devenue.

Sa Majesté des chats.

Quant à l'écriture, je ne vais quand même pas me laisser donner des ordres par une de mes anciennes réincarnations. «Demain les chats»? Cela peut attendre, car je dois gérer le «Aujourd'hui les rats». De toute façon, si nous nous faisons tuer par les rats, il n'y aura ni écriture, ni livre, ni reine.

Esméralda, Pythagore, Angelo me scrutent. Il faut se reprendre. Il faut que j'arrive à bien leur faire comprendre chaque mot :

– Nous allons fuir par les airs, tous autant que nous sommes. Roman avait parlé de fabriquer un dirigeable, nous avons pris à l'université tout le matériel nécessaire pour réaliser ce projet. Voilà, telle est la solution que j'ai vue dans ma transe au champagne.

Tous me regardent, partagés entre scepticisme et admiration.

Je sais à quoi ils pensent. Ils se demandent pourquoi on ne l'a pas fait plus tôt. C'est que, pris par l'excitation de l'installation sur l'île, puis par la peur d'une attaque, nous avons seulement pensé à organiser notre défense sans plus songer à notre fuite.

Je tente de marcher.

Ne pas trébucher.

Je retrouve Roman en train de manger avec ma servante. Comme par hasard. Cela ne me surprend même pas. C'est toujours leur parade nuptiale qui se poursuit au ralenti. Je me demande combien de temps il leur faudra avant de faire l'amour. Un jour? Une semaine? Un mois? Six mois? Un an?

Mais l'heure n'est pas aux sentiments, l'heure est à l'action et à la construction.

– Ro-man !

Un hoquet d'ivresse entrecoupe ma phrase. Bon, le champagne ouvre des portes mais ralentit la pensée, fait perdre l'équilibre, rend la concentration difficile.

– Roman ! Nathalie ! Il faut que vous récupériez tout le matériel stocké dans le bateau-mouche et que vous vous mettiez au travail pour construire le dirigeable.

Pourquoi chaque mot est-il si compliqué à prononcer ? Cela tape fort dans mes tempes.

– Je n'y pensais plus, reconnaît Roman.

L'idée lui convient d'autant plus qu'il a, tout comme moi, remarqué que les humains commencent à être démoralisés et que les réserves de nourriture déclinent.

Rien de tel qu'un projet ambitieux pour retrouver son ardeur. Donc, nous nous penchons tous sur la mission « fuite par les airs ». Même les chats participent au chantier, en tenant les outils dans leur bouche.

Tout se déroule dans l'énorme salle de la patinoire de l'île Lacroix. Ainsi les rats, qui se tiennent sur les berges du fleuve, ne peuvent nous voir œuvrer.

Les fuseaux de Kevlar sont cousus ensemble. La zone gonflée va être à elle seule dix fois plus volumineuse que celle de notre première montgolfière. À côté se construit la nacelle proprement dite. Celle-ci est bien plus spacieuse que notre baignoire et elle contiendra sans difficulté tous les chats et les humains présents.

Sur les flancs de la nacelle, Roman a placé deux hélices qui, si j'ai bien compris, seront actionnées par des humains qui pédaleront. Ainsi, nous ne dépendrons pas des réserves d'essence.

Plus je vois le dirigeable s'assembler pièce après pièce, plus je comprends comment il va fonctionner, avec son gouvernail à l'avant et ses pales d'orientation à l'arrière.

Il me tarde de m'envoler pour quitter les vicissitudes du monde des rampants, m'élever et voir tout de haut.

À part mon fainéant de fils, mes serviteurs ne perdent pas de temps.

Nathalie coud un long fuseau de toile. Je m'approche d'elle, frotte mon front contre sa jambe afin de déposer un peu de mon odeur sur son corps, je ronronne puis m'installe confortablement sur ses genoux.

Elle passe ses longs doigts dans ses cheveux noirs et me sourit.

– Je suis consciente de la chance que j'ai de pouvoir te parler, Bastet. À cet instant, je pense à tous ces gens qui ont rêvé de parler à leur chat…

– Et moi, à tous ces chats qui ont rêvé de parler à leurs serviteurs…

– Oui, et je me dis qu'enfin on peut commencer à se comprendre.

– Je dois vous dire aussi une chose, Nathalie, c'est qu'ici et maintenant, malgré les circonstances un peu extraordinaires, je suis heureuse. J'étais certes satisfaite quand j'étais dans mon appartement avec vous, mais depuis quelque temps cette sensation est décuplée par l'excitation de l'aventure. Et de savoir que nous allons repartir ensemble dans les nuages pour sauver toute notre communauté me ravit au plus haut point. Voilà, je voulais vous le dire, vous êtes une servante digne de moi.

– Eh bien…

– J'espère que pour vous aussi, cette situation est agréable. J'ai toujours pensé que les gens qui étaient à mon service avaient droit eux aussi à quelques satisfactions personnelles. C'est pour cela que je me suis un peu aventurée jusqu'à vous conseiller d'avoir une saillie avec votre congénère… Mais j'ai compris que chez vous l'approche amoureuse était très lente et très progressive, et je le respecte.

Sa main se crispe, elle arrête de me caresser :

– C'est pour cela que tu voulais me parler, Bastet ?

– C'est surtout pour faire le point sur les trois objectifs que vous m'avez fixés : l'amour, l'humour, l'art.

Ma réponse la détend un peu.

– Je crois que j'ai compris quelque chose : la meilleure façon d'apprendre n'est pas de vivre les choses, mais de les lire.

– Pardon ?

– Je crois que les livres provoquent des émotions plus fortes que l'expérience. Parce que lorsqu'on vit des choses, on ne met pas forcément les bons mots sur cette expérience, alors qu'un spécialiste des mots, comme un écrivain, sera à même de décrire précisément quelque chose qu'on perçoit vaguement.

– Tu es bien la première personne qui tient un tel langage. De la part d'un chat, c'est d'autant plus étonnant.

– Je veux que, lorsque nous aurons fui dans le ciel et que nous serons enfin tranquilles, vous m'appreniez à lire les textes qui sont enfermés dans l'ESRAE.

– Les essais ?

– Non, les romans. Si j'ai bien compris, les essais ne font que donner des informations, seuls les romans permettent de faire ressentir les émotions. Tout ce que j'éprouve confusément en le vivant, je voudrais le voir décrit dans un roman par des personnages autres que moi. Ainsi, je le comprendrais mieux. Ensuite, peut-être pourrai-je à mon tour le raconter voire l'écrire. C'est désormais mon nouvel objectif.

Elle me regarde et réagit en faisant ce que je craignais le plus :

elle rit. Maintenant que je sais ce que signifie le rire, cette réaction me choque.

Elle se moque de moi car elle pense qu'en tant que chat je ne serai jamais capable de lire et d'écrire.

J'hésite à me mettre en colère et à punir cette impudente, mais je me reprends et songe que si elle doit m'instruire il faut que je supporte ce genre de moqueries :

— M'apprendrez-vous à lire, Nathalie ?

— Eh bien, je ne sais pas par où commencer.

— L'alphabet, puis les mots, les phrases ; enfin ! ne faites pas l'ignorante, il paraît que tous les humains connaissent cela par cœur.

Elle cesse de rire et s'apprête à dire quelque chose, lorsque Roman Wells l'appelle pour lui demander de l'aide.

J'espère qu'elle a compris le message. Je l'ai bien complimentée, cela devrait aider.

Les jours passent et le dirigeable prend forme.

Champollion est déjà parti depuis vingt-cinq jours lorsque notre nouvel engin volant auquel nous avons tous travaillé avec acharnement est décrété par Roman prêt à décoller.

La nacelle ressemble à une grande barque, la membrane censée la maintenir en suspension dans les airs est immense. Tout comme pour la montgolfière, nous définissons au préalable un espace idéal de lancement. Cette fois-ci, c'est le toit de la patinoire.

Nous fixons la nacelle à des piquets reliés par des cordages. Roman branche les bouteilles d'hélium, libère le gaz, la membrane se gonfle et donne à la partie supérieure non pas une forme sphérique mais ovale, similaire à un concombre.

Ensuite, tout se passe sous le contrôle du professeur Roman Wells. Il a l'air d'être parfaitement à l'aise avec la marche à suivre.

Nous embarquons tous, chats et humains, dans la nacelle à moitié ouverte dans sa partie supérieure. Au signal, Nathalie coupe les cordages et le dirigeable est libéré de la pesanteur.

Nous ne ressentons pas comme la première fois la chaleur insupportable des bouches à feu, l'hélium me semble un net progrès.

Angelo est près de moi.

– Prépare-toi à vivre une expérience extraordinaire, lui dis-je. On va monter plus haut que les nuages et alors plus rien de mauvais ne pourra nous arriver.

– J'ai hâte de voir ça, maman !

Notre engin ovoïde s'élève. Je me penche sur le bord de la nacelle et aperçois les rats hébétés qui voient tous leurs efforts pour nous faire capituler réduits à néant.

Désolée, les rats, mais ce que vous voyez là est le résultat d'une coopération efficace entre civilisations humaine et féline. Tout comme pour le feu, vous avez une technologie de retard, ce qui nous permet de compenser notre infériorité numérique.

Il me semble reconnaître une silhouette blanche juchée sur un promontoire.

Adieu, Tamerlan, ce fut un plaisir de t'avoir rencontré et un encore plus grand plaisir d'avoir échappé à tes incisives. C'est moi qui ai l'ESRAE et je ne suis pas prête ni à te l'offrir ni à me soumettre.

Tu as perdu. J'ai gagné.

Le dirigeable monte lentement.

Cependant, un bruit étrange attire mon attention. Comme un grêlon qui aurait frappé la membrane. Puis un second bruit similaire résonne.

Roman tend un bâton terminé par un miroir pour voir ce qu'il se passe au sommet.

– Des pigeons ! annonce-t-il. Des centaines de pigeons ! Ils essaient de percer la membrane avec leurs becs !

Je vois que certains, comme la première fois, prennent de l'élan et foncent, la pointe du bec en avant. D'autres, à la manière des pics-verts, percutent opiniâtrement le même endroit.

Nous perdons de l'altitude.

– Il n'y a pas un moyen de les empêcher de continuer ?

– Non, cela se passe au sommet du dirigeable !

– Pourquoi les pigeons nous attaquent-ils ? demande Angelo.

Je réfléchis et je trouve une explication probable, mais je n'ose la formuler. C'est Pythagore qui parle à ma place :

– Ils nous en veulent, car nous en avons tué quelques-uns lors de notre première incursion en montgolfière.

– Mais c'était à Paris, ici nous sommes à Rouen, comment peuvent-ils savoir ? Ils ne communiquent quand même pas à distance ! s'exclame Angelo, qui est peut-être moins limité que je ne le pensais.

– Qui sait ? Peut-être qu'ils ont un moyen de se faire passer les informations que nous ne connaissons pas. En tout cas, ils semblent savoir qui nous sommes.

Tout se paye, même les petites indélicatesses – si l'on peut considérer que tuer une dizaine de pigeons en est une.

Nous entendons un craquement de toile et nous descendons de plus en plus vite. Heureusement, Roman au gouvernail arrive à orienter la chute pour que nous atterrissions pratiquement sur le lieu de notre décollage. Le choc avec le sol nous secoue.

Les rats, qui comprennent ce qu'il se passe, se jettent à l'eau pour profiter de l'aubaine.

Roman a la présence d'esprit de s'extraire rapidement de la

nacelle, de courir et de réenclencher la manette qui envoie l'électricité dans la clôture de fils barbelés.

Quelques rats ont quand même réussi à franchir notre défense, de sorte que, à peine avons-nous atterri, nous devons les chasser pour les empêcher de faire trop de dégâts. Ils sont vite évacués.

– C'est fichu, tout ce travail n'aura servi à rien, s'exclame Esméralda qui n'hésite pas à proférer des évidences.

Alors que nous nous entraidons pour sortir du dirigeable brisé, une centaine de pigeons se placent au-dessus de nous et nous bombardent de leurs fientes collantes.

Nous sommes obligés de nous réfugier à l'intérieur du bâtiment de la patinoire dont le toit nous protège de ces maudits volatiles.

Pythagore soupire.

– Désormais, nous avons un deuxième ennemi : les pigeons. Et malheureusement ils sont nombreux.

– Ma mère les nommait les « rats volants », et ils ont fait leur jonction avec les « rats grouillants ».

Je sens que le moral de notre communauté est affecté par cet échec. Je lance au hasard une proposition :

– On pourrait construire une membrane qui résiste aux becs.

– Non, répond Nathalie. Les membranes doivent être fines et légères, donc elles resteront toujours faciles à percer.

– Alors on fait quoi ? insiste Esméralda.

Sentant poindre dans sa voix de l'exaspération, je tente de rassurer mes troupes :

– On attend les renforts de Champollion. Il faut laisser à ce perroquet du temps.

Je perçois la baisse de moral de notre communauté, mais je n'ai aucune autre solution qui me vient dans l'immédiat. Peut-être nous faudrait-il les médicaments miracles qu'ont fabriqués les humains à partir de leurs expériences sur les rats, cette pilule de l'optimisme qui nous serait bien utile en ce moment.

Le soir, je reste sur le toit de l'immeuble le plus haut à regarder la lune parfaitement ronde et jaune.

– Qu'est-ce qui va se passer, maman ? me demande Angelo.

– Ne t'inquiète pas, mon fils, nous allons gagner. Et tu sais pourquoi ? Parce que nous avons le meilleur projet pour l'avenir. C'est ainsi que fonctionne le monde, c'est celui qui voit le plus loin dans le futur et qui propose la solution la plus harmonieuse qui triomphe, malgré les événements parfois déstabilisants. C'est toujours ceux qui ont de l'imagination qui surpassent ceux qui sont limités par leurs habitudes.

– Mais concrètement, dans les jours ou les heures prochaines, il risque d'y avoir une bataille contre les rats. Elle pourrait mettre fin à tous nos rêves d'avenir, non ?

– Une guerre n'est qu'une péripétie.

– Cela veut dire quoi ?

– Un épisode qui se révèle non déterminant. Que nous gagnions ou que nous perdions, nous sommes dans le sens d'évolution de la vie, tandis que les rats sont des résurgences d'un monde ancien fondé sur la brutalité et le nombre.

– Ah ? Ce n'est pas bien, ça ?

– Ce que je veux te dire, mon fils, c'est que, eux, les rats (et maintenant les pigeons), c'est le passé, mais que nous, les chats, nous sommes le futur. La félicité sera forcément un jour la loi du monde. Donc quoi qu'il arrive dans les heures qui viennent, nous avons déjà gagné par l'esprit.

– Mais pas par la matière ?…

Il me cherche, ce petit morveux ?

– Il y a toujours un petit retard de la matière sur l'esprit.

398

– Nous allons mourir, tu penses ?

Ce que cet enfant peut être négatif par moments ! C'est ce pessimisme obtus qui m'agaçait déjà chez son père.

Quoique, à bien y réfléchir, vu qu'il a été conçu lors d'une soirée collective, je ne me rappelle plus bien qui c'était précisément.

Ou alors ce côté agaçant de mon propre fils vient de la mauvaise influence d'Esméralda. Elle a dû occuper la place de femelle adulte de référence pendant mon absence et il a probablement fini par la considérer comme une mère de substitution.

Et ce doit être elle qui lui a donné ce côté prétentieux.

C'est étrange, dès le premier jour où j'ai vu cette chatte noire aux yeux jaunes, j'ai senti qu'elle me créerait des ennuis. Phéno-mène de déjà vu, ou intuition féline ?

Je gratifie mon fils d'une petite caresse sur le front.

– Nous allons tous mourir un jour, Angelo. Mais je vais tout faire pour que cela n'arrive pas trop vite, afin que nous ayons le temps d'installer ce futur idéal issu de notre imagination.

– Et comment tu le vois, ce futur idéal ?

Là, je dois mesurer chaque mot.

– Un avenir qui découlera d'une discussion collective entre toutes les espèces pour assurer un monde de paix aux nouvelles générations.

– Tu veux dire : les humains et les chats ?

– Mais aussi les chiens, les porcs, les vaches, les loups, les mou-tons et éventuellement les peuples de l'air, les oiseaux, les peuples de l'eau, les poissons, les peuples de la terre, les insectes.

Cette fois-ci, mon fils me regarde comme si j'étais folle. Je ne désarme pas pour autant :

– Et encore après, j'imagine que ce cercle pourra s'élargir aux plantes.

– C'est impossible. Les plantes ne parlent pas et n'ont pas d'yeux.

– Mais elles ont un esprit. C'est tout ce qui compte.

– Es-tu sûre que les plantes ont un esprit, maman ?

– Tout ce qui vit a forcément un esprit. Je pense que nous sommes traversés par une énergie de vie et que c'est notre plus petit dénominateur commun. Il suffit de nous rebrancher sur cette source pour que nous nous apercevions que nous sommes tous déjà connectés, ou tout du moins connectables.

Angelo me regarde en bougeant lentement les oreilles. Ses vibrisses sont agitées d'infimes spasmes. J'ai pour la première fois l'impression que celui qui fut mon chaton a compris quelle mère formidable il avait la chance d'avoir.

– Ensuite, il faudra que j'arrive à convaincre chacun que c'est notre intérêt à tous que l'ensemble du système vivant fonctionne en harmonie, comme un seul organisme géant.

– C'est quoi, un organisme ?

– Il va falloir que je te transmette mon goût pour le vocabulaire. Un organisme, c'est un corps vivant rempli de cellules.

– Tu voudrais que tout ce qui vit se connecte comme les cellules d'un seul corps ?

– Je voudrais en tout cas que ces cellules ne soient plus divisées entre plusieurs esprits rivaux, jaloux, hostiles, qui luttent les uns contre les autres pour se voler de l'énergie.

Il s'arrête et réfléchit, ce qui chez lui s'exprime par des petits soubresauts de l'extrémité de sa queue.

– Donc, nous allons vaincre et tuer tous ces rats pour leur faire comprendre ce qu'est la communication et l'harmonie entre toutes les espèces ?

Je lâche un soupir désabusé.

– Bon, Angelo, on va arrêter là cette conversation. J'espère que tu auras le temps plus tard de réfléchir à tout ça... Maintenant, laisse-moi. J'ai besoin d'être seule afin de trouver une stratégie de survie pour les jours qui viennent, dis-je le plus calmement possible.

– Encore une question, maman, dans ton envie de faire tout communiquer, tu comprends aussi nos ennemis les rats ?

– Nous ne pourrons pas éternellement nous faire la guerre.

Je prends une grande inspiration.

– Mais cela va prendre du temps pour faire accepter cette idée aux deux camps, d'où l'importance de travailler sur la communication.

Angelo secoue la tête, à moitié convaincu.

Il pense que je délire ; pour lui, il faut juste tuer tous les rats. Vu la situation, je peux comprendre cette conception simpliste.

Mon fils m'énerve quand même un peu.

Je crois que l'amour maternel n'est pas automatique : c'est une croyance, la réalité est tout autre. Nos enfants sont aussi des étrangers et il y a autant de chances qu'on s'entende avec eux qu'avec n'importe quel inconnu.

Je le laisse et pars dans l'île à la recherche de mon compagnon Pythagore. Je le trouve en pleine discussion avec Esméralda.

Oh non, pas ça. Pas lui. Pas avec elle.

J'hésite à faire un esclandre.

Ce qui me frustre, c'est qu'à cet instant précis, après toutes ces émotions, j'ai envie de faire l'amour pour me détendre. Le plus simple est donc de trouver un autre partenaire. Mais, étonnamment, je n'en ai pas vraiment envie.

Horreur : je m'attache à un mâle précis au moment même où celui-ci discute avec ma pire rivale.

Je crois que je suis paradoxale. J'ai la capacité d'être visionnaire pour toute mon espèce voire pour toute ma planète, mais je suis aussi de temps en temps une petite chatte possessive et exclusive.

À cet instant, je rêverais de pouvoir consulter l'ESRAE placée autour de mon cou, pour trouver une solution aux problèmes qui se posent à moi en ce moment : comment ne plus être jalouse et, accessoirement, comment affronter une horde de plusieurs dizaines de milliers de rats furieux obéissant à un seul chef redoutablement intelligent.

Et, avouons-le, malgré toutes mes grandes théories sur la compassion, l'empathie, la communication universelle, j'aimerais quand même le crever, ce sale rat blanc aux yeux rouges.

Tamerlan…

J'ai l'impression que j'ai déjà dû affronter cet esprit malveillant dans plusieurs de mes vies antérieures. Je l'ai déjà connu ailleurs dans un autre temps. Ce n'est pas qu'un ennemi, c'est un vieil ennemi.

66. LE PHÉNOMÈNE DE DÉJÀ VU.

Le phénomène de déjà vu a été inventé par le psychologue français Émile Boirac en 1894 dans son ouvrage *L'Avenir des sciences psychiques* et fut ensuite popularisé par le philosophe Henri Bergson. Ce dernier nomme cela : « souvenir du présent ».

Lors d'un phénomène de déjà vu, on a le sentiment profond d'être en présence d'un lieu, d'une personne ou d'une situation connus, alors même que c'est en fait rigoureusement impossible, puisqu'on n'a jamais été dans ce lieu, on n'a

jamais pu rencontrer cette personne, ni ressentir cette expérience.

En fonction des sujets, le déjà vu peut être suffisamment précis pour qu'on sache intuitivement ce qui va arriver par la suite, comme s'il s'agissait d'un souvenir.

Selon Henri Bergson, une personne sur deux aurait connu un phénomène de déjà vu. Ce phénomène toucherait avec prédilection les individus jeunes, aux tendances obsessionnelles ou hystériques.

Dans son ouvrage *L'Interprétation des rêves*, Sigmund Freud dit que le phénomène de déjà vu trouve son origine dans le « déjà rêvé ». Ce seraient donc les rêves qui nous permettraient d'explorer d'autres réalités parallèles, venant parfois correspondre avec notre réalité de référence.

Encyclopédie du Savoir Relatif et Absolu.
Volume XII.

67. NEIGE.

Par la fenêtre de mon appartement de l'île Lacroix, je découvre un phénomène nouveau.

Il neige.

Je reste à observer les flocons qui tombent, fascinée par cette nouvelle manifestation de la nature.

Il a dû neiger toute la nuit, car tout se pare à présent d'un manteau blanc, même le fleuve.

Je tremble de froid et je rejoins les autres au rez-de-chaussée.

Ils sont regroupés près d'un feu de cheminée qu'ils entretiennent en l'alimentant avec des bouts de chaises et de tables.

L'avantage aussi, avec tout ce bois brûlé, c'est que si les rats parviennent à nous capturer ils n'auront pas de support pour nous crucifier.

— Tu en penses quoi, de cette météo ? questionné-je Pythagore.

— Rien de bon. Nous avons désormais non seulement le risque de mourir de faim, mais en plus celui de mourir de froid, répond Esméralda.

— Ce n'est pas à toi que je m'adressais.

Elle paraît surprise, mais se tait. Les humains nous rejoignent et semblent eux aussi préoccupés.

— Je suis allé voir. Le fleuve a complètement gelé dans la nuit sur une épaisseur suffisante pour qu'on puisse marcher dessus, signale Roman Wells. De ce que je me souviens d'avoir lu, la dernière fois qu'il a fait aussi froid, c'était en décembre 1954.

— Cela va permettre aux rats d'avancer vite et en groupe, là où l'élément liquide les forçait à arriver sur l'île lentement et dispersés, déplore Nathalie.

— Ils vont attaquer, c'est certain, dit l'encyclopédiste.

— Parfait. Nous avons vaincu les troupes de Cambyse par le feu, nous pourrons vaincre celles de Tamerlan par la glace, dis-je.

En fait j'adore les formules qui sonnent un peu historiques.

— Et comment comptes-tu t'y prendre ? demande l'agaçante chatte noire.

— Pythagore a dit qu'ils allaient pouvoir nous attaquer en marchant sur le fleuve ; il suffira donc de percer la surface au moment où ils seront dessus. Ainsi, ils seront tous noyés dans l'eau gelée.

J'ai dit cela pour rester positive, mais je sens que mon idée n'est pas si simple que ça à réaliser.

– Très bien, j'ai compris : nous allons mourir, gémit Esméralda.

Nous restons longtemps à observer la neige et puis soudain quelqu'un au loin miaule.

– LES RATS ATTAQUENT !

Tout le monde se prépare à tenir sa position de défense. La vingtaine d'humains de notre communauté saisissent tout ce qu'ils peuvent trouver comme armes.

Roman annonce qu'il va augmenter le voltage des murs de protection.

Je sors, malgré la neige qui tombe. Je marche dans la poudreuse et m'enfonce dans cette matière blanche. Un craquement se fait entendre.

Étrangement, j'ai l'impression que la neige pourtant froide brûle l'extrémité de mes pattes et me mouille les cuisses. Mes pas laissent des traces profondes.

Je n'ai jamais eu aussi froid.

Je vais à la patinoire, sur le toit, pour observer la suite des événements.

Une première ligne de rats fonce au galop contre notre mur de barbelés électriques, comme s'ils ne l'avaient pas vu ou ne le craignaient pas. Le premier rat qui touche les fils de fer explose telle une gerbe, mais sa mort ne semble pas inquiéter ses congénères. En effet, d'autres rats se précipitent déjà sur l'obstacle.

Ils se sacrifient pour faire un pont de cadavres.

Dix rats, cent rats meurent au contact de notre mur de protection, et de nouveaux rats ne cessent d'accourir comme si cela faisait partie de leur plan d'attaque.

– Nous ne pourrons pas tenir. Il faut fuir, décrète le siamois qui m'a retrouvée.

– Fuir ? Mais pour aller où ?

– Commençons par monter sur le toit de l'immeuble le plus élevé.

Angelo, Esméralda, Nathalie et Roman nous rejoignent sur une terrasse qui surplombe l'ensemble de l'île Lacroix.

De là-haut nous pouvons encore mieux suivre la situation. Tout va très vite.

La première ligne de centaines de rats suicidaires constitue désormais un pont suffisamment isolant pour qu'une deuxième vague parvienne à franchir notre mur de protection. Les rats n'ont désormais plus aucun obstacle qui les empêche de nous atteindre.

Ils nous repèrent et s'engouffrent dans l'entrée de l'immeuble au sommet duquel nous nous trouvons. Mais Roman a installé un piège : il verse des bidons d'essence depuis le premier étage et, tandis que les rats grimpent par centaines dans l'escalier, il enflamme la substance. Ainsi, la seconde vague qui n'a pas été stoppée par l'électricité est bloquée par le feu.

Cependant, leur détermination n'a pas faibli. Quelques rats enflammés poursuivent malgré tout leur offensive pour venir mourir le plus haut possible dans les étages de notre immeuble.

– Combien de temps notre défense peut-elle tenir ?

– Quelques heures. À moins qu'ils n'arrivent à étouffer le feu en le recouvrant d'une couche de cadavres, comme pour la barrière électrique, répond Roman.

Je me penche sur le bord de la terrasse et constate combien l'armée adverse est nombreuse.

Ils sont peut-être une centaine de milliers.

100 000 rats contre 200 chats et 22 humains retranchés dans l'immeuble le plus haut de l'île Lacroix.

– Nous nous battrons jusqu'au bout et s'ils arrivent à passer, nous sauterons dans le vide, comme ça ils ne pourront pas nous crucifier ! miaule Esméralda.

Voilà bien le genre de phrase qui ne sert à rien.

– Et si nous faisions une tyrolienne ?

C'est ma servante Nathalie qui a parlé. Intéressée par toute proposition pour nous sortir de ce très mauvais pas, je l'interroge :

– C'est quoi ?

– Cela consisterait à tendre une corde entre ce point élevé de l'île et un point plus bas de la berge, pour nous laisser glisser dessus, explique Roman.

Cette idée me semble bonne en théorie, mais je ne vois pas bien comment la mettre en pratique.

Roman ouvre une grosse boîte de fer murale qui contient un tuyau fait en tissu.

– C'est une lance à incendie, signale Pythagore. Elle est suffisamment longue et solide pour nous fournir une parfaite tyrolienne.

Roman déroule le tuyau, fabrique ensuite un lasso, le fait tournoyer et le lance le plus loin possible en direction d'une cheminée d'immeuble en contrebas sur la berge.

Mais il n'arrive même pas à franchir la moitié de la distance.

– Il nous faudrait un drone, dit-il. J'en avais un au laboratoire et je n'ai pas pensé à le prendre !

Faute de mieux, il crée ensuite une sorte de javelot et le projette un peu plus loin, mais le tir n'est pas suffisamment précis pour que l'anse se fixe sur la cheminée.

Heureusement, le feu continue de brûler dans la cage d'escalier et contient la horde brune.

C'est alors que j'entends un cri aigu d'oiseau qu'il me semble reconnaître.

C'est « ma » fauconne, celle dont j'ai gobé les œufs et que j'ai ensuite sauvée.

Le rapace atterrit tout près de moi et commence à s'exprimer dans sa langue à laquelle, évidemment, je ne comprends rien.

C'est Champollion qui a dû la contacter et la convaincre de venir nous aider. Mais il n'est pas là pour traduire.

Comment expliquer notre projet de tyrolienne à un faucon ?

Je me concentre et je tente de lui expliquer par télépathie.

S'il te plaît, prends ce cordon et apporte-le en face.

Elle secoue la tête.

Nathalie a elle aussi compris la formidable opportunité qu'offre cette alliée inattendue. Ma servante choisit le langage universel des signes. Elle va jusqu'à prendre le tuyau dans sa bouche et à agiter les bras comme si elle était un oiseau, avant de désigner la cheminée sur l'autre rive.

Le rapace dodeline de la tête, nous observant alternativement de chacun de ses yeux latéraux.

Nathalie lui tend l'extrémité du tuyau.

La fauconne hésite puis, finalement, prend le lien dans ses serres et traverse le bras du fleuve. Arrivée à la maison en contrebas, elle bat des ailes pour se maintenir en position stationnaire quelques secondes, puis elle libère le lasso… qui atterrit à côté de la cheminée.

Raté. Pas de chance : nous sommes tombés sur une maladroite.

La fauconne ne renonce cependant pas. Elle s'y reprend à plusieurs fois et parvient finalement à passer le lasso autour de la cheminée. Une fois que ce lien est bien fixé, nous ne perdons pas de temps.

Roman fabrique une poignée à fixer à la tyrolienne avec un morceau de fil de fer.

Il s'élance en premier pour la tester et atteint sans encombre le toit où se trouve la cheminée. Il assure la fixation puis, un par un, en utilisant ce moyen de fortune, la vingtaine d'autres humains portant chacun un sac rempli d'une dizaine de chats franchit le fleuve glacé en se laissant glisser le long de la pente.

Je suis moi-même transportée avec Angelo, Pythagore et Esméralda par ma servante.

Il était temps de déguerpir.

Déjà les rats ont atteint le sommet du building où nous étions et commencent à grignoter de leurs incisives tranchantes le tuyau de toile de notre tyrolienne.

Seul le dernier humain qui se lance avec ses chats chute et périt dans les secondes qui suivent en s'écrasant contre la surface gelée du fleuve.

J'ai bien fait de partir dans les tout premiers.

Les rats poussent des sifflements de frustration.

Je me tourne vers la fauconne.

Dire que cet animal avec lequel j'ai eu au début des rapports si compliqués s'avère aujourd'hui notre sauveur. Voilà la preuve que la compassion est rentable. Je me dis aussitôt qu'il faut que je développe ce talent pour me connecter à d'autres formes de vie : sentir leur détresse d'abord, ensuite agir pour les aider, enfin communiquer.

Une autre idée me traverse l'esprit. Si la fauconne est là, c'est qu'elle est l'unique « alliée » que Champollion ait réussi à faire

409

venir. Lui qui craignait ce rapace, c'est finalement le seul qu'il soit parvenu à convaincre.

Nous savons qu'il ne faut pas perdre de temps. La maison où nous avons atterri est un magasin qui vend du matériel de sport. Nos jeunes humains y voient une opportunité de récupérer les patins à glace pour pouvoir fuir plus rapidement sur le fleuve gelé.

Ils s'équipent de patins et de sacs à dos de sport plus volumineux, dans lesquels nous les chats nous installons.

Nathalie descend sur la glace et se met à glisser. Les autres humains qui, par chance, savent tous à peu près patiner se lancent à notre suite au milieu du fleuve.

Il fait froid mais la sensation de glisse est extraordinaire.

Avec les patins, les humains se déplacent dix fois plus vite.

Nous franchissons le barrage de péniches et filons vers l'ouest.

Mes poils virevoltent dans le vent alors que les flocons continuent toujours de tomber.

J'admire l'aisance des humains à glisser sur le fleuve transformé en miroir. J'encourage fermement ma servante :

– Allez, plus vite, Nathalie, ce n'est pas le moment de traîner, il faut nous éloigner de ces maudits rongeurs.

Elle accélère et de nouveau j'ai le sentiment que ce sont mes idées et mes décisions qui nous ont permis d'échapper de justesse à une grande menace.

Que serions-nous devenus si je n'avais pas tissé un lien solide d'amitié avec cette fauconne ? Je n'ose l'imaginer. Et pourtant, je ne suis même pas sûre que les autres m'en soient reconnaissants. Évidemment, pour eux tout cela est normal...

Nathalie donne soudain un coup net d'arrêt à ses patins.

Face à nous vient d'apparaître une ligne d'oreilles rondes et d'incisives aiguisées tels des sabres.

– Tamerlan avait déjà prévu que nous pourrions passer le barrage, murmure Pythagore. Il est vraiment très fort.

Déjà, d'autres rats surgissent derrière nous et sur les côtés.

– Ils nous encerclent, dit Esméralda.

Nous nous regroupons au milieu du fleuve gelé sur lequel la neige continue de tomber.

Nous les chats, nous descendons des sacs à dos, formant une ligne de défense circulaire. Les vingt et un humains se placent prudemment derrière nous.

Nous nous jaugeons de loin. Nathalie me tend les jumelles.

Au-dessus de la foule de poils bruns, je distingue Tamerlan porté par deux rats qui sont soutenus par quatre rats, eux-mêmes sur huit rats. Ils forment une pyramide vivante qui permet au roi des rats de voir de plus haut.

Je regarde attentivement pour essayer de compter nos ennemis. Pas de doute, ils sont dix fois plus nombreux que lors de la bataille de l'île aux Cygnes. S'ils étaient alors quelques dizaines de milliers, cette fois-ci ils sont plusieurs centaines de milliers.

À cet instant, je me mets à espérer très fort qu'il existe une force quelconque au-dessus de nos têtes qui nous veut du bien.

Ils ont dû être nombreux ceux qui, dans notre situation, se sont dit qu'il leur faudrait désormais un miracle pour être sauvés.

68. LES CATHARES.

Le mouvement dit des cathares est apparu au XIIᵉ siècle en France, dans la région de Toulouse.

Le mot « cathare » vient du mot *cattus* (« chat » en bas latin, qui va donner *cat* en anglais). Leurs adversaires les avaient ainsi baptisés car ils prétendaient que les cathares embrassaient le derrière des chats pour montrer leur soumission à Lucifer. Entre eux, les cathares s'appelaient « bons hommes ».

Il s'agissait d'un mouvement chrétien qui critiquait le train de vie fastueux des papes au Vatican.

La philosophie cathare était en quête du christianisme des origines, avant qu'il ne soit, selon eux, dévoyé par la hiérarchie du Vatican.

Les cathares n'adoraient pas la croix (symbole de la mort), mais plutôt le pélican. Ils comparaient le Christ à cet oiseau qui, par son esprit, vole au-dessus de la matière.

Le catharisme impliquait le respect inconditionnel de la vie (il était interdit de tuer, même les animaux) et la recherche de la pureté. Les « parfaits », nom donné par les cathares à leurs prêtres, devaient éviter la sexualité. Ils étaient strictement végétariens et pratiquaient des jeûnes très longs, appelés *endura*. Ils refusaient la propriété privée. Ils se voulaient pacifistes et rejetaient l'idée du diable. Les enfants cathares recevaient le baptême non pas à la naissance mais à treize ans, un âge où ils estimaient qu'on était capable d'en comprendre le sens.

En 1119, le pape condamna le mouvement en prétextant que l'*endura* était une forme de suicide et que le rejet de la sexualité empêchait la reproduction des croyants.

En 1028, le pape Innocent III déclara que les cathares étaient hérétiques et demanda au roi de France Philippe Auguste de lancer contre eux une croisade au même titre que s'il s'agissait d'infidèles. Cela tombait bien, car le roi de France souhaitait justement reprendre en main cette région du Sud.

Lorsque le légat du pape arriva à Toulouse pour organiser la croisade contre les cathares, le comte Raymond VI ne fut guère enthousiaste à l'idée de lutter contre ses propres sujets, quelles que soient leurs convictions religieuses. D'autant qu'il s'agissait d'une croisade chrétienne contre des chrétiens.

Le légat du pape envoyé auprès du comte de Toulouse fut assassiné. Innocent III, lorsqu'il apprit la nouvelle, décida d'excommunier Raymond VI.

Cette croisade contre ceux qu'on appelait alors les albigeois fut menée par les barons du Nord. Elle était dirigée par l'un d'entre eux, Simon de Montfort. Celui-ci assiégea Béziers. Quand il réussit à prendre la ville, il massacra toute la population. Puis il fit le siège de Carcassonne qui s'acheva par l'emprisonnement et l'assassinat de son vicomte. Tous les habitants survivants furent dépouillés de leurs biens et chassés nus hors de la ville. Simon de Montfort attaqua ensuite et prit la ville d'Albi. Il tenta aussi de s'emparer de Toulouse, mais sans succès.

Pour essayer d'apaiser la situation, Raymond VI décida de s'excuser en public auprès du pape Innocent III et promit de ne plus soutenir les cathares.

Son excommunication fut levée.

Mais suivirent encore plusieurs sièges et massacres dans les villes considérées comme complices des hérétiques.

Les barons du Nord s'octroyèrent ainsi les terres des comtes du Sud, et firent allégeance au roi de France et au pape qui les avaient envoyés guerroyer.

La guerre contre les cathares dura vingt ans, causa la mort d'un million de personnes et s'acheva en 1244 par le siège et la prise du château de Montségur dans les Pyrénées, où les derniers cathares s'étaient réfugiés. Les 215 cathares survivants furent brûlés vifs sur des bûchers.

Le légat du pape aurait eu à propos des habitants de Béziers, qui n'étaient pas tous cathares, cette phrase devenue célèbre : « Tuez-les tous, Dieu reconnaîtra les siens. »

Encyclopédie du Savoir Relatif et Absolu.
Volume XII.

69. DU SANG SUR LA GLACE.

Je ne sais pas vous, mais, par moments, je me sens fatiguée de me battre pour prouver que j'ai raison.

J'ai juste envie de dire : « Bon c'est fichu, achevez-moi, et qu'on en finisse le plus rapidement possible. Et désolée du dérangement. »

D'ailleurs, je me demande parfois si ce n'est pas moi qui me trompe depuis le début et si ce ne sont pas mes adversaires qui, après tout, voient juste.

Ainsi, alors que je contemple la foule des rats foncer au pas de charge contre notre petite communauté survivante, un doute m'effleure l'esprit.

Et si c'était cela, le sens de l'histoire ? Nos ennemis doivent gagner et nous devons perdre. Le pire doit arriver. Les bons doivent mourir pour que s'installe un système dur et injuste, sans compassion, sans humour, sans art. Un système rat.

Après tous ces efforts face à l'adversité, je dois reconnaître qu'on ne peut retenir avec ses pattes l'eau d'un fleuve. Et cette horde brune n'est rien d'autre qu'un fleuve vivant, sombre et corrosif.

Adieu, Pythagore, je t'aimais sincèrement.

Je le pense mais je ne le dis pas.

Et puis c'est le choc. Nous sommes cognés de plein fouet par la première ligne de nos assaillants. Les griffes frappent les incisives, les pattes fendent l'air, partout cela mord, blesse, crie. C'est une mêlée de griffes et de dents.

Nous combattons pour vendre le plus chèrement possible nos peaux. Au-dessus de nous, les humains, sortes de géants, donnent des coups de talon aux rats qui tentent de les escalader. J'utilise le chat-kwan-do pour virevolter entre mes adversaires que je charge en ponctuant mes attaques de petits miaulements que j'espère effrayants. Cependant, le nombre nous submerge. Nous reculons et certains d'entre nous tombent.

Soudain, une détonation retentit, suivie par une rafale. Les rats s'arrêtent, surpris, et j'en vois déjà qui éclatent en gerbes sanglantes sous les tirs en provenance de la rive sud.

Après les détonations, arrivent les explosions. La glace est brisée. L'eau noire devient visible et engloutit des centaines de nos assaillants.

Une attaque-surprise des fanatiques religieux. Une vingtaine de barbus ont jailli de trois voitures garées sur la berge. Ils courent et abattent systématiquement les rats en utilisant des armes à feu et des lance-grenades.

Comment ont-ils su où venir?

Champollion.

Plus j'y réfléchis, plus cela me semble évident. Le perroquet a dû chercher de l'aide partout, comme il l'avait promis. Et comme je lui ai demandé de contacter des humains, il l'a fait, sauf qu'il n'a pas ramené ceux que je souhaitais.

Les fanatiques religieux sont venus pour récupérer l'ESRAE.

415

Autour de nous, les humains barbus ne cessent de tirer et de lancer des grenades dans la foule de rats. Ensuite, j'ai l'impression que tout se passe au ralenti.

Je regarde des humains que je n'aime pas lutter contre des rats que j'aime encore moins. Ce sont les bonnes surprises de l'existence : parfois vos ennemis s'entretuent.

Soudain, une main jaillit, m'attrape par la peau du cou, me soulève et m'emporte.

C'est un barbu.

Ils ont compris (ou peut-être que Champollion le leur a dit) que c'était moi qui avais l'ESRAE autour du cou.

Je voudrais le griffer ou le mordre, mais quand on m'attrape par la peau derrière les oreilles, je perds tous mes moyens. Cette position me ramène en enfance, quand ma mère me transportait dans sa gueule en me tenant par le cou.

C'est vraiment mon point faible, un réflexe profond conditionné, tout comme les lumières rouges laser qui me fascinent ou les rouleaux de papier toilette (je suis incapable de me retenir de les dérouler).

Le barbu qui me tient détale en me brandissant comme un trophée.

Tamerlan, qui surveille de loin, comprend la situation, et siffle des ordres en me désignant. Des rats se mettent aussitôt à notre poursuite.

C'est moi qu'ils veulent tous !

Le fanatique religieux court sur le fleuve gelé, mais un taureau surgit sur notre gauche. Il renverse mon kidnappeur qui me lâche. J'ai tout juste le temps de reconnaître le taureau de la corrida que j'ai rencontré chez les porcs.

Au-dessus de lui volète Champollion qui a dû le guider vers moi.

Le perroquet et le taureau ne sont pas seuls : arrivent en renfort une centaine de porcs de l'usine Saucissounou, dirigés par notre avocat Badinter, plus des chiens de la meute menée par le border collie.

– Champollion !... J'étais sûre que tu réussirais.

Et je pense, sans oser le dire :

Mais je ne te félicite pas pour ta ponctualité.

Ensuite, ce qu'il se passe est difficile à décrire. C'est la grande mêlée. Les rats attaquent avec prédilection les barbus armés qui, du coup, ne peuvent plus tirer aussi facilement. Certains d'entre eux, pris de panique, lancent des grenades qui font de nouveaux trous dans la glace, de sorte que les rats tombent et se noient dans l'eau froide.

Profitant de la diversion, les chiens, les porcs et le taureau combattent les lignes de rats qui s'égaillent.

Tous me cherchent, comme un ballon dans un match de football (ou une souris dans un match de chat-ball). Si ce n'est que cette fois-ci le terrain est un fleuve gelé blanc et lisse, que les deux équipes sont composées de plusieurs dizaines de milliers de joueurs d'espèces différentes et que le ballon, c'est... moi.

Lorsque les barbus ont épuisé leurs munitions et leurs grenades, ils se mettent à combattre au sabre, fendant au hasard dans la masse de poils bruns.

À un moment, Angelo, Pythagore et moi nous retrouvons encerclés par une centaine de rats. C'est alors que surgit Nathalie sur ses patins qui m'attrape et me serre contre son cœur. Elle file en glissant sur la glace pour essayer de m'éloigner de la zone des combats.

Brave servante.

D'autres barbus sont déjà à mes trousses. Dépourvus de patins, ils se meuvent difficilement, glissent et chutent.

Finalement, je me demande si je n'aurais pas mieux fait de confier l'ESRAE à Pythagore.

Justement, il me rejoint. Je lui miaule :

– Tu veux prendre l'ESRAE ?

– Pour l'instant je crois que tu te débrouilles mieux que je ne le ferais.

Quel trouillard, celui-là.

Nathalie court en me brandissant à bout de bras mais des centaines de rats nous talonnent. Un groupe de porcs déboule à cet instant sur le côté et les bouscule.

Je reconnais Badinter qui, d'un geste du groin, me fait comprendre que je peux grimper sur son dos. Je plante mes griffes dans son épiderme pour bien m'arrimer et il se met à galoper de toute la puissance de ses grosses pattes qui adhèrent plutôt bien à la surface du fleuve gelé pour rejoindre la berge. Sur le sol enneigé mais plus solide, la course reprend.

La horde brune est sur nous.

Alors que Badinter commence à fatiguer, un groupe de rats le prend en course.

– Attention, ils vont nous rattraper ! dis-je.

Mais il ne comprend pas mes miaulements.

Instinctivement, les autres porcs se regroupent autour de nous, aidés par les chats et les chiens pour former un groupe compact de protection...

Je n'aurais jamais cru pouvoir un jour fédérer autant d'individus autour de ma personne.

Je décide de descendre de mon porc épuisé et poisseux de sueur. Tant pis, je vais me débrouiller seule.

Partout cela crie, hurle, frappe, tue. Les hurlements des blessés se mêlent aux cris de rage des combattants valides.

Moi-même je ne retiens pas mes coups. Je saute, je mords, je déchire, je pare les coups d'incisives et les coups de queue.

Mais la fatigue me gagne moi aussi, et le nombre de mes adversaires leur donne l'avantage.

Le taureau réapparaît et m'invite à son tour à monter sur son dos. Je m'agrippe à son échine comme je l'ai fait avec Badinter. Il baisse la tête et fonce dans la masse des rats qu'il piétine et embroche sur la pointe de ses cornes. C'est une impressionnante machine de guerre, presque aussi efficace que le lion Hannibal.

Il me semble tout à coup reconnaître au beau milieu de la confusion Tamerlan, toujours dressé sur d'autres rats pour voir plus loin. Nous échangeons un regard, ses yeux rouges dans mes yeux verts.

J'ai envie de dire au taureau de foncer vers lui, mais je ne sais pas parler le langage des taureaux et, malgré mes tentatives pour me brancher sur son esprit, le taureau est trop excité pour m'entendre.

Autour de nous, les choses se compliquent encore : la neige qui tombe de plus en plus dru réduit la visibilité. Le temps joue cependant en faveur de la horde des rats qui sont plus nombreux et arrivent à toujours présenter des troupes fraîches.

Un groupe de rats s'accrochent aux pattes de mon taureau, parviennent à le bloquer, mais avant qu'ils ne me capturent, je saute et galope le long de la berge enneigée.

Je n'ai que le temps de voir mon ami taureau se faire recouvrir

419

de boules de fourrure grise aux incisives tranchantes. Il ploie les genoux, puis s'effondre.

Adieu, taureau, tu auras été un combattant héroïque jusqu'au bout.

Les rats avancent, déterminés.

J'ai froid. J'ai peur. Je compte bien vendre chèrement ma peau avant qu'ils ne récupèrent l'ESRAE fixée à mon cou.

C'est alors que Champollion jaillit et essaie de s'envoler avec moi, mais le perroquet a surestimé ses forces. Il est capable de soulever un petit rat comme Tamerlan, mais pas un gros chat comme moi. Il s'y reprend à plusieurs fois, alors que les rats s'approchent, incisives apparentes.

– Tu as fait tout ce que tu as pu, Champollion, mais là, c'est au-dessus de tes capacités.

Le perroquet ne renonce pas, il lance un cri dans une langue que je ne reconnais pas. C'est alors que la fauconne, cessant de tournoyer au-dessus du champ de bataille, fonce et me saisit entre ses serres.

Je me sens agrippée et emportée d'un trait dans les airs.

Heureusement que je ne suis pas trop lourde. J'ai bien fait de surveiller ma ligne ces derniers temps, sinon il n'aurait jamais pu me sauver.

Les ailes du rapace battent au-dessus de moi. En me penchant, je les vois tous nous regarder depuis le sol. J'essaie d'adopter une position gracieuse, conforme à mon statut de reine.

Me voilà de nouveau en train de voler, non plus en montgolfière, ni en dirigeable, ni en tyrolienne, mais en oiseau. Je commence à me demander si le ciel n'est pas la porte de sortie idéale de toutes les situations délicates.

Certes, les serres plantées dans ma fourrure me font mal, mais ce n'est pas le moment de jouer les douillettes. Je ne souhaite qu'une chose, c'est que ma fauconne ne lâche pas sa prise. Nous volons au milieu des bourrasques de flocons de neige qui tournoient autour de nous.

De ma position élevée, je vois encore mieux la bataille. Les porcs, bien regroupés, ne se laissent pas submerger. Les chiens ont réussi eux aussi à s'unir aux chats et aux humains de l'île de la Cité pour présenter une ligne de résistance solide.

Les barbus reculent en direction de leurs voitures. Je suppose qu'ils sont enfin à court de munitions.

La fauconne m'entraîne vers le toit d'un haut bâtiment à l'ouest de Rouen.

Nous atterrissons. Champollion nous rejoint.

Il parle en langage faucon, l'autre lui répond, puis enfin il se tourne vers moi :

– Il sait, grâce à moi, combien l'ESRAE est précieuse. Il veut que tu te souviennes de partager cet héritage de savoir humain avec les faucons. Je lui ai dit que tu avais promis de transmettre les connaissances accrochées à ton cou à plusieurs autres espèces et qu'on pouvait y ajouter les faucons.

La neige tombe de plus en plus fort. Le vent fait tournoyer les flocons. Je grelotte. Nous décidons de descendre nous installer dans un appartement des étages inférieurs. Je m'adresse à Champollion :

– Mieux vaut que la fauconne et moi restions là à t'attendre pendant que tu vas voir comment ça évolue sur le champ de bataille.

Il approuve puis s'envole. Enfin, j'ai l'impression que je peux souffler un peu.

Brave perroquet tu as vraiment fait un excellent travail.

421

70. BLAGUE DE PERROQUETS.

Un homme entre dans une animalerie, et déclare qu'il souhaite acheter un perroquet qui parle.

Le vendeur lui en présente un très beau qui coûte 100 euros. Un deuxième encore plus beau à 200 euros. Un troisième superbe à 500 euros et enfin un vieux gris, déplumé, à 1 000 euros.

– Qu'est-ce qui explique cette différence de prix ? demande le client au vendeur.

– Celui à 100 euros parle bien le français. Celui à 200 euros parle le français et l'anglais.

– Intéressant. Et celui à 500 euros, il parle cinq langues ?

– En effet, monsieur, il parle couramment français, anglais, allemand, espagnol et chinois.

– Alors dans ce cas, je suppose que le vieux gris à 1 000 euros connaît dix langues ?

– Non, monsieur, le gris ne connaît aucune langue, il ne fait que caqueter et siffler comme un oiseau.

– Alors pourquoi coûte-t-il si cher, s'il est vieux, laid et qu'il ne sait même pas parler couramment une langue ? s'étonne le client.

– Ah, ça c'est parce que les trois autres quand ils s'adressent à lui l'appellent « chef ».

Encyclopédie du Savoir Relatif et Absolu.
Volume XII.

71. APRÈS LA BATAILLE.

Il y a des moments où il faut briller à la face du monde, et d'autres où il vaut mieux rester planqué à attendre que les autres s'entretuent.

Je reste avec la fauconne, tous les deux bien cachés dans l'appartement humain. Nous nous regardons. Je ferme les yeux. De nouveau j'essaie de communiquer d'esprit à esprit. Je me concentre et émets le message suivant :

Je te remercie d'avoir sauvé non seulement ma personne, mais tout le savoir des hommes que je détiens autour de mon cou.

Elle tourne la tête, intriguée, je sens qu'elle a envie de me comprendre. Alors je continue de lui parler via mon esprit :

Évidemment, je partagerai les connaissances de l'ESRAE avec vous et avec tous ceux qui le souhaitent, à l'exception des rats, bien sûr.

Elle reste à me regarder alternativement avec chaque œil.

Je voulais te dire aussi que je suis désolée pour tes œufs. Maintenant que je te connais et après ce que tu as fait pour me sauver, j'ai honte d'avoir touché à ta descendance. Je suis contente d'avoir épargné le dernier.

Elle ouvre son bec crochu, déploie une langue qui ressemble à une limace jaune et sort un son que j'interprète comme :

Tu as raison, Bastet. C'est du passé, n'en parlons plus.

Nous attendons longtemps.

Enfin Champollion revient et s'ébroue longuement pour se débarrasser de la poudreuse blanche qui le recouvre. Impatiente, je l'interromps :

— Alors, qui a gagné ?

— Il y avait tellement de neige qui tombait que la bataille ne

423

pouvait pas se poursuivre. Le froid et le manque de visibilité ont eu raison des ardeurs des combattants. Tout le monde s'est dispersé. Je pense que dès le moment où Tamerlan a su que tu t'étais envolée avec la fauconne, son intérêt pour cette tuerie collective a disparu. Ses troupes devaient en avoir sacrément marre de courir sur la glace les pattes nues, surtout si ça ne servait plus à rien.

Le perroquet déploie et replie sa huppe aux extrémités jaunes. J'aime bien quand il fait ça, c'est joli, on dirait qu'il se transforme en une seconde en fleur.

– Alors il n'y a pas de vainqueur ?

– Au jeu d'échecs (mon maître m'a appris à y jouer), on parle dans ces cas de « pat ».

– Où sont Angelo, Pythagore, Esméralda, Nathalie, Roman ?

– Justement, c'est pour cela que je suis là. Roman m'a demandé de te transmettre un message. Il te donne rendez-vous sur le quai du port du Havre. Tu sais, cette ville qui est située exactement au bout du fleuve et qui donne sur la mer. Il nous suffira de longer la Seine jusqu'à son embouchure. Je te guiderai. Ensuite, il a précisé que lorsque nous serons là-bas il faudra retrouver dans le port le secteur des vieux gréements. Il m'a dit que c'étaient des anciens bateaux à voile en bois très grands et très hauts.

– Et eux, comment vont-ils aller au Havre ? Le fleuve est gelé, ils ne peuvent pas poursuivre leur route en bateau.

– Ils ont trouvé plusieurs gros camions qui avaient encore de l'essence et ont embarqué tout le monde dedans. Les jeunes humains conduisent.

– Des camions ? Est-ce suffisant pour deux cents chats et vingt humains ?

– Il y a eu des pertes. À l'heure actuelle, on est plutôt dans les cent cinquante chats et douze humains.

– Et les porcs et les chiens ?

– Certains sont morts, d'autres sont retournés d'où ils venaient. Il ne reste qu'un petit groupe qui s'est réparti entre les différents camions.

– Combien en reste-t-il exactement ?

– Une dizaine de porcs, dont Badinter, et une dizaine de chiens, dont le border collie qui a fini par me révéler son nom. Il a été baptisé par son maître Napoléon. Bon, il ne faut pas trop tarder. Dès que la neige aura un peu faibli, je te propose que nous partions.

J'acquiesce en me léchant les pattes, signe que je me prépare à marcher.

– Attendons quand même que la neige cesse de tomber, dit Champollion. Et puis il faudra tenir compte d'un nouvel ennemi redoutable : les pigeons. J'ai intercepté des roucoulades qui ne laissent pas de doutes : Tamerlan a fait alliance avec eux.

– Ah, parce que tu parles aussi pigeon ?

– C'est plus facile pour moi qui suis déjà un volatile. Le pigeon consiste surtout en sons de gorge.

– Mais comment Tamerlan a-t-il pu les convaincre ? Il ne sait pas communiquer avec eux.

– Je pense qu'il est capable de se débrouiller pour mélanger une sorte de communication télépathique basique et des gestes inspirés du langage des signes. Cela suffit quand les deux esprits sont déjà sur la même longueur d'onde.

Bon sang, mon pire ennemi a réussi là où je peine tant. Il va vraiment falloir que je travaille ma gestuelle afin d'accompagner mes messages télépathiques.

– Désormais, le ciel est rempli d'espions qui te cherchent,

Bastet. Nous ne pourrons plus circuler à découvert. Si un pigeon te voit, il trouvera un moyen d'avertir les rats.

Ma mère avait raison, les pigeons sont bien des rats volants.

– Nous avons la fauconne pour nous protéger des pigeons, dis-je.

Champollion s'adresse au rapace, dialogue puis me traduit.

– Elle dit qu'elle est certes venue pour aider, mais qu'elle ne peut pas rester indéfiniment avec nous. Elle doit rentrer pour s'occuper de son dernier oisillon.

L'œuf que j'ai épargné. Si j'avais su, j'aurais peut-être libéré cette mère de ses « obligations familiales ».

– Je comprends, bien sûr, dis-je poliment.

Et, mettant son annonce à exécution, la fauconne, considérant qu'elle a terminé sa mission, se place au bord de la fenêtre et s'envole sous la neige qui continue de tomber.

– Elle n'est pas gênée par les flocons ?

– Elle a bien plus de puissance dans les ailes que moi. Elle sait monter au-dessus des nuages. Je serais incapable de cette performance.

– Nous voilà donc désormais seuls, juste toi et moi, Champollion, proféré-je dans un soupir.

Le perroquet se penche pour observer ce qu'il se passe derrière la fenêtre.

– Nous reprendrons la route quand la météo sera plus clémente, propose-t-il.

Pour ma part, je ne peux m'empêcher de constater que tout ce qui s'est passé récemment a permis à plusieurs espèces qui ne communiquaient pas de commencer à se comprendre.

Au début, des humains et des chats. Puis sont venus s'ajouter les chiens, les porcs, les taureaux, les faucons. La guerre est une sorte de catharsis qui force les êtres à dépasser leurs habitudes et à s'intéresser aux autres. Même les rats ont été obligés de reconnaître que seuls, ils ne pouvaient pas vaincre et qu'ils devaient s'allier à des êtres aussi différents que les pigeons, alors qu'ils s'ignoraient depuis toujours. Tout ça grâce à moi. Et en plus c'est moi et moi seule qui ai parlé au roi des rats. Et c'est moi qui détiens autour de mon cou l'objet le plus précieux de l'univers.

— À quoi tu penses ? me demande Champollion.

— Je me disais que tout ce qui nous arrive est pour notre bien. Et même quand la situation a l'air difficile, cela nous force toujours à évoluer, de sorte qu'on s'aperçoit que certains malheurs ont bien fait d'arriver.

Il hausse les ailes.

— Moi je préfère le bonheur, sans rien souhaiter d'autre, conclut-il.

C'est parce qu'il a une vision limitée. Le bonheur endort, le malheur réveille, mais il ne pourra jamais entendre cela. Il ne cherche que la tranquillité, comme tous les pacifistes du genre de Pythagore. Le conflit stimule le courage et l'intelligence ; la paix, c'est pour les fainéants.

Encore une pensée que je devrai diffuser avec parcimonie, sinon je risque d'encourager les va-t-en-guerre stupides dans le genre d'Angelo.

Nous restons à attendre longtemps. Avec la nuit, la neige cesse de tomber.

— Viens, dit-il. Et n'oublie pas, si tu entends un battement d'aile, une roucoulade ou si tu distingues un pigeon au loin, tu te caches aussitôt.

Nous sortons pour marcher dans les rues de Rouen très enneigées. Le contact de la neige molle sur mes coussinets me fait un effet bizarre. Derrière moi, chaque pas laisse une empreinte profonde. Je rase les murs pour être le moins visible possible depuis le ciel.

Si on m'avait dit qu'un jour j'aurais peur des pigeons...

Champollion en tant qu'hyper-bavard ne supporte pas le silence, alors c'est lui qui lance un sujet de conversation :

– Tu connais l'écrivain Jean de La Fontaine ?

– Non.

– Mon maître m'a appris des fables de La Fontaine que je devais non seulement retenir par cœur, mais aussi comprendre.

– Pourquoi me parles-tu de lui ?

– La Fontaine a tout compris de son époque. Mais comme il ne pouvait pas l'exprimer frontalement, de crainte d'être mal vu du roi, il a choisi d'utiliser les animaux comme allégories.

– Cela veut dire quoi, « allégories » ?

– C'est une manière de présenter autrement les choses. Dans une de ses fables, La Fontaine raconte par exemple comment un renard rencontre un corbeau qui tient dans son bec de la nourriture. Il lui parle, et le couvre de compliments jusqu'au moment où il lui dit que l'autre doit avoir une belle voix. Alors, désireux de la montrer, le corbeau ouvre son bec et lâche la nourriture, que le renard récupère, ravi. C'est une fable qui nous montre qu'il faut se méfier des gens qui nous flattent.

– Et ils se parlaient en quelle langue, ces deux animaux ? Ils avaient un perroquet qui leur traduisait les paroles de chacun ?

– La Fontaine élude le problème de la communication, il part du postulat que tous les animaux se comprennent, quelle que soit leur espèce.

– Raconte-moi une autre de ses fables.

– Une autre histoire s'intitule « Les animaux malades de la

peste ». Tous les animaux sont touchés par une épidémie mortelle ; alors, ils décident chacun à tour de rôle de faire leur *mea culpa* – c'est-à-dire qu'ils confessent leurs erreurs. Chacun reconnaît qu'il a commis des crimes : le lion a mangé la gazelle, le loup a mangé le mouton, etc. Jusqu'à ce que l'âne avoue avoir brouté de l'herbe. Et là, comme par hasard, tout le monde trouve que c'est le pire crime. Alors ils exécutent l'âne.

– Je n'ai rien compris.

– Il y a aussi l'histoire d'une cigale et d'une fourmi…

– Qui se parlent elles aussi sans traducteur ?

– Oui, mais…

Je n'y crois pas une seconde, à ses fables de La Fontaine, elles ne sont pas du tout réalistes.

– Il y a des histoires avec des chats ?

– Bien sûr. Par exemple, « Le chat, la belette et le petit lapin ». C'est l'histoire d'un lapin qui se fâche avec une belette et qui demande qu'un chat serve de juge dans leur querelle et…

– Pourquoi tu me parles de ce La Fontaine ?

– Attends. Il a suggéré que les animaux pouvaient résoudre des problèmes politiques complexes. C'est là où je voulais en venir.

– Alors nous sommes en train nous aussi de vivre dans une sorte de fable de La Fontaine, c'est ça ?

– J'en suis persuadé.

– On pourrait appeler notre fable : « Les chats, les rats et le perroquet » ? dis-je non sans une pointe d'ironie. Non, désolée, Champollion, mais ton La Fontaine me semble énoncer un ramassis de sornettes irréalistes qu'on ne peut pas du tout comparer à notre situation actuelle.

Tantôt je garde les yeux tournés vers le sol pour guetter le moindre rat, tantôt je les dirige vers le ciel pour guetter l'apparition du moindre pigeon.

Je me dis que si je rencontre cet écrivain, Jean de La Fontaine, je lui expliquerai qu'il ne doit pas gaspiller son talent à raconter des mensonges et je lui apprendrai comment communiquent réellement les animaux.

Par l'esprit, par les traducteurs cacatoès, par le branchement d'un câble USB sur leur Troisième Œil.

Nous marchons, quand soudain un pigeon vole au-dessus de nous.

Champollion a aussitôt le bon réflexe : il se met à pousser un cri similaire à celui du faucon. C'est un cri déchirant, un cri terrible, un cri de rapace.

72. LES EFFAROUCHEURS.

Depuis 1960, on attribue 79 crashs aériens à des collisions avec des oiseaux pris dans les réacteurs.

Rien qu'en France, on compte 800 collisions entre avions et oiseaux en moyenne chaque année. Et 15 % sont jugées sérieuses.

Aussi, à partir de 1989, tous les aéroports en France se sont équipés d'« effaroucheurs ».

Ce sont des hommes chargés de faire peur aux oiseaux qui pourraient survoler les aéroports. Au début, les effaroucheurs n'utilisaient que des fusils ou des haut-parleurs diffusant des imitations de cris de détresse de plusieurs espèces, mais les oiseaux s'y sont habitués et sont revenus. Alors, les effaroucheurs ont décidé de travailler avec de vrais faucons,

qu'ils ont dressés pour survoler les aéroports et faire fuir les pigeons, étourneaux, vanneaux, corneilles, buses.

Encyclopédie du Savoir Relatif et Absolu.
Volume XII.

73. FACE À LA MER.

Nous arrivons enfin au Havre.

L'air est empli de senteurs iodées qui me prennent à la truffe et à la gorge. C'est un peu âcre. Nous cherchons le port en nous laissant guider par les effluves marins. Le vent fait claquer les cordages et provoque un bruit de clochettes, ce qui nous aide à repérer le coin des vieux gréements.

J'arrive pour la première fois de ma vie face à la mer et je suis d'emblée surprise par sa taille.

Je ne sais pas si vous avez déjà vu la mer, mais c'est très impressionnant. Le fleuve pouvait être parfois large, mais la mer l'est encore beaucoup plus.

Comment vous la décrire ?

La mer, c'est de l'eau à perte de vue et dans toutes les directions. Elle forme comme un tapis vert infini. Plus le moindre arbre, plus de maisons, plus de routes, plus rien. Que de l'eau, de l'eau, de l'eau partout. Même la neige n'arrive pas à éclaircir cette masse d'eau sombre.

Passé l'impression de « jamais vu », nous nous intéressons aux bateaux. Ils sont beaucoup plus grands que le bateau-mouche, plus grands, plus hauts et pour tout dire plus beaux. Certains ont en effet des mâts hauts comme des arbres. Des voiles claires leur servent de feuilles.

Je marche sur les docks du port du Havre.

Soudain il me semble repérer une fragrance connue.

L'urine de Pythagore!

Assurément mon compagnon d'aventures a eu la présence d'esprit de baliser les alentours en prévision de mon arrivée.

Je remonte le chemin olfactif qui mène à un bateau bleu. Le perroquet volète déjà au-dessus du navire.

– Ils sont tous là! signale-t-il.

Je profite de la passerelle pour monter sur le bateau. En effet, je retrouve les survivants de la bataille de l'île Lacroix. Pythagore, Angelo, Nathalie, Roman, Esméralda, le porc Badinter, et même le border collie dont je sais désormais qu'il s'appelle Napoléon…

Mon fils est le premier à me foncer dessus et à me lécher le visage.

– Tu en as mis du temps, maman.

En plus, il ose me faire des reproches.

– Il faut qu'on parte vite d'ici, maman. Je n'aime pas les bateaux, poursuit mon rejeton. Je n'aime pas la mer. Je n'aime pas l'odeur du port.

Ça commence bien.

– Et puis ce serait bien si tu t'occupais un peu plus de moi.

Pas de doute, c'est moi en pire.

J'ai envie de le réprimander, mais d'un autre côté je me dis que cela ne sert à rien, surtout maintenant. Alors je fais le contraire : je me montre plus tendre avec Angelo, cherchant au fond de mes gènes ce fameux «instinct maternel».

Je le gratifie de quelques coups de langue affectueux bien ajustés, avant de le repousser quand même gentiment de la patte et de frotter mon front contre mes autres compagnons d'aventures.

Pythagore annonce :

– Je sais que tu vas me demander combien nous sommes, alors je peux t'annoncer que désormais, notre communauté est composée de 144 chats, 12 humains, 65 porcs et 52 chiens. Je peux aussi te signaler le nom du bateau, nous l'avons rebaptisé *Dernier espoir*.

On se lèche tous pour se souvenir de nos goûts respectifs.

Roman Wells vérifie que j'ai bien l'ESRAE, et que celle-ci est intacte.

Manifestement, ce n'était pas moi qui le préoccupais, c'était mon collier.

Au milieu de toutes ces effusions, un cri de Champollion vient interrompre le bonheur de nos retrouvailles :

– Alerte ! Les rats !

Ils ne nous laisseront jamais tranquilles, ceux-là.

. – Levez la passerelle ! Lâchez les amarres ! Hissez la grand-voile, hurle Nathalie.

Les douze humains présents devaient attendre le signal, car ils s'activent pour obéir aux ordres de ma servante qui a l'air de s'y connaître parfaitement en pilotage de ce genre de vaisseau.

Elle est déjà sur le gouvernail. Nous nous massons à l'arrière pour surveiller l'avancée de nos ennemis. Bientôt, nous voyons la marée de boules grises déferler dans notre direction.

La terrible horde brune de Tamerlan.

Une fois de plus, je suis fascinée par cette armée de destruction que rien ne semble pouvoir arrêter. Au-dessus d'elle, des centaines de pigeons apparaissent, ses « adjoints de l'air ». Ce sont eux qui ont dû nous repérer et guider la horde jusqu'ici.

Les maudits rats volants.

Les pigeons commencent à bombarder le voilier de leurs fientes gluantes. Un de ces projectiles me touche à l'épaule ; je me cache pour aussitôt le nettoyer. Mais le pouvoir adhésif de cette substance verte est étonnant et je suis obligée de m'arracher une touffe de poils pour m'en débarrasser.

Champollion émet le cri du faucon, mais il semblerait que cette astuce ne fonctionne plus. Alors, il tente autre chose : il imite un autre cri d'oiseau.

Étrangement, cela n'a pas l'air d'un cri pour effrayer les pigeons, mais plutôt pour attirer des oiseaux, puisque d'autres volatiles apparaissent.

Il a appelé des goélands.

La présence de ces gros oiseaux blancs aux longs becs pointus décontenance les petits pigeons gris bombardiers.

– On dirait que notre alliance vient encore de s'élargir, dis-je à Champollion.

Cependant, passé l'effet de surprise, quelques pigeons profitent de leur supériorité numérique et se reprennent ; ils attaquent en groupe les goélands isolés en les piquant de leurs petits becs pointus.

En fait, le ciel a aussi ses territoires.

Nous assistons ainsi à une bataille aérienne entre pigeons et goélands. Les premiers sont plus mobiles, les seconds plus lourds. Parfois, les pigeons arrivent à piquer les goélands, à d'autres instants ce sont les goélands qui assomment les pigeons. Les becs, les ailes et les serres se cherchent.

Les oiseaux marins ont cependant un avantage sur leurs rivaux : ils peuvent monter plus haut et descendre au ras de l'eau, alors que les pigeons sont limités en altitude et en vitesse.

Les goélands arrivent à faire des loopings, des virages serrés, des vols en rase-mottes. Ils entraînent les pigeons en haute mer et jouent avec les vagues.

Même si les voiles du bateau sont déployées et tendues, comme il est très lourd et très massif, il met du temps à s'éloigner du quai. Pour ne rien arranger, le vent souffle de la mer vers la terre.

Des rats parmi les plus déterminés tentent donc le tout pour le tout : ils se jettent à l'eau pour se lancer à l'abordage. Certains arrivent très bien à nager dans l'eau de mer et commencent à gravir les flancs de notre voilier...

Je n'ai jamais vu des animaux aussi tenaces. Tamerlan a vraiment su les rendre fanatiques, comme les religieux. Ils ne réfléchissent plus, ils ne tiennent plus à leur vie ; seul leur importe de satisfaire leur chef.

Quelques rats surgissent, épuisés, sur le pont. Nous les chats, aidés des quelques chiens et porcs présents, nous combattons ces téméraires.

Angelo fonce pour s'attaquer au plus petit et au plus fatigué d'entre eux. J'aurais préféré qu'il s'attaque aux plus gros. Pour lui montrer l'exemple, j'en choisis un qui a la taille d'un lapin. Mais mon fils ne me regarde même pas, tant il est occupé à s'acharner sur son minable adversaire qui s'est déjà figé.

D'autres rats parviennent à grimper jusqu'au pont, mais nous n'avons pas de mal à mettre hors d'état de nuire ces adversaires de taille plus réduite.

Une fois que nous avons éliminé le dernier de ces audacieux, les rats qui sont encore dans l'eau de mer sont trop épuisés pour monter sur le navire.

Je me penche à l'extrémité arrière du voilier, me dresse sur deux pattes. Il me semble reconnaître une silhouette blanche hissée sur le dos de ses congénères.

435

Alors de toutes mes forces je miaule :

– JE SUIS LÀ, TAMERLAN !

Je me doute qu'il ne peut pas me comprendre exactement, mais je sais qu'il perçoit forcément le sens de mon cri. Alors, j'achève ma phrase par un énorme miaulement, le même que je pousse pour signaler aux mâles alentour que je suis en chaleur et que je les autorise à m'honorer.

C'est un énorme cri qui résonne. Mon cri de victoire.

Angelo reprend le cri en plus aigu.

Puis tous les chats.

Dans ce miaulement collectif, toute la tension accumulée depuis notre départ de l'île aux Cygnes se relâche enfin.

– MIAAAAOUUUUU !

Puis le *Dernier espoir* prend de la vitesse. Nous sommes désormais hors de portée de toute nouvelle attaque des rats. Protégés des pigeons par les goélands et protégés des rats par l'eau de mer, nous sommes enfin tranquilles.

– Tu as vu, maman, comme je suis fort ? On pourra en tuer d'autres plus tard ?

Je lui tourne le dos et rejoins ma servante Nathalie qui est agrippée au gouvernail. Je regarde l'horizon et pose la question qui me taraude :

– Et maintenant, on va où ?

– Je propose qu'on aille au Mont-Saint-Michel, répond Nathalie. Cette île est facile à défendre. Elle a de hautes murailles.

– Non, ce n'est pas assez loin, répond Roman qui est assis derrière moi. En plus, les rats pourraient nous attaquer par la plage à marée basse.

– Il ne faut pas prendre le moindre risque de les retrouver, s'exclame Esméralda.

– Dans ce cas, nous pourrions aller jusqu'aux îles anglo-normandes, nous serons plus éloignés du continent.

– À mon avis, ce n'est pas encore assez loin, répond l'encyclopédiste.

– Tu penses à quoi dans ce cas, l'Angleterre ?

– Non, avec le tunnel sous la Manche, Tamerlan pourrait nous retrouver.

Notre bateau file maintenant à bonne vitesse. Les goélands poussent des cris en nous accompagnant.

– Je sais où nous devons aller, miaulé-je.

Tous se retournent vers moi.

– … New York.

Je laisse ma proposition faire son chemin dans les esprits de ceux qui m'entourent.

– New York ? Tu veux rejoindre l'Amérique sur ce trois-mâts ? s'étonne Nathalie. C'est quand même vraiment loin.

Je ne sais pas bien ce qu'elle veut dire par « loin ».

– Il n'y a que là-bas que nous serons sûrs que Tamerlan ne nous rejoindra pas. Et puis je vous rappelle que les scientifiques new-yorkais ont aménagé un véritable sanctuaire grâce à leur puissant raticide. À New York, il n'y a plus le moindre rat. Si j'ai bien compris ce que nous racontait Philippe Sarfati, c'est peut-être le seul endroit au monde qui bénéficie d'un tel avantage.

– Bastet a raison, déclare Roman. Tant que nous serons en Europe, nous pourrons retomber sur la horde brune ou l'une de ses concurrentes. Tu ne te sens pas capable de traverser l'Atlantique, Nathalie ?

Ma servante relève ses mèches de cheveux noirs. Elle allume une cigarette et aspire longtemps avant de souffler. J'ai l'impression que cette cigarette lui sert à se concentrer.

– Pour l'instant, je n'ai navigué que sur des bateaux faisant tout au plus 12 mètres et seulement en Méditerranée.

– Il y a un risque réel de naufrage ? demande Pythagore qui nous a rejoints.

Avant qu'elle ne réponde, je rétorque :

– Il est moins grand que celui d'affronter des centaines de milliers de rats aidés de milliers de pigeons !

Nathalie hoche la tête en signe d'assentiment puis se replace face au gouvernail. Pythagore s'approche de mon oreille.

– Cela tombe bien : j'ai toujours rêvé de voir l'Amérique.

– Pourquoi ?

– J'avais lu dans l'encyclopédie que l'Amérique du Nord est le pays où il y a le plus de chats. Là-bas, il est censé y avoir 100 millions de chats, contre 10 millions en France.

Précieuse information. Il me tarde de rencontrer ces 100 millions de chats qui vivent dans un pays qui possède le raticide absolu.

Le voilier fend les vagues dans un bruit de ressac. L'air vivifiant fait onduler ma fourrure et je sens que j'abandonne derrière moi l'ancien monde qui va être progressivement rongé par les rats. Pour les chats, les porcs, les chiens et les humains survivants, cela risque de devenir compliqué.

Désolée, je ne peux pas sauver tout le monde tout de suite.

Champollion vient se poser près de moi, il replie et déploie sa crête et dit, solennel :

– Jean de La Fontaine avait une formule qui peut résumer ce que nous venons de vivre : « En toute chose, il faut considérer la fin. »

74. JEAN DE LA FONTAINE.

Jean de La Fontaine naquit en 1621 dans le village de Château-Thierry au nord-est de Paris. Très jeune, il commença par écrire des contes, des pièces de théâtre et des livrets d'opéra. Son ami le surintendant des Finances Nicolas Fouquet lui donna l'idée de moderniser les fables de l'auteur grec antique Ésope. La Fontaine mit ainsi au point un système de récits commençant ou se terminant la plupart du temps par une phrase proposant une morale.

« Tout flatteur vit aux dépens de celui qui l'écoute » (« Le corbeau et le renard »).

« La raison du plus fort est toujours la meilleure » (« Le loup et l'agneau »).

« On a souvent besoin d'un plus petit que soi » (« Le lion et le rat »).

« En toute chose, il faut considérer la fin » (« Le renard et le bouc »).

« Rien ne sert de courir, il faut partir à point » (Le lièvre et la tortue).

« Aide-toi, le ciel t'aidera » (« Le chartier embourbé »).

« Il ne faut jamais vendre la peau de l'ours qu'on ne l'ait mis par terre » (« L'ours et les deux compagnons »).

Pour écrire ses fables, La Fontaine s'inspira des textes d'Ésope donc, mais aussi de ceux des fabulistes romains Babrius et Phèdre. Il puisa même dans des textes orientaux (la fable « Les poissons et le cormoran » est par exemple tirée, selon l'aveu de La Fontaine, du *Pañchatantra,* un recueil indien de contes et de fables).

Il prit également quelques-unes de ses idées dans le *Roman de Renart*, un recueil de récits médiévaux ayant pour thème le triomphe de la ruse sur la force.

Jean de La Fontaine publia son premier livre de fables en 1668 et connut rapidement un grand succès. En effet, les fables de La Fontaine étaient non seulement un moyen de décrire les problèmes de la société française et de la cour, mais aussi, plus largement, de tous les mécanismes de la perversion politique.

Grâce à l'allégorie animale, La Fontaine pouvait critiquer la cour de Louis XIV, en dévoilant les manipulations qui permettaient aux puissants d'écraser les faibles et d'abuser de leur naïveté.

Sans que les autorités s'en rendent compte, La Fontaine, implanté au cœur même du système de pouvoir (la cour de Versailles), éveillait les consciences.

Cependant, la réussite de son protecteur Nicolas Fouquet entraîna la jalousie du roi. Celui-ci fit donc arrêter le ministre par une simple lettre de cachet et le fit jeter en prison sans le moindre jugement. Le roi récupéra tous les artistes que Fouquet entretenait dans son château de Vaux-le-Vicomte (son cuisinier, Vatel, son jardinier, Le Nôtre, son architecte, Le Vau, son musicien, Lully, son comédien, Molière, etc.) et son fabuliste.

Mais La Fontaine, fidèle en amitié, prit la défense de Fouquet, avec la fable « Le renard et l'écureuil » – l'écureuil était le symbole de la maison de Fouquet. Louis XIV, furieux de cette prise de position, fit exiler un temps le poète avant de le réhabiliter plusieurs années plus tard.

« Je me sers d'animaux pour instruire les hommes », déclara Jean de La Fontaine. Au crépuscule de sa vie, comme il avait aussi publié des contes érotiques et qu'il avait vécu en libertin, c'est-à-dire en défiant le pouvoir religieux, le prêtre refusa de lui donner l'extrême-onction. Pour l'obtenir, il dut brûler devant lui ses ouvrages considérés comme impies.

Après sa mort (en 1695), ses fables ne cessèrent jamais d'être lues et étudiées dans la plupart des programmes scolaires, en France et dans beaucoup d'autres pays, et servirent à guider les jeunes générations vers la sagesse.

Encyclopédie du Savoir Relatif et Absolu.
Volume XII.

75. DERNIER ESPOIR.

À bien y réfléchir, je ne sais pas si je dois vous conseiller un jour d'aller au bord de la mer et encore moins de prendre un bateau pour traverser l'Atlantique.

L'Amérique, c'est vraiment loin.

Or, il se trouve que c'est très angoissant de se retrouver au milieu de nulle part, entouré d'eau salée, sans le moindre repère à l'horizon.

Depuis notre départ du Havre, je suis inquiète. J'ai le sentiment que, s'il y a un problème, je n'aurai aucun moyen de fuir. J'ai beau savoir nager, cela m'étonnerait que j'arrive à franchir une telle distance.

Pour quelqu'un qui était jadis phobique de l'eau, la situation est quand même difficile à supporter. Je repense au tableau *Le Radeau de la Méduse*. Et si cela nous arrivait ? Après la famine sur une île, la famine en mer ? Et nous finirions par tous nous entre-dévorer. Y compris entre chats.

Une image envahit mon esprit.

C'est exactement le même tableau que celui de Géricault au Louvre, mais les humains y sont remplacés par des chats qui se hissent les uns sur les autres pour agiter un chiffon blanc.

Je crois que mon imagination me joue des tours. J'invente des dangers là où il n'y en a pas, probablement pour rester sur le qui-vive. En fait, je n'aime pas être tranquille. J'aime les défis.

Ce sont toutes ces épreuves traversées qui m'ont rendue hyper-sensible voire paranoïaque.

J'en suis là de mes pensées en haute mer sur le *Dernier espoir*, lorsque je perçois des bruits bizarres en provenance d'une cabine.

Je m'approche et découvre ma servante humaine Nathalie en train de recevoir une saillie de la part de son mâle de référence, Roman.

Enfin ces deux-là ont franchi les fossés de leur éducation humaine pour laisser s'exprimer librement leurs pulsions animales.

Peut-être parce que je suis un peu voyeuse, mais aussi parce que la nature humaine est pour moi une source inépuisable d'étonne-ment, je m'installe sur le bord du hublot pour les observer.

Angelo vient subrepticement me rejoindre et regarde dans la même direction que moi. J'hésite à le chasser. S'il y a une chose à transmettre à mon fils, c'est peut-être la curiosité. Tant qu'il sera curieux de tout ce qu'il ne connaît pas, il ne pourra pas devenir complètement idiot.

Donc nous les observons en silence.

Évidemment, l'amour chez les humains est assez peu spectacu-laire. Ils sont dans la retenue plutôt que dans la joie. J'ai l'impression qu'ils sont concentrés sur l'analyse de leurs sensations plutôt que d'en profiter vraiment. Ils grimacent.

Question positions, ils sont très limités parce qu'ils sont très peu souples. Par exemple, je vois bien que Nathalie est incapable de passer ses jambes derrière ses oreilles (ce qui lui aurait permis assurément de trouver de nouvelles sources de plaisir). Quant au sexe du mâle que j'entrevois un instant, eh bien il est dépourvu de toute épine et aussi lisse que celui du sphynx.

Pourtant, tous deux semblent se contenter de ce mode de connexion charnelle. Nathalie respire de plus en plus fort et finit par émettre ses petits couinements de souris que personnellement je trouve ridicules (pourquoi ne hurle-t-elle pas pour laisser sortir son souffle ?) alors que Roman, de son côté, semble imiter le beuglement du taureau qui l'a tant de fois soulevé du sol durant la corrida.

C'est ainsi que se reproduit l'espèce qui a gouverné si longtemps la planète.

Alors que les deux accélèrent leurs bruits de bouches respectifs pour passer de l'éructation aux glapissements, je ressens cette pression intérieure et je ne peux m'empêcher d'éclater de rire, ce qui chez moi se manifeste par des sortes de toussotements répétés.

Je ris devant Angelo qui essaie de comprendre ce qui m'arrive. Je le sens inquiet.

Comme il ne connaît pas ce phénomène, il pense certainement que je m'étouffe.

Je n'ai pas l'énergie pour lui expliquer, il comprendra un jour. Après le rire, vient une autre émotion. J'ai envie à mon tour de faire l'amour. Observer la cocasserie de la reproduction humaine m'a paradoxalement hautement excitée.

D'une excitation peut-être similaire à celle que ressentent les humains lorsqu'ils regardent leurs films pornographiques?

Sans plus m'occuper des humains ni de mon fils, je sors sur le pont et j'appelle Pythagore. Il ne répond pas.

Où est-il encore passé, celui-là? Jamais là quand on a besoin de lui.

Enfin, il me répond depuis les hauteurs. Il est dans la nacelle ronde de vigie au sommet du mât central.

Encore un être de paradoxes, il a le vertige en montgolfière, mais il faut toujours qu'il se place en hauteur.

Je grimpe le rejoindre en m'accrochant aux cordages.

– Qu'est-ce que tu fais là?

– J'essaie de voir si nous approchons d'une terre. Pourquoi m'as-tu appelé?

C'est aussi cela le problème avec les mâles, ils ne sentent pas les choses, il faut tout leur expliquer.

– J'ai vu nos serviteurs pratiquer l'acte reproductif.

– Eh bien, ce n'est pas trop tôt.

– Quand même, lorsqu'on voit comment ils se reproduisent, on se demande comment l'espèce a pu perdurer.

– Il ne suffit pas d'arriver en haut, il faut y rester.

– Tu veux parler de la civilisation humaine?

– Précisément. Ils étaient au plus haut, et ils n'ont pas su y rester. L'autre jour, j'ai fait un rêve, dit Pythagore. Les humains étaient devenus une espèce en voie de disparition, parqués dans des zoos. Chaque fois qu'ils se reproduisaient, on l'annonçait dans les médias. Comme les derniers pandas.

Je ne sais pas très bien à quoi il fait allusion, ni ce que sont les zoos ou les pandas, alors je poursuis :

– Chez les humains, la saillie dure longtemps, tu ne trouves pas ?

– Des dizaines de minutes pour eux contre quelques secondes chez nous.

– Pourquoi est-ce si long ?

Justement, Nathalie pousse un cri si fort qu'on l'entend depuis le poste de vigie.

– Ça y est. Elle a eu un orgasme, signale le siamois en connaisseur.

– Le plaisir va la détendre. Je la trouvais un peu crispée ces derniers temps. Après tout ce qu'elle a vécu, c'est bien mérité.

– Dans neuf mois, naîtra probablement un humaniot.

– Cela m'inspire. Fais-moi des enfants, Pythagore, je trouve que ma première portée n'a abouti qu'à un brouillon qui me semble améliorable.

– Angelo ? Ce n'est pas très gentil de dire cela.

– Il est tellement prétentieux.

Il lâche un soupir désabusé :

– Depuis que nous nous sommes rencontrés, nous avons souvent fait l'amour et pourtant tu n'es pas tombée enceinte.

– Je pense que c'est parce que mon corps savait que ce n'était pas le bon moment, mon esprit contrôle mon corps, tu sais…

J'ai dit ça en l'air, mais je pense que c'est vrai. Je dois, avec mon cerveau, débloquer quelque chose pour que la fécondation devienne possible. C'est là encore un de mes talents cachés développés depuis que je maîtrise mon esprit : je peux aussi agir sur ma fertilité.

Nous nous dirigeons vers la cabine qui nous sert de logement durant le voyage. En chemin, nous croisons les autres passagers.

Quelques porcs discutent avec des chiens en se comprenant simplement à l'intonation. Badinter et Napoléon ne se quittent plus. Des chats font la sieste. Des humains affalés somnolent, d'autres jouent aux cartes ou aux échecs.

Arrivée dans notre tanière, je plonge mes grands yeux verts dans ses grands yeux bleus.

– Je veux te proposer une expérience un peu... nouvelle, miaulé-je. Cela te dirait que nous fassions l'amour en branchant notre Troisième Œil grâce à un câble ?

– Pardon ?

Je sais bien qu'il me pose la question seulement pour gagner un peu de temps de réflexion. Anticipant sa réponse, je poursuis :

– Il va nous falloir un câble. Tu en as un ?

– Non, et toi ? Tu as peut-être conservé celui de ta discussion avec Tamerlan sur la barque.

– J'ai beau avoir de la présence d'esprit, au moment où j'ai fui la barque, j'ai davantage songé à sauver ma peau et l'ESRAE qu'à rapporter des souvenirs de notre rencontre.

Le siamois et moi partons dans les cabines à la recherche d'un câble. Nous finissons par en trouver un dans une caisse du poste de pilotage, avec deux fiches mâles, une USB normale et une micro USB.

Nous revenons dans notre cabine. Pythagore arrive à pousser la targette de la porte afin que nous ne soyons pas dérangés. Je tire les rideaux.

Nous savons que ces deux gestes sont des rituels humains.

Puis nous nous asseyons face à face sur la couche de la cabine. Je lui demande :

– Tu as le trac ?

Pythagore s'ébroue.

– Personne n'a jamais tenté cette expérience à ma connaissance, même chez les humains.

– C'est une preuve supplémentaire de notre supériorité. La double connexion, c'est la *terra incognita* de l'esprit.

J'ai jadis lu cette expression sur Internet. Je sais que le vocabulaire peut impressionner, ce qui doit mettre fin aux dernières hésitations de mon interlocuteur.

– Tu es sûre qu'on ne fait pas une bêtise ?

– Le seul moyen de le savoir, c'est d'essayer.

Il utilise ses deux pattes pour enlever la boule qui lui sert d'émetteur-récepteur avec les humains et il enfonce la fiche USB dans son Troisième Œil. J'opère de même. Je ressens aussitôt un frétillement électrique. Je sais qu'il vient de notre électricité cérébrale naturelle. Un peu émue, je lui demande :

– Tu es prêt ?

Il a un infime tressaillement.

– Non, attends... Au cas où cela serait... Enfin... une expérience négative, je ne voudrais pas que tu croies que...

– Tu as peur que j'aie accès aux pensées les plus inavouables de ton esprit ?

– Euh... non, non..., bafouille-t-il.

J'ai visé juste.

– Alors, imagine par avance que tu vas vivre une expérience positive, d'accord ?

Je me mets en position pour réceptionner son corps avant de réceptionner son esprit. Nos sexes fusionnent. Lorsque je commence à sentir mon plaisir monter, je ferme les yeux.

Au début, cela n'a rien de très différent de nos ébats habituels.

Mais soudain il se passe quelque chose de nouveau, de difficile à décrire avec des mots.

D'abord, le plaisir augmente de manière exponentielle. C'est deux, trois fois, dix fois plus fort qu'une union normale. Je vois une succession de couleurs défiler derrière mes paupières. Les couleurs se transforment en lignes puis en branches de feu. Il me semble voir des flammes qui consument mon cerveau, jaunes, orange, rouges, noires.

Et soudain j'ai une vision.

Ma mère. Je la vois accoucher. En fait, elle donne naissance à six petits chatons, dont moi. Étonnamment, je sais que c'est moi, mais je n'ai pas la même apparence que maintenant. Ma fourrure est grise au lieu d'être blanche et noire. Même mes yeux ont une autre couleur, ils sont bleu saphir alors qu'aujourd'hui ils sont plutôt vert émeraude.

J'étais grise aux yeux bleus quand j'étais petite !!!!

J'ai changé.

Ensuite, je me revois en train de la téter, de jouer avec mes frères et sœurs. Je leur donne des coups de patte pour avoir accès à la meilleure mamelle de maman.

J'étais déjà brutale et égoïste.

Je me découvre ensuite un peu plus tard, alors que je suis plus grande, rapportant comme trophée mon premier mulot. Je me vois comme si j'étais à l'extérieur de moi-même. J'ai cet air fier de la petite chatte qui sait qu'elle va un jour régner. À quelques semaines à peine, j'avais déjà une posture de cheffe de meute.

Puis tout s'accélère en une succession de flashs : je suis avec ma servante Nathalie dans son appartement, en train d'accoucher de mes chatons ; à la bataille de l'île aux Cygnes, notre installation sur l'île de la Cité, mon morceau improvisé sur l'orgue de Notre-Dame de Paris, mon envol en montgolfière, mon premier grand éclat de rire en voyant la queue du sphynx, la première fois où j'ai nagé dans la rivière, surmontant ma phobie, l'ouverture de mon esprit par le Troisième Œil, la photo de ma planète vue de l'espace, le procès de l'humanité chez les porcs, la corrida, la découverte de l'art au musée du Louvre, la bataille sur le fleuve gelé, et maintenant ma fusion corps et esprit avec Pythagore.

Donc ça, c'est moi.

Je sens que Pythagore lui aussi voit défiler sa vie en accéléré, et je peux accéder à ses pensées, alors je les espionne : je vois sa naissance, sa jeunesse et nos moments ensemble tels que lui les a vécus, d'une manière parfois totalement différente de la mienne.

Et donc ça, c'est lui.

Deux trajectoires de vie qui aboutissent à cet instant présent précis où nos destins fusionnent.

Mes flammes rejoignent les siennes d'une teinte bleue, verte, grise, blanche, noire. Nos deux incendies cérébraux se mélangent pour n'en former qu'un à la couleur mauve nacrée.

Simultanément, je sens une chaleur partir du bas de la dernière vertèbre de ma queue, remonter le long de ma colonne vertébrale pour exploser dans mon sexe, puis dans mon cerveau.

Je perçois mon cœur comme une lumière qui clignote sur un rythme de plus en plus rapide. Nos battements cardiaques se synchronisent. Notre lumière devient plus intense.

Je vois ce qu'il voit et il voit ce que je vois. Je sens ce qu'il sent et je sais qu'il en est de même pour lui.

Je deviens lui et lui devient moi.

Ensemble nous sommes une entité plus grande qui nous dépasse, équipée de quatre yeux, quatre oreilles, huit pattes, deux truffes, deux bouches, deux cerveaux, deux cœurs, deux sexes.

En même temps, un plaisir immense me gagne, mais un plaisir

différent de tous ceux que j'ai connus jusque-là, c'est un plaisir physique relevé d'un plaisir intellectuel.

Je voudrais que cet instant ne s'arrête jamais.

Mon cerveau en surchauffe est parcouru d'idées qui fusent de plus en plus vite.

Je ne suis limitée que par l'idée que je me fais de moi-même.

Mais je ne suis pas seulement ce que je crois être.

Je me crois Bastet, mais je peux être beaucoup plus. Je peux être Bastet « et » Pythagore.

Je peux être tous les chats. Je peux être tous les animaux.

Je peux me connecter à tout ce qui vit. Même les arbres, même la planète, même les étoiles, même l'univers.

Je suis tellement plus que tout ce que je croyais…

Je peux être les autres.

Le vrai amour, c'est de comprendre ça.

Au moment où j'intègre complètement cette pensée, je me mets à hurler très très fort, de toute la puissance de mes cordes vocales.

Mon hurlement est long et intense.

Et je ne m'arrête que lorsque l'on tambourine à la porte de la cabine.

J'ouvre les yeux. Pythagore aussi ; nous nous observons. Il a l'air hébété. Je demande :

– Quelle heure est-il ?

Il tire le rideau. Il fait nuit.

– Cela a duré longtemps, dit-il.

– C'était merveilleux. Et pour toi ?

– Extraordinaire. Je ne saurais comment décrire cette expérience. Merci d'avoir eu cette idée, Bastet.

– Merci à toi, Pythagore.

450

Les coups secs redoublent contre la porte.

Je retire la fiche USB. Il fait de même et va ouvrir la porte.

Nathalie est là, qui semble inquiète et qui s'exprime en humain. Je replace mon émetteur-récepteur-traducteur dans mon Troisième Œil.

— Vous avez réveillé tout le monde. On vous entend hurler depuis dix minutes, qu'est-ce qu'il se passe ? Vous êtes blessés ?

J'ai envie de lui parler de l'expérience extraordinaire que je viens de ressentir (l'Amour avec un grand A), mais je ne pense pas qu'avec son cerveau limité d'humaine elle puisse comprendre cette notion, bien que ce soit elle qui m'en ait parlé la première comme d'une spécificité de son espèce.

— Soyez plus discrets… Vos ébats finissent par déranger tout le monde dans le bateau.

Et voilà, dès qu'on est heureux, cela énerve les autres.

Je me remets doucement de l'énorme émotion que j'ai ressentie.

— Il faut qu'on parle, dis-je à ma servante.

J'entraîne Nathalie dans sa cabine, puis me place sur le rebord du hublot pour être exactement à la hauteur de son regard.

— Il faudrait peut-être que vous m'accordiez enfin la considération due à mon rang. J'ai l'impression que parfois vous oubliez qui je suis.

Il est trop tôt pour lui demander de m'appeler systématiquement « Majesté », mais je poursuis :

— Je suis Bastet, je prépare une révolution planétaire, la révolution de la Félicité. Il est temps que vous, les humains, vous compreniez que vous occupez désormais une nouvelle place, en dessous de la nôtre. Votre règne, à vous humains, est fini, comme s'est achevé celui des dinosaures. Vous allez pouvoir vous reposer. Nous prenons la relève.

Peut-elle comprendre cette évidence avec son cerveau restreint ?

Et je conclus :

– Maintenant détendez-vous, faites-moi confiance, tout va bien se passer. Je me charge de tout.

Je pense simultanément :

C'est moi qui, à présent que j'ai compris l'Humour, l'Art et l'Amour, vais tous vous guider sur le chemin de la Félicité.

76. LA HIÉRARCHIE DANS LA HORDE DE LOUPS.

Dans les meutes de loups, les vieux et les malades ouvrent la marche, car ce sont eux qui vont définir la vitesse d'avancée du groupe.

Juste derrière eux, se trouvent quelques loups costauds, qui seront chargés d'attaquer si un ennemi surgit ou si une proie apparaît.

Ensuite, au centre, il y a cinq autres loups un peu moins forts qui viendront appuyer l'action de ceux qui sont devant. Le loup qui ferme la marche est le chef. Il surveille depuis l'arrière si la meute avance bien. Ainsi, chez les loups, les faibles sont devant, les forts derrière eux et le chef est en bout de file pour avoir une vision panoramique des événements.

**Encyclopédie du Savoir Relatif et Absolu.
Volume XII.**

77. LA TERRE PROMISE.

Ma mère disait toujours : « Il suffit d'observer longtemps et attentivement n'importe quoi pour que le spectacle apparemment le plus anodin devienne passionnant. »

Je regarde la mer et me dis que j'ai surtout profité de cette aventure pour observer ma propre vie, à laquelle j'ai découvert un potentiel insoupçonné. Cela m'a plongée dans une sorte d'état spirituel qui a dû me faire paraître étrange aux autres passagers du voilier.

Après la séance de connexion avec Pythagore, je me suis mise à trouver tout le monde sympathique ; même mon propre fils (qui a pourtant tout fait pour se rendre insupportable) m'inspire de la tendresse.

Et puis l'effet magique s'est estompé. Chaque jour qui passe, je redeviens un peu plus « comme avant ». Je trouve les autres passagers décevants, je m'inquiète de l'invasion du monde par les rats, la simple vue d'Angelo m'agace.

Pour autant, je ne reproduis pas la fusion des corps et des esprits avec Pythagore. C'était trop fort. C'est le genre d'expérience à ne pas pratiquer trop souvent ; disons une fois par an.

Je l'ai accompli, j'ai ouvert une porte encore plus large dans mon esprit, maintenant je sais que c'est possible, mais je ne crois pas que ce soit le bon moment pour délirer alors qu'il y a tant de choses à régler.

C'est le problème du bonheur : on court après, mais une fois qu'on l'a connu, on ne peut pas s'y maintenir.

Même Nathalie et Roman sont passés d'un état d'amour passionnel à une gestion du quotidien plus banale. Je ne perçois plus chez eux la tension électrique qui existait quand ils espéraient fusionner. C'est peut-être pour cette raison que les humains font durer si longtemps les préliminaires : ils savent qu'après, leur relation sera forcément moins excitante.

Je repense à Pythagore. Je sais désormais pourquoi j'adopte moi-même une certaine retenue avec lui.

Lorsqu'on aime vraiment quelqu'un, on vit dans la peur permanente de le perdre.

L'amour ne doit pas me ralentir. Je ne dois jamais m'attacher à ce chat particulier. Ce n'est qu'un mâle parmi d'autres.

Il faudra que je fasse bien attention à ne jamais tomber amoureuse.

Je m'ébroue, me lave tout le corps en me léchant, puis rejoins ma servante à l'arrière du bateau, bâille, m'étire avant de lui demander :

— Depuis combien de jours voguons-nous ?

— Depuis trente-cinq jours.

— Et quand pensez-vous que nous arriverons ?

— Je ne sais pas.

Je miaule :

— Je voudrais que tout ce que j'ai traversé n'ait pas été vécu pour rien. Alors je vais le raconter aux chats présents dans le bateau en leur demandant de le noter s'ils le peuvent.

Elle n'a pas l'air spécialement intéressée. Je la retiens encore.

— Mais en imaginant qu'ils n'y arrivent pas, j'aimerais vous dicter mes mémoires. Vous n'aurez qu'à m'enregistrer et je vous parlerai comme si je m'adressais à une communauté de jeunes chats. Ensuite vous transcrirez tout ce que j'aurai dit pour en faire un livre. J'ai déjà une idée du titre : *Demain les chats*.

Elle fronce les sourcils.

– Je veux que vous soyez ma scribe officielle.

Elle allume une cigarette et fume tranquillement. J'ai l'impression qu'elle ne me prend toujours pas au sérieux. C'est fou les préjugés qu'ont les humains sur les chats. Ils nous considèrent encore comme de simples animaux de compagnie, malgré tout ce que nous avons vécu ensemble.

– Ce livre sera le socle de notre civilisation féline, insisté-je. Comme la Bible.

Elle hausse les épaules, moqueuse, et me caresse affectueusement. J'ai l'impression qu'elle ne m'a même pas comprise. Ce n'est plus un problème de traduction, c'est un problème de mentalité.

Elle se croit toujours tellement supérieure à moi.

Mon attention est alors attirée par un détail surprenant. Un goéland vole haut dans le ciel et lâche un cri rauque. Nathalie le voit et l'entend, elle aussi.

La cloche d'alerte du *Dernier espoir* retentit. Nous nous précipitons sur les coursives pour rejoindre l'avant du voilier. Nous sommes tous aux aguets. Angelo frétille de la queue, Esméralda secoue la tête, dubitative, Pythagore se gratte nerveusement l'oreille droite, Champollion redresse sa huppe blanche très haut et Nathalie prend ses jumelles et scrute l'horizon. Soudain, les humains poussent des clameurs. Je leur demande :

– C'est New York ?

– Oui, ça y est, je vois les premiers buildings. Nous sommes arrivés à destination, annonce Nathalie, soulagée.

– Donnez-moi les jumelles, s'il vous plaît, servante.

Je place mes yeux dans les œilletons. Je distingue moi aussi les immeubles pointus qui jaillissent comme une forêt de rectangles gris. Notre bateau approche à bonne vitesse et je discerne de mieux en mieux le nouveau décor qui me fait face. Je déplace lentement mon instrument d'optique pour balayer la côte.

– Cela, c'est la statue de la Liberté, dit ma servante en dirigeant les jumelles dans une direction précise.

Je reconnais alors la même statue de femme en toge et brandissant un flambeau que j'avais vue à l'extrémité de l'île aux Cygnes. La seule différence est sa taille. Celle-ci a l'air dix fois plus grande.

Un petit détail attire mon regard et me fait tiquer. Il me semble apercevoir des taches marron sur le bras tendu vers le ciel. Je regarde plus attentivement.

Ce n'est pas de la rouille.

– Vous pouvez agrandir l'image, servante ?

Elle actionne le zoom et ce que je découvre me fait tressaillir.

– Pouvez-vous encore augmenter le grossissement, s'il vous plaît ?

Alors, l'image devient plus proche et plus nette. Je déglutis.

Non, pas ça.

Je « les » vois. Je discerne maintenant le socle et le sol qui entourent la statue de cette sculpture de femme aux allures de déesse à laquelle il ne manque qu'une tête de chat.

Il y a là non plus des centaines, ni même des milliers, ni des dizaines ou des centaines de milliers, mais des millions de rats marron.

Oh non, pas ça, pas ici et pas maintenant. Pas eux.

Ils sont tellement nombreux qu'on ne voit pratiquement plus le sol. Ils forment une sorte de tapis brun parcouru de vagues.

Je comprends, au moment même où nous touchons au but que je m'étais fixé, que ce n'était pas la bonne solution. Tous les passagers du *Dernier espoir* partagent mon désespoir.

Voir tous ces rats dans ce lieu où nous nous attendions à n'en voir aucun provoque chez moi une sensation étrange, nouvelle.

Quelque chose de liquide voile mes yeux, et simultanément ma gorge me démange.

C'est un phénomène nouveau, le mélange de deux émotions fortes et contraires.

Je ris pour ne pas pleurer.

(À suivre…)

REMERCIEMENTS

À Amélie Andrieux, Vivianne Perret, Jean-Yves Gauchet, Jonathan Werber, Sylvain Timsit, Jeremy Guerineau, Sébastien Tesquet, Zoé Andrieux, Erik Wietzel, Connie Bedrossian, Stéphane Pouyaud, Charlotte Ganouna-Cohen, Mélanie Lajoinie, Thierry Billard, Émile Servan-Schreiber, au professeur Didier Desor.

À mon éditrice Caroline Ripoll et toutes les équipes des éditions Albin Michel qui me soutiennent et m'accompagnent à chaque roman.

Et bien sûr à mes éditeurs depuis le début : Richard Ducousset et Francis Esménard.

MUSIQUES ÉCOUTÉES
DURANT L'ÉCRITURE DE CE ROMAN

Toccata, Air, Variations Goldberg, Invention pour deux voix, Adagio en ré *mineur*, de Jean-Sébastien Bach.

« Casta Diva », la célèbre aria de l'opéra *Norma*, composé par Vincenzo Bellini et interprété par Maria Callas.

« Birdy's Flight », extrait de l'album *Birdy* de Peter Gabriel.

« Le printemps », largo, extrait des *Quatre Saisons*, d'Antonio Vivaldi.

Sites Internet : www.bernardwerber.com
www.esraonline.com
www.arbredespossibles.com
Facebook : bernard werber officiel.

Composition : IGS-CP
Impression en septembre 2019
Éditions Albin Michel
22, rue Huyghens, 75014 Paris
www.albin-michel.fr
ISBN : 978-2-226-44483-7
Nº d'édition : 23689/01
4044395 Dépôt légal : octobre 2019
Imprimé au Canada chez Marquis Imprimeur inc.